文春文庫

64（ロクヨン）下

横山秀夫

文藝春秋

64

ロクヨン

下

38

ぼんやりとした冬の陽が沈みつつある。

三上（みかみ）は河川敷運動場の駐車場まで引き返して待ちの構えを取っていた。目は道路を注視している。濃紺のセダンが退散するのを見届けるためだ。

脳は二渡（ふたわたり）の動線を詮索していた。官舎街で彼を発見した時、てっきり辻内（つじうち）本部長を訪ねたものと思ったが、実際には向かいの刑事部長官舎から出てきたのかもしれない。敵将の荒木田（あらきだ）を急襲して揺さぶりを掛けたということだ。取り付く島もないので、やむなく標的をＯＢにまで拡大した。あるいは歴代刑事部長が隠蔽に関与している事実を嗅ぎつけ、勇んで頂上作戦に打って出た。

動線は繋がる。だが相手は歴代刑事部長の中でも花丸のつく大物だ。キャリア組とはまた違った意味でＤ県警の人間にとっては雲の上の存在と言っていい。その男の自宅に押し掛け、何事か聞き出そうなどという発想は普通なら出てこない。当たって砕けろの部類か。他のセクションを下位に見る、思い上がった選民意識のなせる業か。いずれにせよ、差し迫ったデッドラインが二渡の行動を大胆にさせているのは確かなことに思える。

――相手にはされまい。

三上は目の端でダッシュボードの時計を見た。四時四十分だ。二渡が尾坂部(おさかべ)宅に入って十五分。思った直後、目の前の道路をセダンが走り抜けた。奴だ。街灯に一瞬浮かんだ横顔を見逃さなかった。硬い表情だった。正味の面談は十分足らずだったろう。そうとも、尾坂部が警務部の人間の長居を許すはずがない。

三上は車を尾坂部宅に向けた。二渡の密行のケツを割る。そして長官視察の目的を尾坂部から聞き出す。おそらく知っている。幸田(こうだ)メモのことだけでなく、すべての裏事情を把握している。そう考えたからこそ二渡も尾坂部を直(じか)当たりしたのではないか。

懐の携帯が震えた。ちょうど十字路を右折しかけた時だった。曲がり切ったところで車を道端に寄せた。発信元は石井(いしい)秘書課長。舌打ちとともに通話ボタンを押した。

〈おい、どういうことだよ、三上君〉

いつになく高圧的な口調だった。

「何がです」

〈何がですじゃないよ。たった今、部長から電話があったんだよ。解決したんだっていうじゃないか、雨宮(あまみや)の件〉

二渡と出くわし、もう石井への報告は頭になかった。

「すみません。ちょっとバタバタしていたもので」

〈でも部長にはちゃんと報告したんだろ。なんで頭越しにするわけ？　先に電話一本くれればよかったんだよ。知りませんでしたじゃ、こっちの立場がないじゃないか〉

「以後気をつけます」

話を終わらせるつもりで言ったが通じなかった。

〈要するに手柄を直接報告したかったってことだよね。刑事部じゃどうか知らないけど、そういうの通用しないよ、こっちじゃ〉

言葉が耳を擦り抜ける。石井は同じ盤上にいない。

「刑事部も警務部もない」

〈えっ？　何？〉

「以後気をつけます」

もう一度言って三上は電話を切った。小事だ。口の中で呟いていた。

ヘッドライトを点けて車を出した。一つ目の角を折れると鮮やかなベニカナメの赤がライトに浮かび上がった。二渡と同じく生け垣に車を横付けし、早足で玄関に回った。「尾坂部」の表札を目にした途端、体が硬直した。喉に渇きを覚えた。約束は取りつけていない。直属の部下として仕えたこともない。普通なら呼び鈴は押せない。だがD県警が置かれている状況は普通ではないのだ。警務しか知らない人間が入れた家に、長く刑事を務めた人間が入れない道理はない。自らを鼓舞して呼び鈴を押した。

長い時間に感じられた。玄関の引き戸が開き、白髪をきちんと巻いた品のいい老女が顔を覗かせた。尾坂部夫人とは初対面だ。

三上は一目で警察官だとわかるように機敏に腰を折った。

「突然押しかけて申し訳ありません。県警の三上と申します」

名刺を差し出した。夫人は丁寧に揃えた手で受け取った。二渡に続く慌ただしい来訪を訝しがるでもない。

「広報官……でらっしゃるんですね」

「そうです」

「ご用件は？」

「部長にご相談したいことがあって参りました」

退官しても部長。それは生涯変わらない。

「わかりました。取り次ぎますので少々お待ち下さい」

奥に引っ込んだ夫人はすぐに戻ってきて「どうぞ」と三上を招き入れた。ひんやりとした廊下を歩いた。客間に通された。強張った足は棒のようだった。

「失礼します」

三上は歯切れよく言った。気持ちは新任巡査に近かった。

尾坂部は座卓についていた。退官して八年。六十八歳。頬と首回りの肉は年相応に削げ落ちて筋張っているが、三上を見上げた両眼は鋭く、現役時代の威圧感を留めていた。

「座れ」

命じられるまま膝を折った。夫人が勧める座布団を丁重に断り、ぎこちなく正座した。

尾坂部は腕組みをした。面と向かうと、その存在感は圧倒的だった。

「ご無礼、何卒ご容赦下さい。広報官の三上です。この春まで本部捜査二課で次席を

――」

「用件を言え」

「はい」

強引に頭の中の頁を捲らされた。

「警務課調査官の二渡真治が、先ほど部長を訪ねた理由を伺いたく参上しました」

そのものずばりを口にした。が、尾坂部は用件を問う目のままだ。

「ご承知かと存じますが、D県警は今、混乱に陥っております。四日後に予定されているロクヨンの長官視察を巡って刑事部と警務部が水面下で対立し、一触即発の状態にあります」

尾坂部の反応は読み取れない。捜査会議で部下の報告が出尽くすのを待っているかのような顔だ。

「小塚長官は刑事部にとって不利益な発言をする模様です。二渡はその露払いをすべく、刑事部の人間に揺さぶりを掛けています」

「………」

「こちらにもそうした目的で来たのではないか、と」

「何も知らんと答えた」

抑揚なく尾坂部が言った。瞬時、頭が空転し、それからじわりと親近感のようなものが胸に湧き上がった。尾坂部は二渡を鼻であしらったと言ったのだ。刑事部の人間同士の会話が成立している——。

「二渡は何をぶつけてきたのですか」

勇んで言ったが尾坂部は再び沈黙した。

「正直に申し上げます。東京が実際に何を仕出かそうとしているのか、その本当のところが摑めていません。ご存じでしたらお教え下さい」

沈黙が深まった。ここで「幸田メモ」を切り出したらどうなるか。尾坂部も隠蔽の共犯である以上、席を立ってしまうか。

やるしかない。二渡はやったに違いないのだ。

「二渡は幸田メモなるものを持ち出した。そうではありませんか」

「広報官のお前がなぜ立ち回る」

三上は面食らった。防御のための反問か。話が核心に入る前に三上のスタンスを見極めようとしてのことか。何も知らんと答えた。尾坂部の一言に痺れ、さらには濃厚な刑事臭が立ち込めるこの部屋の空気に甘え、だから当然問われるであろう自分の立ち位置の説明は頭から飛んでしまっていた。

「私は――」

掌中に汗を握っていた。尾坂部の真意はどうあれ、訊かれた以上、三上が答えねばこの面談の先はない。

「確かに私の籍は現在、警務部にあります。当然のことながら所属長の命令には従わねばなりません。今回の件に関しましても、本庁の真の目的を知らぬとはいえ、既に企てに加担していると自覚しております。しかし――」

魂まで売り払ったわけではありません。続く本音は言葉にならなかった。喉元まで辿り着けずにどこかへ浚われた。もはや本音とも言いがたい。それを言葉にして吐き出したらまた堂々巡りだ。その場その場の感情に流されて刑事と警務を行き来するのは、自己愛と家族愛が互いを責め合う修羅場に舞い戻ることを意味する。

三上は葛藤をかなぐり捨てた。ここへは懺悔や救済を求めてやって来たのではない。

「私は広報官として――視察現場を取り仕切る者として、知るべきことを知りたい。そう考えております」

「知ってどうする」

「胸に納め、与えられた職務を全うします」

「刑事のまま警務を生きるということか」

「いえ、もはや私は――」

言い掛けて、だが三上は思い直した。二渡憎しに駆られて乗り込んでおきながら、徒に自分が警務の人間だと言い張るのも馬鹿げた話だった。尾坂部の言った通りなのだ。裡なる刑事は消去できない。たとえ魂を売り払ったとしても血肉は刑事のままだ。生理的に二渡との違いを欲していた。奴は撥ねつけられても、俺はそうはされないと信じてここに来た。

「仰る通りかもしれません。染みついたものはどうすることもできません。どんなポジションに就こうとも、刑事をまっさらにすることは不可能です」

「戻りたいのか」

「否定はしません。ただ――」

「楽をしたいということか」

「……楽？」

「楽な仕事だ。世の中で一番な」

耳を疑った。刑事が楽な仕事。そう言ったのか。いや、楽な場所。そういう意味か。素の自分でいられる刑事部屋。机ごと置いてきた実績と誇り――。

尾坂部が腕組みを解いた。

「持ち場に戻れ。明日のために今日を費やすのは愚かなことだ」

えっ？

「今日は今日のために、明日は明日のためにある」

三上は愕然とした。明日のために今日を費やす。そうなのか。刑事部を利する情報を集め、あわよくば復帰の足掛かりにする腹積もり。そう判定されたのか。だがわからない。ならばなぜ突き放す。広報官が刑事部に肩入れしているのだとして、それはロクヨンの秘密を死守してきた歴代刑事部長にとって歓迎すべきことのはずだ。三上に情報を与えて事を有利に運ぼうとは考えないのか。青臭い新任警視ごときに弱みは見せない。同じ土俵には上がらない。そういうことか。いや、ひょっとして初めから会話に意味などなかったのかもしれない。尾坂部は機械的に線引きしていた。三上も二渡と同じ警務籍の人間だ。等しく刑事部の敵と見なして排除対象とした。

尾坂部が腰を上げたので三上は決断を迫られた。

「お待ち下さい」

引き止められるとしたら、この一言しかなかった。

「幸田メモの真相はご存じのはず。公になれば部長の名も汚されます」

両眼が三上を見下ろした。静かな目だった。達観しているような、とうの昔に何もかも捨ててしまったような。

「持ち場に帰れ。たまたまが一生になることもある」

「刑事部は潰されるかもしれません」

問いかけは最後まで無視された。

――逃げるのか。

三上の頰に微かな風圧を残して尾坂部が部屋を出て行った。廊下の足音が遠ざかっていく。それがこの家のルールなのか、入れ代わりに茶托を手にした夫人が静々と入室した。

「お茶を召し上がっていって下さいな」

どこか労(いたわ)るような声だった。

三上は背筋と膝が緩むのを感じた。正味十分。二渡も尾坂部の消えたこの部屋で苦い茶を啜(すす)ったか。

39

外の冷気が顔の火照(ほて)りに気づかせた。

二渡との情報戦は痛み分け。この尾坂部ラウンドに限って言えばそうだが、少なくとも向こうは本庁の真意を知っている。こっちは幸田メモを解読した。強がってみたところで二渡は話の席につく気がないし、尾坂部は岩のごとしで歯が立たない。そればかりか――。

持ち場に帰れ。

たまたまが一生になることもある。

疲労感が帰宅を促した。途中、日吉浩一郎(ひよしこういちろう)の家に立ち寄って母親に封書を託した。『君のせいじゃない』。柿沼(かきぬま)が洗いざらい喋ったので日吉とコミットする意味も薄れたが、メッセージを届けず放置すれば疚(やま)しい気持ちを引きずることになる。

家ではホッケと野菜炒めが待っていた。笑顔とまではいかないまでも美那子（みなこ）の表情は柔らかだった。すぐに無言電話の話になるだろうと心の準備をしていたのだが、昼間の携帯でのやりとりに満足したのか、エプロン姿の美那子に話を蒸し返す気配はなかった。

食事を始めて間もなくだった。

「何かいいことあった？」

突然訊かれて三上は瞬きを重ねた。

「そんな顔してるか」

「ええ、なんとなく」

だとしたら美那子の様子に安堵したからだ。いや、それだけか。村串（むらくし）みずきの昔話が、空白だらけだった夫婦のジグソーパズルに要（かなめ）のピースをもたらした。頬の熱は別の気掛かりに紛れても、たった数時間前に聞かされたばかりなのに、若かりし日の美那子のエピソードはもはや書き換えのきかない記憶の最深部にまで滲み入っていた。疲労感だけが家路を急がせたのではなかった。どうにもそんな気がしてきた。

「でもやっぱり疲れた顔してる。まだ大変？」

「いや、ひと山越えたんだ。雨宮芳男（よしお）が長官の慰問をＯＫしてくれた」

それを「いいこと」と受け取ると思いきや、美那子は首を傾げた。

「本当？　断られたんでしょ」

「一度はな」

「なのになぜ……？」

仏壇の前で落涙したとは言えない。

「まあ、こっちの誠意が伝わったってことか」

「そうよね、きっと」

咄嗟に夫を労ったものの、美那子の顔は不思議そうなままだった。

三上も改めて雨宮が翻意した不可解さを思った。捜査ミス。隠蔽。今回の長官慰問にしても警察の宣伝だと気づいていた。三上の醜態が雨宮を刺激したことは確かだ。遺影にあゆみの姿が重なって溢れた涙だったとするなら混じり気がない。娘を失った雨宮だからこそ三上の振る舞いに尋常ならざるものを感じ取ったということか。だが——。

あの時、涙が溢れ出したあの瞬間、あゆみはいただろうか。帰りの車中、何度も自分の心を点検してみたが「イエス」の答えは見出せなかった。

「ちょっと仕事の電話をする」

洗い物を始めた美那子に一声掛け、三上は携帯を摑んで寝室に向かった。

雨宮の心模様はどうあれ長官慰問の課題はクリアした。明日からは記者対策に復帰し、視察の直前までタフなネゴシエーションを続けることになる。持ち場に戻る、ということだ。微かな嘔吐感が胸に漂う。自分の持ち場に戻って内鍵を掛け、本庁が何をしようが見ざる聞かざる言わざるを決め込め。尾坂部はそう諭したのか。真意が読めない。結果を見ればいなされた。かといって三上の質問から逃れるために口にした言葉とも思えなくなっていた。

――わからん。

三上は寝室の電気ストーブを点け、どっかり胡座をかいた。目覚まし時計を見る。七時半丁度だ。腹を立てたのだろう、あのあと石井秘書課長は音無しだ。明日のマスコミ懇談会が気にならないと言えば嘘になるが、まずは諏訪の官舎に電話を入れた。所詮、マス懇は報道各社と県警のお偉方が外交辞令を述べ合う形式的な会合でしかない。広報室がトレースすべきは白い歯も尖った牙も見せる記者たちの動向だ。一昨日、長官会見のボイコットを宣言した彼らの気炎は、赤間警務部長が意図した冷却期間で少しは収まったか。

諏訪の官舎は話し中だった。

三上は何やら置いてけぼりを食わされた気分になり、携帯を握ったまま畳に大の字になった。記者に電話を掛けまくる諏訪の姿が目に浮かぶ。自分の持ち場を確と理解している。文句を言いつつ愛着をもってもいる。だが、彼にとって広報は天職か。

たまたまが一生になることもある。それは真理だろう。どんな職業に就くか、そこでいかなる職責を担うか、あれこれ理由と来歴は語れても、多くの偶然が作用して今があることは否定のしようがない。三上が刑事になったのだって、言うなればたまたまだった。なりたいと志願したのは確かだが、しかし志願者なら同世代に掃いて捨てるほどいたし、彼らと比べて自分がより刑事向きだったかと問われたなら神にでも訊いてくれと言うほかない。運。上司の胸三寸。人事の都合。なのにそれがいつしか、刑事をやるために生まれてきた男に化ける。刑事は人生そのもの。血肉の一部――。尾坂部は刑事の自意識を嗤ったのか。ひょっとして、彼自身、たまたまが一生になったと顧みているということか。刑事は世の中で一番楽な仕事だとも言った。自惚れについて語ったのなら、それもまた真理だろう。公権力の爪と翼は男を男以上のものにさせる。三上だって考えたことがないわけではない。他の世界で自分は何者かになれただろうか、と。

三上はバンと畳を叩いて体を起こし、携帯のリダイヤルボタンを押した。今度は繋がった。出たのは女房だった。諏訪は仕事で外出しているという。すぐに携帯に掛け直した。幾ばくかの期待を胸に呼び出し音を聞いた。

〈はい、諏訪です〉

声と同時にカラオケの喧騒が耳を突いた。

「三上だ。今どこだ」

〈あ、どうも。アミーゴで記者たちとやってます〉

やはり諏訪は土日返上で持ち場にいた。匿名問題。抗議文。会見ボイコット。三上にとってもリアルな現場が戻る。

「蔵前(くらまえ)も一緒か」

〈そうです、そうです〉

かなりアルコールが入っている様子だ。

「来てるのはどこだ」

〈ちょっと待って下さい〉

諏訪は店の外に出たようだった。背景音が行き交う車の音に変わった。

〈そうそう、遺族のほうはどうなりました？〉

「カタがついた。長官は上がれる」

〈そりゃあよかった！　お疲れ様でした！〉

「で？　そっちは」

〈ああ、はい、それがですね、ママの誕生祝いという名目で全社に声を掛けたんですが――ホントは来月なんですが――まあ、それはどうでもいいんですが、結果的には守備固めになってしまってます〉

守備固め。穏健派の記者しか顔を見せていないということだ。

「どこどこが来てるんだ」

〈えー、共同、時事、ＮＨＫ、東京。地元系はＤ日報、全県タイムス、Ｄテレビ、ＦＭケンミンです〉

「朝毎読は全滅か」

〈残念ながら〉

「産経と東洋は？」

〈産経もダメでした。この件が片づくまでウチとは飲まんそうです。東洋は秋川が来そうだったんですよ。美雲も来るって誘ったら行くようなことを言ったんです〉

三上は声を上げそうになった。すんでのところで呑み込み、静かに問うた。

「美雲がいるのか」

〈志願です。どうしてもと言うので連れてきました〉

挑むような口ぶりだった。

「その話は後だ。続きを聞かせろ」

〈ですから、秋川の奴、来るようなことを言ったのに姿を見せないんです。さっきまた支局に電話を入れてみたんですが、取材に出たって言ってましたから明日の朝刊で何かマルトクを打ってくるのかもしれません。例の談合絡みですかね〉

往々にしてあることだ。飲み会の翌朝には抜け駆けの記事が出やすい。

「そこの空気はどうなんだ」

〈えっ？　何です？〉

「視察の取材をボイコットするしないについてだ。穏健派の連中はどう言ってる」

〈ああ、そうです、そこです問題は〉

呂律ばかりか頭の回転も怪しくなってきた。

〈みんな基本的にはボイコットはやりすぎだって思ってるんですよ。やっぱ、長官の視察はニュースバリューがありますんで、取材したいのは山々なんです。それが証拠に、総会では視察の取材は一切しないみたいなことでしたけど、今夜聞いてみたら、ボイコットするのは長官のぶらさがりだけって認識の社が多いんです〉

「いいとこ取りってことか」

〈です。長官が来たことはちゃっかりニュースにし、ウチに制裁を加えるために会見は拒否するって寸法です。しかしまあ、それだってポーズです。こっちにとってもそうですが、視察の肝は何といっても会見ですからね、本音はみんなぶらさがりたい。普通に取材したい。そう思ってます。ただですね……〉

諏訪の声が窄まった。

〈今のまんまじゃウチに協力はできないってことでして〉

「どうしたら協力すると言ってる」

〈それが……〉

諏訪は口籠もった。アミーゴの店内には三上に対する不満が渦巻いているのだろう。

「いいから言え」

〈まずは広報官の正式な謝罪です。文書と口頭の両方で……。それと、非公式でもいいから本部長もしくは警務部長の口頭での謝罪の言葉。その二つが揃えばみたいなことを言ってます。あとは――〉

「まだあるのか」

〈謝罪はいらないから広報官を取り替えろ、と。強硬派の中にはそんなことを言ってる

社もあるそうです。おそらく東洋でしょうが〉

躊躇していた割に結論はスラスラと喋った。

「俺の雁首が欲しいってわけだな」

〈強硬派の一部は、です〉

「お前はどう思う」

諏訪の本音を知っておきたかった。

〈そりゃあ、ひと言で言うなら連中は調子づいています。このまま要求を呑んでたらきりがありません。ですが、まあ正直なところ、彼らの言ってることもわからなくはないです。雁首はともかく、正式な謝罪ぐらいは取らないとメンツが立たない。上からもどやされる。要は形です。それらしい形が整えば穏健派はボイコット中止に動きます〉

首に鈴をつけられた気がした。記者ではなく、自分の部下に。

「俺が謝ったところで本当に穏健派がボイコット中止に回るか？　抗議文の票読みを思い出してみろ」

〈絶対という保証はありません。ただ長官会見のボイコットは死んでも避けねばならないわけですから、打てる手は何でも打つしかないでしょう〉

三上は宙を見つめた。

雨宮の説得がそうだったように、記者対策にも不作為の作為が忍び入る余地があるということだ。何も手を打たなければ会見のボイコットが成立する。小塚長官は発言の場を失い、一時的にせよ刑事部は難を免れる。だが——。

雨宮の時とは違って気持ちは波立たなかった。家族を引き合いに出すまでもない。ボイコットの容認は記者対策の放棄だ。それは広報室の自死を意味する。

「広報官が正式謝罪したとして、記者クラブとの力関係はどうなる」

〈それは心配いりません。前例は幾つもあります。謝罪によって広報室の立場が弱くなったということはありません。むしろ隣との関係は良好になり、ウチとしてもやりやすくなったぐらいで〉

説得口調に近かった。広報官の謝罪など「安い」と言っている。

「一階だけで収まるか」

〈何です？〉

「部長は広報官の謝罪を許さない。事前に話が二階に上がればストップが掛かるってことだ」

お前次第だ。そう突きつけて返答を待った。

諏訪は理解したようだった。

〈一階で収まると思います。問題ありません〉

「わかった。考えておく」

三上は吐く息で言った。そして大きく息を吸い込んだ。

「美雲はまだいるのか」

〈あ〉

「ホステス代わりに使うなと言ったはずだ。すぐ寮へ帰せ」

〈ですからそれは美雲の意志で――〉

「帰せと言ってるんだ」

語気荒く言い放つと諏訪は黙り込んだ。不服の意が伝わってくる。

「言いたいことがあるなら言え」

ややあって神妙な声が戻った。

〈心配しないで下さい。私が責任を持ちます。ただのムードメーカーです。連中に抱かせるわけじゃありません〉

視界に火花が散った。

「馬鹿野郎！　サツ官がイロを垂らして仕事をするな！　俺が土下座でも切腹でも何でもしてやる。美雲は即刻帰せ。いいな！」

諏訪は引かなかった。

〈わかってやって下さい。美雲が望んでるんです。広報から記者対策を取ったら雑用しか残りません。私も来なくていいって言ったんです。広報官の考えだから我慢しろって。しかし美雲に言われました。女性差別です、同じ仕事をさせて下さい、と〉

差別。美雲の物言いとも思えなかった。

見透かされたということか。あの時だ。記者対策が行き詰まる中、美雲が自分もアミーゴに行ってよいかと許可を求めてきた。「女」の効果に期待した三上の一瞬が、彼女に免罪符を与えてしまったのかもしれない。

「美雲を出せ」

〈かなり飲んでます〉

「いいから出せ」

何分も待たされた。その間、頭の中を何十もの言葉が駆け巡っていた。

〈美雲です〉

小さな声だった。だが怖じ気づいているのとは違って聞こえた。

「命じたはずだ。なぜ背いた」

〈……………〉

「お前の仕事じゃない」

〈私も広報室の一員です〉

「同じ一課にいても内勤は人殺しを追わない」

〈役に立ちたいんです、私も〉

「十分役に立ってる」

〈そうは思えません。とても思えません〉

三上は一つ息を吐き、小さな覚悟を決めて言った。

「確かに一度は期待した。記者の懐柔に使おうと思った。だがお前をじゃない。若い女をだ」

美雲は折れなかった。

〈私は訓練を受けた警察官です。職務としてこの店にいます〉

「男はそうは見ない」

〈女であることは変えられません。それを利用していると思われるのならそれで構いません。部屋が大変なのに見て見ぬふりをするのは堪えられないんです。役割は理解しているつもりです。記者の人たちと突っ込んだ話もできます。広報は警察と外を結ぶ窓だと私も思います。報道のことも勉強しています。記者の人たちと突っ込んだ話もできます。男の人同士では角の立つ話でも私なら冷静に話せます。聞いてくれます〉

「綺麗事はいい」

〈綺麗事を言ってるのは広報官です〉

――何だと?

思わず携帯を握る手に力が入った。

「俺がいつ綺麗事を言った」

〈指示して下さい。情報を取ってきます。汚れ仕事もやります〉

「酔ってるのか」

〈酔っていません〉

「本気で自分を生かしたいのなら警察を辞めろ。お前ぐらいの能力と覚悟があればどこでも通用する」

〈なりたくて警察官になりました。やり甲斐も誇りも持っています〉

「わかってるはずだ。警察では男しか生きられない。男だって生き残れない」

〈狡い〉

三上は目を見開いた。

「狡い……？」

〈あの部屋にいれば広報官が今どれだけ大変かわかります。綺麗事では済まないことも、手を汚さなければならないことも、広報官が悩みながらそうしていることも、無理やり自分に言い聞かせていることもわかります。係長と主任に汚れ仕事を指示するのだって、本当は言いたくないのに言っている。言った自分を嫌悪している。そんなこともみんなわかるんです。でも――〉

張り詰めた声が震えた。

〈私を身代わりにしないで下さい。私だけ汚さないようにして、私に綺麗なところを全部押しつけて、まだ自分にも汚れてない気持ちがあるって狡いです。身代わりは嫌です。辛いんです。私も外に向かって警察の窓を開きたいんです〉

三上は天を仰いだ。

すべての火が吹き消された気がした。

もう携帯のバッテリーが終わると美雲が言った。それでも三上は言葉を返せなかった。

40

三上が湯船に体を沈めたのは十時過ぎだった。

まだそんな時間かと思う。長い一日だったと思う。

……柿沼を摑まえて真相を吐かせた。……幸田の今を見た。……雨宮を泣き落とした。……赤間に注進した。……みずきに昔話を吹き込まれた。……二渡と出くわし、尾坂部の家に乗り込んだ。……日吉へのメッセージを母親に託した。……いいことがあったかと美那子に訊かれ、狡いと美雲に言われた。

感情は縷々としていた。どの事柄にも心を留めておけない。たくさんの顔と言葉と思いが絡み合い、干渉し合い、相殺し合って茫洋と棚引いている。

長官視察の真の狙い……。雨宮の真意……。二渡の行動原理……。

思考のほうも怪しかった。わかったこととわからなかったことの境界線すら霞んでいる。疲労が湯に溶け出していく。目を閉じるたび、睡魔がにじり寄ってくる。

風が吹いている。曇りガラスがカタカタと音を立てる。三上が物心ついた時から、この家は古かった。

建て直さなきゃな。父が言った。

そのうちね。母が答えた。

西日が深く射し込んでいる。日焼けした畳。首を振る扇風機。丸いちゃぶ台にビール瓶と洋菓子店の箱が見えた。父の戦友が来ていた。短く刈った頭。赤銅色（しゃくどういろ）の横顔。体を揺らして笑っている。こっちを見た。目を輝かせた。

〈おお、ボク、お父さんにそっくりだな！〉

くすくす笑っている。赤間の娘がこちらを見ている。柱の陰から。車の中から。どこからともなく。教室の隅から。階段の上から。児童公園のベンチから。こっそり盗み見ている。二人。三人。四人。少女たちの口が意地悪く動く。額を寄せ合って笑いを噛み殺している。

なあ、気づいてないと思ったら大間違いなんだぞ。

あゆみがしゃがみ込んでいる。両手で顔を覆っている。かごめかごめのように。四方八方から。百も千ものあの目に取り囲まれている。辺りは薄暗いのに、しゃがみ込んだあゆみの背中にだけスポットライトが降り注いでいる。

なあ、お前らわかってるのか？　自分たちのやってることが。

〈しかし本当によく似てますね。可愛くて仕方ないでしょう〉

なぜ赤間は……。自分にも娘がいるのに。あんなにも可愛がっている娘がいるというのに。なぜあゆみの不幸を弄（もてあそ）ぶ。鬼なのか。娘まで鬼にする気か。自分を可愛がることだけ教えて、それで終わりか。

ああ……。

いいことをすりゃあ……。

三上は薄目を開けた。

カタカタと音がする。風が強まった。三上の代で改築したのだが、この窓は……。

お父さんにそっくりだな！　そうでしょうの顔で母が笑った。父は黄色い歯を微かに覗かせ、苦笑いとも照れ笑いともつかない表情を浮かべた。

〈頑張れよ。いいことをすりゃあ、返ってくるさ〉

そうだった。父の口癖が戦友を号泣させたのだった。帰り際、靴紐を結んで立ち上がり、振り向いた顔はくしゃくしゃだった。

きっとたくさん仲間が死んだ。きっとたくさん人を殺した。

あれきり彼は姿を見せなかった。我が子のように三上の頭を撫で回し、チョコレートやアイスクリームのケーキを奮発し、その後の彼の人生に何かいいことが返ってきたろうか。

父は……。いつあの言葉を手に入れたのだろう。実際にあったのだろうか。いいことをして何かが返ってきたためしが。子供時代に？　戦地でか。それとも長く勤めた市の清掃センターで？

父さん、俺は知らないんだ、何も。

影の薄い父親だった。いつも母の後ろにいる印象だった。どっしり構えていたわけではなく、子育ては女房任せというのでもなく、母の輪郭からはみ出すのを恐れるかのように静けさを保っていた。三上のほうも母の輪郭の向こうに父を置いていた。母が部屋を空けた時の、父と二人だけの空間はなんとも落ち着かなかった。無口で伏し目がちで顔も手も指もごつごつしている父が苦手だった。スキンシップは記憶にない。顔だけが親子だった。父は母の血統を凌駕し、なのに勝利の証である息子と打ち解けぬままロクヨンの年に死んだ。

〈ほら、ボク、食え食え。早く食わないと溶けちゃうぞ〉

ケーキは貪り食ったが、笑いはしなかった。玄関で男泣きする姿を盗み見て、なんだかいい気味だと思った。

男の子だから。母にはそんな余裕と気楽さがあった。それでも美那子を初めて引き合わせた時は父以上にうろたえていた。宙を泳いだ目が、瞬きで正気に戻って三上を見据えた。よく覚えている。遠い昔、息子が釣り銭をちょろまかしたのではないかと疑った時の目だった。お前、何か疚しいことはないかい？

三上は小さく笑った。

母さん、それはあんまりだろう。

そうそう、その母の勧めで近所の剣道教室に入門したのだった。そろばんや習字が上手くなることよりも、息子に真っ直ぐ育って欲しいと望んでいた。稽古は厳しかった。面をかぶった時の、あのわくわくする感覚がなければ長続きしなかったと思う。面金(めんがね)に縁取られた狭い視界や自分の息遣いの濃密さは、段ボール箱の秘密基地だか隠れ家だかに近かった。変身願望は意識になかったが、おそらくそれも満たされた。面の縦金は鼻筋を消し、十三本の横金が顔の造作を細切れにする。物見から覗く両眼以外、翳りに沈み込んで同化する。それは顔とは呼べない。顔は必要ない。いっとき、見る側に特化した何者かになれる。にきび面になり、異性の目が気になり出した頃には、その窮屈で汗臭いかぶり物の裏側がどこよりも落ち着ける場所になっていた。

母の願いがあり、この顔があり、剣道があって、その延長線上に警察官の道があった。必然か。

たまたまか。

三上は手拭いを絞って顔を拭った。ごつごつとした感触が手のひらに伝わる。剣道を通して礼節を学んだ。体を鍛え上げた。心はどうか。いったい何を学び、どう鍛えられたろう。人並みの正義感は備えていた。闘争心もあった。だから胸を張って任官し、刑事として雄々しく振る舞った。だが――。

囁く声がする。

刑事が新しい面になっただろう。

たまたま手に入れた代わりの面を、これ幸いと二十年以上かぶり続けてきたんじゃないのか。

〈楽な仕事だ。世の中で一番な〉

刑事という職は人生の隠れ蓑になりうる。尾坂部はそんなことを言ったのかもしれなかった。楽な仕事でないことはあまねく知られている。刑事の苦労や苦悩や悲哀は小説やテレビドラマやドキュメンタリーの過剰供給によって刷り込まれ、誰もが知った気になっている。刑事と名乗れば勝手に相手のスイッチが入る。自分の口から何も語る必要がないことが楽なのだ。ましてや刑事は現実の苦労も苦悩も悲哀もたやすく棚上げできる。常に追うべき獲物がいるからだ。所轄時代、いみじくも松岡は部下をこう鼓舞した。愚痴らず楽しめ。俺たちは給料を貰って狩りをしてるんだからな――。

　理性はともかく、犯罪を憎む本能は刑事に備わっていない。あるのはホシを狩る本能だけだ。三上もそうだった。ホシを割り、追い込み、落とす。延々と繰り返される日々に個人のメンタリティーは色を失い、鈍く光る刑事色に染め上げられていく。誰も抵抗しない。むしろ自ら進んでより濃く染まろうとする。狩猟は生活のためのみならず、猟場に留まりたいと願う者たちにとって唯一の趣味であり、最高の娯楽でもあるからだ。

　幸田に訊いてみるがいい。狩りの権限を剝奪され、狩られる側になった彼に。ただ妻子と生きるためだけに労働する彼に訊け。刑事の仕事は大変だったか、と。

　三上は長い息を吐いた。

　存分に狩りを楽しんだツケが回ってきた。今さら刑事の面を脱ごうものなら、人生そのものがズルズルと剝けてしまいそうだ。露出するのは地金とは限らない。ありのままの自分などもはや存在しないと考えるべきなのだ。刑事が麻薬であることは「前科」の一年間で知った。壁一面を這い回る虫は見ずとも、薬が切れれば、デフォルメされた恐怖心や劣等感と日々向き合わねばならなくなる。

〈刑事のまま警務を生きるのか〉

改めて頷く。

四日後に長官が来る。今は正気を保つことが何より大切に思える。家族を守るために警務陣営の旗の下に立つ。刑事の心は悲鳴を上げるだろうが、それこそが正気である証だ。無理やり統合しなくていい。身悶えながら、しかし粛々と広報官の職務を遂行すればいい。

不意に心が波立った。

おい、こんなにのんびりしていていいのか。長官が何を言うのか、それがどんな結果を招くのか、まだ何もわかっちゃいないんだぞ。

仲人親の顔が浮かんだ。尾坂部が駄目なら大舘（おおだて）に当たるまでだ。歴代刑事部長の一人として隠蔽のリレーに加担した。そうでなくとも尾坂部に次ぐ大物ＯＢだ。長官視察の裏事情に関して何か情報が入っていてもおかしくない。今年初めに脳卒中で倒れたが、夏に中元を届けた時には自宅でリハビリに励んでいた。三上が広報に動いたことを残念がり、荒木田にひと言意見してやると麻痺の残る口を尖らせていた。

大舘なら喋る。俺にならーー。

ふっと心が凪（な）いだ。何かに吸い取られるように興奮が冷めていく。

残酷すぎないか。退官して四年。いまだ古傷とは言えまい。仲人をするほど可愛がった昔の部下に、生乾きの傷口を開かれるのはさぞかし辛かろう。それでも押し掛けるのか。病み上がりだ。懸命に立とう、歩こうとしている恩人を追い詰め、あの世に逝く日を早めてやる気か。

二渡ならやるだろう。迷わず呼び鈴を押す。いや、既に押したか。

警務のエースが踏み込んだ後なら来訪の理由を告げずに済む。無言で大舘の目を見つめればいい。「遺言」を口にするまで待てばいい。ただ待てば……。

三上は頭を振った。

湯気の立ち込める天井をぼんやりと見つめた。しばらくそうしていた。

美雲はどうしたろう。まだアミーゴにいるのか。

……狡い。

……私を身代わりにしないで下さい。

彼女はどんな顔で言ったろう。

女だから言えること。途中まではそんな苛立ちを感じつつ美雲の話を聞いていた。禁忌は突然破られた。決して人に言われたくなかった言葉を、最も言ってほしくない部下に言われた。

衝撃と落胆は大きかったが、ただ打ちのめされたというのとは違った。探し物が実は目の前にあったと気づいた瞬間のような、驚きと自分自身に呆れる思いが同時に湧き上がった。美雲はいつだって三上の目の前にいた。口数は少なくとも、彼女が目も耳も脳も鋭敏なことは誰よりわかっていたはずだった。

だが……。違うのだ。

狡いと言われて気づいた。身代わりにしたのではない。自分の汚れていない部分を託したわけでもなかった。守りたかっただけだ。女房も娘も守ってやれずにいる男が、ほんの一年か二年、上司と部下でいる限られた時間だけ、それならきっと守ってやれると抱き寄せた相手が美雲だった。

それでも身代わりか。罪作りな「ごっこ」か。やはりそれは狡いことなのか。

無菌を強いたことが、雑菌をばら蒔いた行為に思えてくる。職務に対する熱意とは別のところで、美雲は自分の無垢を疎んじたのではあるまいか。心配になる。汚れ仕事をやるとまで言い切った彼女は、この先どこに向かうのか。

〈私も外に向かって警察の窓を開きたいんです〉

春先に三上が「窓」の話をした時は、どこか腑に落ちない顔をしていた。交番こそが警察の窓だと信じていたからだ。しばらくして飲み会で本音を吐露した。「全国の交番勤務員が誠実に市民に接遇していれば、自ずと警察に対する印象や評価は高まると思います――。

ならば今、美雲が広報室員として開こうとしているのはどんな窓か。

割り切ったのか。記者を一人手懐ければ、百万、千万の国民に「警察の正義」を伝えられる。警察の顔を立ててくれる記者が増えれば、全国津々浦々の交番員がどれほど愛想を振りまこうが到底成しえない、大掛かりなイメージ操作が可能になる。だからアミーゴに行った。綺麗事は抜きと言うなら、ずばりそう解釈していいのか。

諏訪は平然と頷くだろう。酒席で寝業を仕掛けるのは日常的な記者対策活動であるし、上層部が渇望してやまないマスコミ支配の戦略とも合致する。「窓」は違う。戦略ではなく、記者対策でもない。それは警察の鎖国化を危惧する一摑みの気持ちだ。警察とマスコミが迷い込んだ袋小路に、ひょっとしたら出口があるかもしれないと考えてみる日々の習慣だ。内と外との空気が混じり合い、そこに諍い以外の何かが起こることを期待して開け放っておく心の窓だ。

気掛かりだった。美雲がどう理解したかが気掛かりなのではなく、最初に「窓」を口にした時の、自分自身の気持ちが胡散臭かった。二年で刑事部に戻ると決めていた。精勤を乱すまいとして心の支えを欲していた。あれは本心からの言葉だったか。自分を言いくるめるための方便だったとするなら、美雲にとんだ飾り窓を見せたことになる。

いや……。

あった。最初の気持ちはどうあれ、広報官であることが、ひどく重要なことに思えた瞬間が何度もあった。あゆみが家出をするまでは。あゆみが家出をした後にも、だ。

「あなた──」

美那子の声がした。一瞬、眠りに落ちていたと錯覚して三上は慌てた。

「大丈夫？」

洗面所からだ。長風呂を心配している。

「ああ、もう出る」

返事をしたものの三上は腰を上げなかった。温まった気がしない。声を掛けられるほど長風呂だとも思えない。あゆみが家を出てから、風呂やトイレや洗面や、そうした決まりきった日常のリズムがおかしくなった。ずっと歯磨きをしていることがある。あゆみのことを考えているわけではなく、ただ歯ブラシを動かしている。そうかと思えば、顔も洗わず鏡に向かって呟いている。寒くはないか――。

あゆみの死姿を想像したことはない。決して悲観はしていない。強がってもいない。何遍でも言う。あゆみは生きている。

だが……。

その後が続かない。

生きているのならどこかにいる。立っていたり歩いていたり食べていたり眠っていたりしている。その姿が一つとして頭に浮かばない。誰もが醜い自分を笑う。誰にも顔を見られたくない。そんなあゆみが家以外のどこかで生活しているさまを具体的に想像することができない。金は？　塒（ねぐら）は？　ありがちな女子高生の家出ならば、アルバイトや男や歓楽街を連想するだろうが、あゆみには当てはまらない。ならばどう生きている？　ホームレス？　年若い女のホームレスが二十六万人のアンテナに引っ掛からないはずがない。保護されている？　誰にだ？　親にも警察にも知らせずに十六歳の少女を保護していると言い張るなら、そいつは真っ黒な犯罪者だ。

だから考えることをやめてしまう。美那子にも考えるきっかけを与えない。あゆみは元気でやっている。その先は口を噤んで強制的に話を終わらせる。美那子もあゆみの「今」には触れない。口にするのは電話のことばかりだ。それだけは許されるからだ。あゆみが公衆電話の受話器を握っている。夫婦が唯一、思い浮かべることができる、思い浮かべていい、外にいるあゆみの姿だ。

「帰ってくるさ」

いつものように言葉にしてみる。自分の言葉に頷く。外でのことなどどうでもいい。帰ってくればそれでいい。あとのことはどうにでもなる。

「帰って来い」

明日かもしれない。それとも明後日か。もっとずっと先になるのか。

明日のために……。尾坂部は違うというのか。

誰だってそうだ。明日のために今日を費やしている。

愚かなこと？　そんなことはない。明日の犠牲でいい。今日を汚し、貶め、醜悪なものにしてしまっても構わない。少しはましな明日が来るなら。そのためになら。

変わりましたね。

変わっちゃいないさ、ちっとも。

しっかり支えてあげて。

支えるさ、ちゃんと。独りになんかしないさ。あゆみだって悲しませようとして美那子を悲しませているのではない。美那子があゆみを傷つけたのではない。

結露が崩れて暗い窓に筋を引いた。瞼が重かった。今度の睡魔は強引だった。

あの交通安全のお守りはどこへやったろう。

闇が広がった。

手が見えた。

白無垢を纏った美那子が、穏やかな笑みを浮かべて三上に両手を差し出していた。

41

やはり普通の週明けにはならなかった。六時にセットした目覚まし時計が鳴る前に、赤間警務部長からの電話で起こされた。

〈東洋の朝刊を見ましたか〉

「いえ、まだです」

〈早く見なさい〉

今にも怒り出しそうな声だった。

三上はまだ寝床にいた。掛け直しますと一旦電話を切り、寝巻にガウンを羽織って外の郵便受に急いだ。東洋が何か書いた。真っ先に浮かんだのは談合絡みの特ダネだったが、その程度のことで赤間が早朝に電話を寄越すとも思えない。まさか、が頭を過った。公安委員。妊婦。老人の死――。

「何か出てるの？」

新聞の束を抱えて戻り、茶の間に入ると美那子が起き出していた。ファンヒーターを点けたところだ。心配そうに眉を寄せている。

「そうらしい。ちょっとコーヒーを淹れてくれ」

やんわりと美那子を追い払って東洋新聞を開いた。「県版」を見る。大きな見出しが目に飛び込んできた。

『商品券で口止め』

『問われる留置管理体制』

額がひんやりとした。記事を読み始めてすぐ、それが全国版の「親記事」を県版で受けた詳報だと気づいた。慌てて社会面を開く。あった。県版と比べれば格段に小さい扱いだが見出しは衝撃的だった。

『女性留置人にわいせつ行為・D県警』

目に痛みを覚えた。

記事は八月にD県北部のF署で起きたとされる不祥事を伝えていた。窃盗容疑で逮捕勾留中だった三十歳代の女に対し、留置管理係の五十歳の巡査長が深夜数回にわたって胸や下半身を触るなどの猥褻行為をした——。

再び県版を開く。その手が荒ぶれた。

俺の言うことをきけば早く出られるようにしてやる。甘言を弄しての犯行だと書かれている。窃盗女は裁判で執行猶予付きの判決を受け、釈放後に「弱みにつけ込まれた。許せない」と巡査長に謝罪を要求。署にも抗議すると告げたところ、巡査長は十万円相当の商品券を差し出し、上司には言わないでくれと頼み込んだという。

三上は紙面に拳を落とした。根拠なくしてここまでは書けまい。胃液が喉元近くまで込み上げた。善良さを探すのが難しい組織とはいえ、まさかこんな下劣な男が警察官の皮を被っていようとは——。

他の新聞を次々開く。どこにも載っていない。東洋の独自ネタだ。諏訪の勘が的中した。ゆうべ「アミーゴ」に来ると言って来なかった秋川が仕事をしたと見ていい。

しかし解せない。なぜ昨夜のうちに騒ぎにならなかったのか。記者がこの種の特ダネを朝刊で打つ場合、前夜に警察幹部を訪ねてネタの真偽を確認する「裏取り」の工程が欠かせない。締切時間ぎりぎりに情報を摑み、大慌てで紙面化したということか。記事の中身に絶対の自信があって裏取りは不要と判断した可能性もある。だとしても、警察に不意打ちを食らわしたのでは後々の取材がやりにくくなるから「朝刊に出ますよ」ぐらいは事前に通告してくるものだ。なのに今朝のはどうだ。赤間の苛立ちから察するに東洋は確認も通告も怠った。

わざとか。

敢えて通告の仁義を切らず、寝覚めの悪い朝をD県警に迎えさせた。ありえる。攻撃性を剝き出しにしている今の秋川ならやりかねないと思う。

いや、それよりも気になるのは――。

三上は差し出されたコーヒーに口だけつけた。警電の受話器を上げ、警務部長官舎に掛ける。ワンコールで赤間が出た。

「読みました」

〈書いたのは本部詰めの記者です〉

赤間は断定口調で言った。

東洋にはF署のエリアを受け持つ通信部記者がいる。六十を過ぎたその嘱託記者が、さっきF署の小保方署長に言い訳めいた電話をしてきたのだという。いやあ、ウチの朝刊見てたまげたよ。この話、本当かい？

〈署長も寝耳に水だったようです〉

小保方署長はすぐさま官舎に巡査長を呼びつけた。その場であっさり白状したので刑事課員を招集し、特別公務員暴行陵虐容疑で緊急逮捕の措置を取った。現在、本部から監察官がF署に向かっている。記者会見は午前九時から現地で行う。話はそこまで進んでいた。

〈しかし実に不可解です。僕のところにも警務課長や監察課長にも記者から電話一本あ

りませんでした。こんなことは稀でしょう。あなたの見解を聞かせて下さい〉

かつて脳が手足に意見を求めたことはなかった。相当応えている。記事は全国版に載った。赤間は本庁からの電話で眠りを破られたのかもしれなかった。

「記者が昵懇の情報源から一本釣りしたのだと思います」

〈そうではなく、僕が訊いているのは、なぜ今この時期に警務部叩きの記事が出たのか、ということです〉

――やはりそこか。

警務部叩き。三上も記事を読みながら疑心に駆られた。刑事部が東洋にリークして書かせた。守勢の構えから一転、反撃の口火を切ったのではないか、と。

書かれた中身が留置場ネタだったことが臭気を発している。留置管理は警務部の所管だが、実際には刑事部のテリトリーだ。「警察の留置場は代用監獄化し、冤罪事件の温床になっている」。そんな人権派勢力の批判をかわすため、組織図の上では刑事部と切り離されているが、生粋の警務畑の人間だけで留置場を運営している所轄などD県警に一つもない。肩書は警務課員であっても刑事経験者や刑事見習いの看守が相当数いて、日中の取り調べを終えて房に戻った留置人の言動に目を光らせ、逐一刑事課に報告を上げている。要するに、留置場内の情報は刑事部が余さず握っていながら、ひとたび留置管理に問題が生じた場合には「外面」である警務部が責任を負わされるということだ。ブラックボックス化した警務部中枢の不祥事を暴くのは無理でも、留置場の醜聞ならば幾らも刑事部にストックがある。だが――。

本当にやったのか、刑事部が。

信じたくはないが、赤間がそう確信している以上、ここで的外れなことは言えない。

「刑事部がこちらを牽制したとお考えですか」

〈牽制？　これは明白な脅しです。留置場を突いた辺り、肉を切らせて骨を切ったつもりなのでしょう〉

肉を切らせて……？

それは違う。この記事で刑事部はかすり傷一つ負わない。五十歳でいまだ巡査長と言えば、余程のお人好しか組織の負け組だ。現業の花形たる刑事の経験はまずないとみていい。身内以外から生け贄を調達し、警務部だけを不祥事の矢面に立たせた。やはり刑事部の仕業と考えるのが妥当か。

〈あなたが原因ではないんですか〉

三上は面食らった。

――俺が原因？　何の原因だ？

「仰っている意味がわかりません」

〈裏で動き回って、刑事部を無駄に刺激した覚えはありませんか〉

馬鹿を言え。危うく発するところだった。それが当て嵌まるとするなら二渡以外にいない。

「そのような覚えはありません」

〈では、意図的に煽ったのですか〉

「えっ？」

〈あなたが刑事部の人間と接触していることは耳に入っています。僕は禁じたはずです〉

三上は歯噛みした。そういうことか。長官視察の目的は教えず、なのに背信の疑いだけは掛けるのか。

「疚しいところはありません。私は広報官として必要な情報を収集しているだけです」

〈いいでしょう。家族のためにもここで一踏ん張りすることです。マス懇の説明は石井さんにしてもらいますので、あなたはこの記事が出た経過を突き止め、事後処理に専念なさい。小保方署長のサポートも必要です。F署の記者会見に広報室から誰か派遣なさい。どんな質問が出てどう答えたか、報告は迅速に。いいですね〉

返答する間もなく電話が切れた。

三上はそっと受話器を置いた。背後に美那子の気配を感じたのでそうした。家族のためにも。赤間は油断なく手綱の効き具合を確かめていた。

睨みつけた警電が再び鳴った。

諏訪からだった。息が弾んでいる。

〈東洋見ましたか〉

「見た」

〈秋川の奴、やっぱりでしたね〉

「ああ、どこまでも掻き回してくれる」

〈すみませんでした。マークが甘くて〉

諏訪に謝られてゆうべの電話が頭を過った。美雲の件で怒鳴りつけ、しかし気まずさは喫緊の問題に紛れた。

〈タイムスほか数社が記事は事実かと訊いてきていますが〉

「大筋合っていると答えろ。巡査長を緊逮したようだ、ぐらいまで話していい」

〈えっ？　もう逮捕した？〉

「ああ、した」

「じゃあ、記事のまんまってことですか」

「そうみていい」

諏訪の溜め息は長かった。警察官ならわかる。もう頼むから組織の顔に泥を塗るような真似はしないでくれよの脱力だ。

「抜かれ組の動きはどうだ」

〈早く会見を開けとエキサイトしている社もあります〉

「九時から現地でやる。お前、行けるか」

〈行けます。取りあえず広報室に出て各社の様子をウォッチしますが〉

電話を切り掛けた諏訪を引き留めた。

「秋川のネタ元は見当がつくか」

刑事部のリークだと思うか。暗にそう問うた。赤間とのパイプは相互通行なのか。長官視察を巡る裏の騒動を知らされているか。

〈あっと、それは……〉

諏訪は口籠もり、きまり悪そうに続けた。

〈すみません。ちょっと時間を下さい。あちこち当たってみます〉

頼む、と短く返して受話器を置いた。

部下を試して自分の薄情さを思った。諏訪は裏の騒動を知らない。赤間とのパイプを疑う以前に、自分と諏訪の関係はどうだ。赤間が三上に対してそうであるように、三上もまた大局に目を開かせる情報を諏訪に与えていない。蔵前にも、美雲にもだ。

寒々とした思いが胸を吹き抜けた。

警務で部下を作る気などなかった。二年で刑事部に戻る。八カ月前の秘めた決意が、どうにも取り返しのつかない短慮に思えてならなかった。

42

三上は午前七時半に県警本部に着いた。

諏訪のほうが一足早く広報室入りしていた。美雲の姿もデスクにあった。電話中だ。

横顔が心なしか腫れぼったく見える。こちらを向いた。黙礼をした。すっぴんのように化粧が薄いのは某かの決意の表れか。

三上の視界を塞ぐかのように諏訪が割り込んできた。

「今、蔵前に隣の偵察をさせています。禍転じて的な変化がありそうなので」

言わんとしていることはわかる。東洋の特ダネ連発。しかも今朝のは最高ランクの不祥事ネタだから他社の記者たちは奈落の底だ。匿名問題では全社結束しただけに、その牽引的役割を果たしてきた東洋の一人勝ちは、どさくさ紛れの裏切り行為と映ったろうし、抜かれた記者それぞれの胸にマスコミ共闘の嘘臭さを改めて喚起させたに違いない。

「きっとギクシャクしてます。穏健派は確実に取り込めますね。うまくすれば会見ボイコットの撤回に誘導できるかもしれません」

三上は曖昧に頷いた。

東洋の不意打ちで局面が変わったことは確かだが、まくし立てた諏訪の表情が言葉ほどにははっきりしなかった。ゆうべは「広報官の謝罪」で現状を打開したいの一点張りだった。一夜明けて恐ろしくなったか。赤間部長の目を盗んで広報室単独で動く。思えば、部内で売出し中の警部補にとって相当リスキーな選択だ。責める気は起きなかったが些か興醒めした。そう、所詮は赤間の手下――。

「おはようございます」

美雲が立ち上がって頭を下げた。電話を終えたのは目に入っていた。不自然に顎を引き、しゃちほこ張っている。ゆうべの電話の非礼を詫びる気だ。しかしアミーゴへ行ったことを詫びるつもりはない。複雑に揺れる瞳がそう告げている。

「ざっと看守の資料を集めましたが」

またしても諏訪が視界を遮断した。数枚のファックス用紙と人事のファイルらしきものを手にしている。

「栗山吉武。五十歳。ご存じですか」

知らん、と三上は答えた。同じ組織に長くいたのだ、聞き覚えがある気はするが、少なくとも刑事部関係者にその名はない。

「学校を出てからほとんど交番と駐在です。腰痛がひどくなったと上に泣きついて留置場に回ったそうです」

警務部関係者ではない。諏訪は諏訪でそう言っている。

「賞罰は？」

「特段ありません。若い時分に遺失物の書類を紛失して赤ペンを食らってるぐらいで」

「人物の評判は？」

「さっきF署の者に訊いてみましたが、芳しくないですね。陰気で嫉妬深く、それでいて妙に大物ぶってるところがあって、と散々でした。ただちょっとばかりマスクがいいので、場末のスナックではモテたとか」

何やら胸くそが悪くなる。

「窃盗女のほうはどんなタマだ」

「こっちも素性は悪いです」

林夏子、三十七歳。元マッサージ嬢で現在は空き巣専門の泥棒の情婦。その内縁の夫は常習累犯窃盗罪で服役中。

思わず鼻で笑った。

「どういう夫婦だ。林夏子も空き巣でパクられたんじゃあるまいな」

「置き引きです。駅で切符を買ってた女子大生のバッグを狙ったそうで」

三上は首をぐるりと回して思案の間をとった。

「よく認めたな」

「えっ？」

「栗山だ。渡した商品券に名前が書いてあるわけじゃなし、女がでまかせを吹いてると署長に言えたろう」

「それが林に一札取られているらしくて。上司や女房子供に話すとヒステリックに騒がれて仕方なく謝罪文を書いたようです」

決定的なブツだ。東洋は知っていたか。謝罪文の存在を摑んでいたとするなら、警察幹部にネタを当てるまでもなく、自信満々、記事にできる。

「林夏子がネタの出所って線もあるな」

諏訪は宙を見つめ、数回瞬きしてから三上に目を戻した。

「それはないんじゃないですか。林は商品券を懐に入れたわけですし、それが目的で栗山に揺さぶりを掛けたフシもあるようですから。藪蛇になってしまうでしょう、マスコミにタレ込んだりしたら」

「だったら秋川のネタ元は誰だ」

電話の時とは違って諏訪は即答した。

「個人名はわかりませんが、おそらく刑事の筋だと思います」

「なぜそう思う」

三上は表情を変えずに問うた。

「F署の警務の奴が言ってたんですよ。俺たちは栗山が悪戯してたなんて知らなかったし、そもそも警務の人間が留置場の不祥事を記者に漏らすなんて自殺行為だ、絶対ありえない、と」

「それは刑事も同じだろう。留置場のシキリは自分らだと思ってる」

「あくまで所管は警務ですし、保秘に関しては建前でなく、とことん叩き込まれていますので」

刑事と違って警務の人間は口が固い。そんなことを言いたそうな顔だ。

その顔のまま諏訪は別の言い方をした。

「取り調べの時、林が刑事にちょろっと喋ったんじゃないですかね、栗山にされたことを」

「で、その刑事がブン屋にちょろっと喋ったってわけか」

不快感は察知したろうに諏訪は顔を寄せてきた。

「刑事課の連中の様子がおかしいって言うんですよ」

「おかしい？　どうおかしいんだ」

「いや、朝刊を見て余程慌てたんでしょう。署長が非常招集を掛けて、だからもう署員全員が上署してるらしいんですが、刑事たちは驚いているふうがない、何もかも知っていて、しらばっくれてるような感じだと」

「驚いた時に驚いた顔をする刑事はいないさ」

そうは言ったものの諏訪の読み筋が正しい気がした。元マッサージ嬢で内縁の夫も泥棒とくれば、Ｆ署の刑事課では有名な夫婦だったに違いない。一見客的な被疑者とは異なり、取調室の空気はこなれたものとなる。看守に何かされれば、かなりの確率で担当刑事にぶちまけるか泣きつくかするだろう。いや、その時点で騒ぎにならなかったところをみると、林の訴えは、匂わす、仄めかすの類だったのかもしれない。いずれにせよ、その噂は刑事課全員の知ることとなったろうし、「ここだけの話」として他署や本部の刑事仲間にも広まっていたと考えていい。

やはり刑事部のリークなのだろう。「ここだけの話」は荒木田部長の耳にも届いていたということだ。Ｆ署の刑事に命じて事の真相を調べさせた。そして最も効果的に警務部を脅すべく、八百万の大部数を持つ東洋の紙面を利用した。

三上は改めて諏訪を見た。

「F署の刑事課がネタの出所。お前はそう思うんだな」

「ええ、そうです」

「秋川が山間の所轄から引いたって言うのか」

「引いたのではなくリークです。秋川は有名です。本部勤務の経験がある人間なら誰でも奴を知っています」

「なぜリークした」

「ネタの大きさからして、狙いはズバリ署長の首でしょう。小保方さんは病的にネチっこい性格なので不満分子がかなりいるやに聞いています」

なるほど、そう読んでの刑事リーク説か。なくはない。だがもし諏訪が少しでも長官視察の裏話を聞き齧っていたなら、それとは別の自説を開陳したろう。

話すなら今だと思った。赤間からではなく、三上が直に情報を伝えることでしか、諏訪を本当の意味での部下にはできまい。しかし切り出しにくい。三上自身、いまだに核心部分は摑めていないのだ。禍々しい大局だけを話すのは、中に誰が入っているかもわからない死体袋を一緒に担げと命じるかのようで気が引ける。

「そろそろ出ますが」

諏訪はちらりと腕時計を見て顔を上げた。

「で、一点ご相談なんですが」

「何だ」

「小保方署長はこの手の会見は初体験ですから、少し知恵をつけたほうがいいかと」

途中から密談の声になった。

「会見の終盤だか雑談に入った辺りで、オフレコっぽく林夏子の素性をバラしてもらいます。元マッサージ嬢で服役中の泥棒の情婦だと聞かされれば、腰砕けになる社が出ます。そうでなくとも夕刊の扱いは各社とも慎重にならざるをえないでしょう」

三上は短い息を吐いた。

「女のほうから誘ったと疑う記者もいるってことだな」

「そういう質問が出てくれればベストです。署長は黙り込み、解釈は記者に委ねる」

妙案には違いないが、よし、と膝を打つ気にはなれなかった。

「黙り込むまではいいが、間違ってもミスリードはするな。仮に誘惑されたのだとしたって一番のクソ虫は栗山だ。庇い立てしてると思われたくないし、そう思われたら余計に悪く書かれる」

最後は早口になった。目の前の電話が鳴っている。

〈記者室の様子はどう？〉

石井秘書課長からだとわかって、三上は指示待ち顔の諏訪に、行け、と顎を抉った。

「今のところは静かです」

〈しかし次々と面倒が起きるね。お陰でマス懇の謝り役、僕にお鉢が回ってきたよ〉

三上に腹を立てていたはずだが、思いのほか声が明るい。

「謝罪ではなく経過説明です。よろしくお願いします」

〈わかってるよ。うまくやる〉

「F署の件があるのでマス懇のほうも少々荒れるかもしれません」

〈大丈夫。本部長はパスということになったから〉

予想はしていた。出席すれば低俗な下ネタ不祥事の謝罪コメントを直取りされてしまうので、代わりに赤間か白田（しろた）警務課長が頭を下げて本部長を守る。が、そんな手口は百も承知の古株ジャーナリストたちが本部長のパスを許すか。

部屋を出て行く諏訪に手を上げた。美雲が反応してこちらを見た。

「本部長欠席の理由は何と？」

〈マス懇は一時からだろ。同じ時間に巡査長の懲戒委員会を被らせるんだ。そっちの対応に追われているってことなら真剣味も感じられていいだろ〉

どこか得意そうな声だった。自分が進言した案が採用されでもしたか。

「部長は何か言ってませんでしたか」

〈それでいこうって言ったよ〉

「そうではなく、東洋の特ダネについてです」

〈特別何も。すごく不機嫌だったのは確かだけどね〉

それ以上は訊かずに電話を切った。結局、石井も蚊帳（かや）の外だ。本庁の真意を知らされないまま、やんごとない人の来県を心待ちにしている。

三上は机の端の直通電話に手を伸ばした。

今夜伺いたい。それだけ告げるつもりで大舘章三の自宅に掛けた。仲人親を傷つける覚悟が固まったわけではなかったが、しかし何かせずにはいられない。長官視察は三日後に迫っているのだ。

コール音を聞きながら美雲を見た。視線を壁沿いに遠回りさせてからそうした。慣れた指遣いで隅の机のパソコンを打っている。神経はこちらに向いている。三上が電話を終えるのを待っている。

胸苦しさを覚えて目を逸らした。女であることを無視して使えと詰め寄られてみて、女の使いづらさを思い知ることになった。昨日までの美雲は部下と呼ぶに相応しい部下だった。喪失感が棘を伴って湧き上がる。上司にとって都合のいい部下を欲するのは、なにも赤間の専売特許ではない。

電話には誰も出なかった。夫人が付き添い、リハビリを兼ねた朝の散歩か。

コールの最中に蔵前が入室していた。三上が受話器を置くなり寄ってきた。ゆうべの酒量が窺える浮腫み顔だ。

「どんなふうだ、隣は」

「各社ともF署の会見に向かいました。出払うまでは、なんというか、ギスギスしていまして……。東洋を除き、二社、三社で額を突き合わせては密談といった感じでした」

「腹に据えかねている」

「ええ、そんな感じです」

蔵前は自信なさげに言った。いまだに記者の懐にまでは飛び込んでいけない。

「秋川はいたか」

「今日はまだ見てません。サブの手嶋でしたらさっきまでいましたが」

「秋川と会ったらここに寄るように言ってくれ」

「わかりました」

話は終わったはずだが、蔵前はまだ何か言いたげな顔で立っていた。

「どうした」

「あの……例の銘川亮次の件なんですが」

「メイカワ……？」

「交通事故で死亡した老人です」

そうだった。事実関係を押さえておけと三上が指示した。だが一応言ったまでで報告は期待していなかった。

「何かわかったのか」

「それが北海道の出身でした」

蔵前は驚きを求める顔で言った。

「苫小牧です。家が貧しくて小学校もろくに出ていないらしいんですが、二十歳前にこっちに出て来て、練り物の食品加工工場に四十年間勤めて、えーと、七十二歳ですから、定年になってもう十二年です。八年ほど前に妻と死に別れ、こっちには身寄りもなく、年金を頼りに長屋のような自宅で独り暮らしをしていました。土地は借地で上物だけ銘川名義です」

三上は呆気に取られた。それが蔵前の考える「事実関係」か。

「事故の状況は？」

「あ、それは……。死因は内臓破裂による失血死でした。状況は目撃者がいないので、第一当事者の主張するように無謀な直前横断だったとしか言えませんが……。酒は事故現場近くの立ち飲み屋で飲んでいました。自宅のすぐ近くです。店のおやじの話ですが、月に一度の贅沢とかで、決まって焼酎を二杯飲んでいったそうです。事故のことは知っていて、おやじは大層残念がっていました。いつになく楽しげに飲んでいたのに、あと五分早くか遅く店を出ていれば――」

「引き続き調べてくれ」

強引に話を打ち切ったのは、突然、秋川が部屋に入ってきたからだった。

「ゆうべはごめんなさい。僕も行きたかったんだけど色々あって」

甘ったるい声が末席に向けられた。いつもなら無表情を決め込む美雲が「またの機会に」と微笑んで見せたので、三上の心中の不快指数は跳ね上がった。

「丁度、探してたところだ」

「それはそれは、光栄です」

軽口とともに秋川の尻が応接のソファに沈んだ。抜いた翌朝は誰もが「事後の顔」だ。気怠(けだる)さと満足感の入り交じったその表情を見るにつけ、記者にとっての特ダネは、他のどの欲よりも性欲に近いのではないかと思ったりもする。

三上も深くソファに座った。

「週明け早々やってくれるじゃないか」

「仕事ですからね。各社の反応はどうでした」

「手嶋に訊けばいいだろう」

「そうします――で、話は何ですか」

秋川は平素の冷ややかな顔に戻りつつある。思えば秘書課で揉み合いになって以来の対面だ。

「なぜ幹部に当てずに書いた」

「それはこっちの自由でしょう」

「どこから引いた」

「どこから？　愚問ですね。三上さんらしくもない」

「F署から投げ文があったのか」

「よして下さいよ。言わないとわかっていてなぜ訊くんです」

「刑事部長からだろう」

本命をぶつけた。図星の間。だが秋川はゆっくり瞬きをしただけだった。

「それでいいのか」

「何がです」

「タダほど高い物はないぞ」

ドスを利かせて言った。秋川の頬がひくりとした。それは怯えの線に見えた。秋川ぐらいになれば知っている。「貰いネタ」は怖い。相手側に借りができ、一つ間違えばマスコミ利用や抱き込み戦略の入口にされかねない。

秋川はわざとらしく溜め息をついた。

「謝罪の話じゃなかったんですね」

「何のことだ」

「抗議文の件で広報官がクラブで謝罪する。てっきりその段取りの相談かと」

飲み会はパスしたが、諏訪の懸命の根回しは耳に入っていたとみえる。

「俺の謝罪でボイコットを引っ込めるのか」

「だから、それはありませんと答えようと思っていたんですよ」

「他社もそうか」

秋川は顔を歪め、そして舌打ちした。

「ちっともわかっていないんですね。抜いた抜かれたで壊れるようなら、とっくの昔に記者クラブなんか消えてなくなってますよ」

自信にも強がりにも聞こえた。

秋川は腰を上げた。

「支局に上がります。何かあったらそっちに連絡を下さい」

「F署はいいのか」

「手嶋を行かせましたから。僕はこっちの会見を聞きます」

「こっちの……？」

三上は蔵前を見た。美雲も同時に目に入った。どちらも「聞いていません」の顔だ。

「こっちで会見はやらんぞ」

「ああ、そうですか」

意外そうな顔をするでもなく、秋川は悠然と部屋を出て行った。

何かある。また何事か企んでいる。

秋川個人の企みか。東洋新聞がマス懇で何か仕掛けてくるのか。それとも――。

三上は考え込んだ。東洋は荒木田に特ダネを貰った。そう確信したばかりなだけに、思わせぶりな秋川の態度に刑事部の影を感じずにはおれなかった。

43

午後一時。マスコミ懇談会は定刻に始まった。蔵前は記録係、美雲はお茶出しの手伝いで円卓会議室に出向き、広報室待機は三上一人だった。

F署に行った記者たちも戻ってこなかった。会見で意図的に流した攪乱情報がてきめんに効き、各社とも林夏子の周辺取材に駆け回っていると諏訪から連絡があった。東洋の特ダネの粗探し。そんな心理も働いてのことだろうが、林夏子が謝罪文というブツを持っている以上、各社の奔走は徒労に終わる。それでも諏訪の狙い通り、東洋の記事内容を鵜呑みにできない空気を夕刊の締切時間帯に吹き込めたわけだから、各社の「追っ掛け記事」が不祥事の大きさに比して地味になるとの見通しは立つ。

三上は受話器を置いた。あれから何度も大舘章三に掛けているが繋がらない。散歩ではなく、リハビリ治療を受けに病院だか施設だかに行ったのかもしれなかった。

煙草に手を伸ばした拍子に、デスクの上のクリアファイルに目が留まった。出掛けに蔵前が置いていったものだ。几帳面な字で埋まった報告用紙が挟んである。話が途中になった銘川老人に関する調査報告だと言っていた。読む気は起きないが、ピントがずれているとしか思えない蔵前のこだわりが少々気になっていた。

真面目が取り柄の典型的な事務屋だ。所轄の刑事二課で内勤をしたのは長期病欠者の穴埋めだったというが、他にも交通課や地域課、本部では厚生課でデスクワークを経験している。採用は一般職ではなく、れっきとした警察官であり、巡査部長試験にもパスしているのだが、あちこちで便利に使われてきたので自分の「畑」がない。専門分野を持たない者は組織の下草のような存在になるのが常で、まさしく蔵前がそうなのだが、しかし先ほどの前のめりの弁舌といい、この報告書といい、諏訪の付き人に甘んじている日頃からは想像しにくい熱心さだ。自分の父親だか父親世代だかに特別な思い入れでもあるのか。理由はどうあれ、広報室が大波に揉まれているこの時期に——。

「戻りました」

ドアが控えめに開いて美雲が入室した。いつもはマス懇がお開きになるまで会議室に留まるが、今日は中抜けして戻る気がしたので三上は驚かなかった。

「どんな滑り出しだ」

声を掛けると、美雲は自分の机の前で背筋を張った。

「石井課長が説明に立っておられます」

「何を喋った」

「匿名問題と広報室のサービスの充実についてです」

「先方の反応は？」

「始まったばかりですので、まだどなたも発言されていません。静かです」

代理出席は一社もなく、地元系は編集局長、大手は総局長か支局長が来ているという。

「彼らが『四季会』って名乗ってるのは知ってるよな」

「はい、名前だけは」

「わけは知らないのか」

「知りません」

「前は十二社だったからだよ。一年十二カ月と掛けたんだ。ＦＭケンミンが入会した時は困ったらしいが、準会員だから十二のままでよかろうってことになった」

ほぐすつもりが、美雲はますます表情を硬くした。こっちがほぐれていないからだろう。理屈ではないのだ。年若い部下に楯突かれた。女にやり込められた。そうさせたのは自分だと頭ではわかっていても、こうして職場で面と向かうと現実から目を背けたくなる。ましてや——。

恐れた通り、美雲は頭を下げるタイミングを逃さなかった。

「広報官。昨夜は——」

よせ、と三上は遮った。何も悪いことをしていない人間に謝られるほど惨めな現実はない。

「それよりアミーゴはどうだった」

美雲は戸惑いを覗かせた。

「皮肉じゃない。記者対策をやった感想を聞きたいだけだ」

「……はい。大変勉強になりました」

「何がだ」

「たくさん話をしてみて、記者の人たちの感覚が掴めた気がしました」

「感覚？」

美雲はぎこちなく頷いた。

「私が……広報室に来て一番驚いたのは、記者の人たちの刺々しさでした。所轄の交通取締係にいた時と重なりました。駐禁や速度超過の違反者は、舌打ちや冷笑や捨て台詞で不満を露にします。なかには食って掛かってくる人もいて、取り締まりのための取り締まりをするな、ノルマがあるからやってるんだろうと凄い剣幕で、市民にとって警察は必要悪の面があることを思い知らされました。記者の人たちの感覚もそれに近いと思っていました。警察の仕事を認めたがっていない。警察の本質は悪だと決めつけている。日頃の攻撃的な態度を見るにつけそう感じていました。しかし――」

「ちょっと待て」

三上はたまらず発した。いったん耳を通過した言葉が、嫌悪感とともに押し戻されていた。

「警察は必要悪と言ったか」

美雲は怯えたような、それでいてこちらに疑問を投げ返すような顔をした。

「市民にとって、そういう一面があるということです」

「違反キップを切られて腹を立てた。相手が婦警だから噛みついた。それだけのことだ」

「ノルマがあるのは事実です」

「違法駐車で消防や救急が通れないのも事実だろう」

「そう自分に言い聞かせて取り締まりをしていました。しかし……交番時代とは違い、仕事に誇りが持てませんでした。私自身、警察は必要悪かもしれないと本気で悩んだこともあります」

美雲はしくじる。この場は無事通れても、組織のどこかで潰される。

「私情を絡めて物を言うのはよせ。ここはお前の家じゃない。俺はお前の父親ではないし、ましてやカイシャは母親でもなんでもないんだ」

美雲は瞬きのない目で三上を見つめた。ややあって震える息を微かに吐いた。胸に手を当てた。落ち着こうとしている。

「アミーゴの話を続けろ」

「……はい」

「記者も警察を必要悪だと思ってる。そう言いたいのか」

いえ、と美雲は慌てて首を振った。

「私の思い違いでした。確かに記者の人たちは警察に警戒心を抱いています。警察権力が増すのを自分たちが食い止めているという意識も強いようです。しかし、警察そのものの必要性については微塵も疑っていません。いつも凶悪な事件を間近で取材しているからだと思いますが、否定どころか、むしろ社会のために警察の執行力が弱まるのを恐れていると感じました。それなら希望はある、と」

「希望？」

「広報官の仰った窓です」

指先で胸を突かれた気がした。

「現実はこのありさまだ。広報室は警察の窓になっていない」

美雲は頷き掛けてやめた。言葉を我慢したように見えた。

「お前、警察の窓は交番だと前に言ったな」

「言いました」

「常に外に向かって開かれ、市民生活と密接に繋がっている。そういうことだな」

「そうです。しかしそれだけではなく、交番は日々の職務を通して警察の本質が善だと証明しています。警察官を志す者は皆そうです。人の役に立ちたい、世の中を少しでも良くしたいと思って任官しています。若い勤務員は正義感や使命感を隠したりしません。その率直さは記者の人たちにも刺激を与えるものだと思います」

油断して聞いていた。交通取締係時代の仇を討っているのかと思いきや、ブーメランのように話が本筋に戻ってきた。

「記者がどうしたって？」

「交番で威張ったり、刺々しく振る舞う記者はいないんです。その場の空気に当てられ、一瞬、競争を忘れて正気に戻るのだと思います。記者が持っていなければならない、もともと持っていたはずの、正義感や使命感を呼び起こすひたむきさが交番にはあります」

短い静寂があった。

「それが広報室にはないってことか」

美雲は口を噤んだ。肘と指先がぴんと伸びている。

「意見があるならはっきり言え」

「………」

「また私情か」

「違います」

即答した声が掠れた。美雲は苦しげに固唾（かたず）を飲み、目を上げた。

「戦略では窓は開かないと思います。争いがエスカレートするだけです」

三上は無表情を作って腕を組んだ。

「続けろ」

「はい――広報室はマスコミ対応を一手に引き受けています。記者の側から見れば、広報室は単なる窓口ではなく、警察の代表と映ることも多いのではないかと思います。その広報室にマスコミをコントロールするための戦略しかなければ、それが警察の本質と受け取られてしまいそうで怖いです。記者対策はもっとおおらかというか、不器用でいいのではないでしょうか。戦略なしにマスコミ対応ができるとは思いませんが、本当に窓を開こうとするなら、必要以上に戦略を仕掛けないことが最良の戦略のような気がしてなりません」

三上は目を閉じていた。

人が殺された血腥（ちなまぐさ）い現場で、人を殺してはいけないと聞かされた気分だった。交番原理主義の文法を広報に当て嵌めてみたところで、窓はおろか、分厚い壁には針の穴すら空くまい。いかんともしがたい温度差が脱力感を呼び込みもする。美雲がいくら熱弁を揮おうとも、それは記者対策に知恵を絞る広報室の姿であって、上層部の抗争に呑まれて窒息寸前の広報室とは響き合わない。

だが——。

「窓」を開くとすれば美雲だろう。北風と太陽のような生温い話に失望しつつ、同じ頭の片隅で痛快な刹那の夢を見たのも本当だった。ただ純粋だからとか女だからというのではない。一夜にして羽化した美雲に万能感を見ていた。不可能なことなど一つとしてない。難なく記者の心に分け入り、功名心や競争心で濁った沼の底から、照れ臭そうに光る初心を探し出してくる。美雲が正しいとわかっていた。戦略で人の心は動かせない。登るルートは違っても、雪崩で身動きができずとも、自分が美雲と同じ山の頂を仰ぎ見ていることは信じたかった。忘れてしまったわけではないのだ。握手は一人ではできない。警察は利口になりすぎた——。

「広報官」

改まった声がした。

「お願いします。引き続き記者対策をやらせて下さい」

三上は舌打ちをした。何を今さらの思いが苦笑いになった。汚れ仕事だってやります。ゆうべの台詞は痛みとしてまだ耳にあったが、たった今、戦略を仕掛けないことが最良の戦略と言ってのけたのだから無茶はすまい。

「週一で逮捕術の講習を受けろ」

「えっ……？」

「触られたり誘われたりしなかったか」

驚いた顔に、次の瞬間笑みが広がった。

「何もありませんでした。怖い女だと思われたのかもしれません」

「確かに怖い」

吐く息で言い、三上は壁の時計を見やった。二時五分前。蔵前はまだ戻らないが、いつもならマス懇はお開きになっている時間だ。察したらしく、美雲は真顔に戻って一礼し、会議室の後片付けをすると言って部屋を出て行った。

三上は椅子の背に体を預けた。煙草に火を点けた。久しぶりにまともな呼吸をした気がした。

しばらくして、ハッと一声笑った。記憶が巻き戻り、部屋を出る時ふとこちらに向けた美雲の眼差しが再生されたからだった。距離感のない眼差しだった。感謝だか親愛の情だかが滲み出たのだろうが、それは同衾（どうきん）した女が行為の後に見せる馴れ馴れしさにも見えたし、目で喋れることを知った赤間の娘の愉悦とも重なった。誰もが人のすべてを持っている。部下だからといって、人としての感情の襞（ひだ）が少ないわけではない。

三上も二十八年、部下をやってきたからわかる。本心から従順な部下など存在しないし、部下の内面を掌握している上司もまた存在しないと知っている。なのに自分だけは神になる。部下がつくたび使い勝手を考え、こいつはこんな部下、あんな部下と分類し、自分にとって便利でわかりやすい単色のラベルをせっせと貼ってきた。

家でもだ。

そう、家でも同じだった。決して出しゃばらない温厚な妻。甘えん坊だが心優しい娘。何かの拍子にサッとラベルを貼り、そして五年、十年、確認も修正もすることなく放置していた。

あゆみはどんな人間だったのか。

三上は身を硬くした。目眩の予兆があった。

視界がみるみる暗くなっていく。回転が始まった。肘を開いて机に突っ伏した。ぐらりと脳が揺れ、激しく揺さぶられ、それでもまだあゆみの像は無表情のまま立っていた。

44

広報室には秒針の音だけがあった。

これまで同様、五分ほどの嵐だった。過ぎ去ってしまえば、つった足が元に戻ったぐらいの違和感しか残らないので、診察やら入院やらの単語は頭から飛ぶ。

二時半を回っても蔵前と美雲は広報室に戻らなかった。マス懇が終了したという報せ自体、どこからも入ってこない。話が匿名問題なだけに、大方「四季会」の誰かが長演説をぶっているのだろうと想像するが、それにしても尻が長い。

　大舘のほうはようやく連絡がついた。三上が名乗ると、夫人は若い娘のような声を上げた。

〈あらあ、お久しぶり！〉

「ご無沙汰してすみません」

〈いいのよ、忙しいのはわかってるんだから。美那子さんとあゆみちゃんはお元気？〉

「……ええ、お陰様で」

　大舘の体のこともあり、心労を掛けまいと家の事情は伏せてある。だがもう三カ月だ。どこからか話が入っていそうなものだが、それがない辺り、刑事部長まで務めながら組織と縁遠くなった退官後の孤独が偲ばれる。

〈あ、ご用は何？　今、主人は休んでるの。リハビリに行って疲れたみたいで。まったく何のためのリハビリかしらね〉

　耳が笑い声に包まれた。退官後の孤独と家の平穏は表裏ということか。以前は無口で夫の四歩も五歩も後ろを歩く印象だったが、夫人もまた人知れず抱えていた荷を下ろしたのだろう、大舘の引退後は社交的というか、とみに朗らかになった。

「部長のご体調はいかがでしょう」

〈調子はとってもいいのよ。口はまだあんまりだけど、起きたら電話させましょうかって言ってても掛けるのは私なんだけど〉

　夫人はまたオチをつけて笑った。

「実は——部長の体調がよろしければ、今夜、ちょっとお邪魔したいと思いまして。それで電話しました」

〈本当？　喜ぶわ！〉

目の前の警電が鳴り出した。夫人の耳にも届いたらしい。

〈はい、じゃあ、伝えておきますから〉

「すみません。長居はしませんので。伺う前に電話を入れます」

二渡に先を越された形跡はない。三上は受話器を置き、その手を警電に伸ばした。相手は諏訪か蔵前のどちらかと決めつけていた。

〈漆原（うるしばら）だ〉

　脳の景色が一変した。

いったい何用か。三上が電話をしたのは一昨日だった。まだ幸田メモに纏（まつわ）る真相を知る前で、だからいいようにあしらわれた。

「何でしょうか」

　警戒心だけではなかった。込み上げた嫌悪感が声を低くさせた。録音ミスを隠蔽するために脅迫電話そのものを闇に葬った男。雨宮翔子（しょうこ）の死の責任をなすりつけて日吉を壊した男。幸田と柿沼を抱き合わせて十四年間も監視下に置き、自分ひとり何食わぬ顔で署長にまで出世した男だ。

〈どうした？　ご機嫌斜めか〉

「用件を願います。こっちは署長職ほど暇じゃない」

〈ははあ、さてはゆうべ女房に拒まれたな〉

が、いつもの漆原はここまでだった。話がないならと三上が言い掛けた時、張り詰めた声が鼓膜を打った。

〈お前、幸田に何をした〉

三上はぎょっとした。

「幸田メモの幸田のことですか」

咄嗟に会話を足踏みさせたが漆原は畳み掛けてきた。

〈お前、会ったろう〉

返答に窮した。事態が呑み込めない。まさかを思う。柿沼が報告を上げた——。

〈会ったんだな？　おい、答えろ〉

迂闊なことを言えば藪蛇になる。柿沼の顔ばかりか、女房やその胸に抱かれていた幼子の顔までが脳裏を過った。

〈この野郎、しらばっくれる気か〉

「……」

〈言え！　幸田に何をした〉

落ち着け。泡を食っているのは漆原だ。自分ではない。

「私は何もしてません」

〈よせ。柿沼が見てるんだよ、お前を〉

ようやく視界が開けた。柿沼はただ三上の姿を目撃しただけ。向こうではそういう話になっている。

「どこで見たんです」

〈どこでもいい。認めろ。会ったんだな、幸田に〉

「だったらどうだと言うんです」

肯定を匂わせて切り返した。頭が冷静さを取り戻していた。

〈どんな話をした〉

「あなたに言う必要がありますか」

〈何だと……〉

一声発して漆原は絶句した。荒い息遣いが耳に伝わってくる。しばらくして戻ったのは刑事の台詞だった。

〈お前が隠れ蓑を着せたのか〉

三上はゆっくり瞬きをした。

やはりそうか。幸田が姿を消したのだ。長官視察を間近に控えたこの時、隠蔽工作の全容を知る男の所在がわからなくなった。柿沼の窮地に思いが行った。監視対象の幸田が行方を晦(くら)まし、漆原への報告に困り果てた挙げ句、三上の名を口にしたのだ。スーパーの駐車場で幸田と接触する三上を見た、と。

「私は幸田を逃がしても匿（かくま）ってもいません」

〈居所は知ってるんだろう〉

「知りません」

〈だったら何を話したか言え〉

「たまたまスーパーの駐車場で見掛けただけです。元気かと声を掛けましたが、忙しそうだったので話はできませんでした」

〈嘘はためにならねえぞ。お前が幸田に何か吹き込んだから飛んだんだろうが〉

「その飛んだっていうのは確かなんですか。女房子供だっているでしょう」

〈訊いてるのは俺だ〉

「話が見えないんですよ。いったい私が何をすれば幸田が飛ぶんですか」

〈だからそれは……〉

漆原の声がくぐもった。

〈電話で俺にしたろうが。幸田メモがどうしたとかいうグレた話を〉

「グレた話ならジャンプする必要はないでしょう」

〈てめえ……〉

おそらく二渡だろう。幸田との接触に成功し、メモの真相を聞かせろと迫った。しかしそれだけか。メモなど知らないとシラを切ればいい。幸田はなぜ慌てて消えねばならなかったのか。長い年月いたぶられ、心が怯えに支配されたか。やっと手に入れた人並みの生活を守ろうとした。過去をほじくり返す二渡を恐れて一時的に身を隠した。ありえる話だが、幸田の保身は同時に刑事部への義理立てでもあるわけだから、漆原や柿沼の立場を脅かす消え方をするとは考えにくい。

〈部長に会え〉

「えっ、何です？」

聞き返した時、部屋のドアが開いて蔵前が入ってきた。マス懇がよからぬ展開になったことは強張った表情でわかった。電話中にも拘わらず歩み寄ってくる。三上は手で制し、その手を戻して送話口を囲った。声を殺す。

「すみません。聞き取れませんでした」

〈部長に会えと言ったんだ〉

やはり聞き違いではなかった。荒木田が三上を再尋問するということか。

〈おい、聞いてるのか〉

「どっちの部長です」

どう答えるか聞きたかった。

不気味なほど静かな声が返ってきた。

〈俺にもお前にも部長は一人だ。違うか？〉

「会ってどうするんです」

〈会えばわかる。すぐ五階に上がれ〉

「生憎、部長級は全員、マス懇に出ています」

暴力的に電話が切れた。

三上は悪鬼を封じ込める思いで受話器を置いた。蔵前を見る前に時計を見た。二時五十五分。

「どうした」

「はい。それが――」

蔵前は言いづらそうに顔を顰めた。

「今朝の不祥事ネタの件で、警務部長の謝罪会見をしろと要求されました」

――なんだと？

「どこが言った」

「東洋の野々村支局長です」

野々村利一。大新聞の金看板をそのまま首にぶら下げているような居丈高な男だ。

「他の社はどうした」

「渋々というか、反対する理由がないので賛同した感じでした。それで至急、会見準備をするので部長室に集まるように、と」

あっ、と三上は発した。引き潮で姿を現した岩礁を見る思いだった。

秋川の台詞だ。

僕はこっちの会見を聞きます――。

45

三上は会議に遅れた。広報室を出るのと諏訪が戻ったのが同時で、部屋の入口で情報交換をするうち記者たちも次々と帰ってきた。それを横目に急いで階段を上がったが、警務部長室のソファには既に渋面が揃っていた。赤間部長、白田警務課長、石井秘書課長、生駒監察課長。もしやと思ったが二渡の姿はなかった。やはり別筋なのだ。特命の指示は辻内本部長が出していると考えるべきだ。

赤間の目は白田を射貫いていた。

「あなた、なぜあっさり受けたんです。会見を行うかどうか検討する。そう言えばよかったでしょう」

「申し訳ありません」

白田の顔は蒼白だった。

「長官視察の成功を最優先と考えました。ここで部長の会見をやるやらないで悶着するのは得策ではない、と」

「それで僕を人身御供として差し出したわけですか」

「決してそのような……」

三上は膝に大学ノートを置いていた。蔵前が書き取ったマス懇のやりとりだ。入室前にざっと目を通した。

野々村《手前味噌で恐縮ですが、F署の一件について警務部長の見解をお聞かせ願えませんか》

部長《誠に遺憾です。この事態を深刻に受け止め――》

野々村《ああ、ここでなく、正式な記者会見を開いて下さい。D県警では一昨年も留置場で自殺者が出ていますよね。県民に向けて、警務部長の口から留置管理体制全般についてきちんと話す必要がありますよ》

平時なら、東洋が自社ネタに花を添える気だと読んだろう。県警ナンバー2の警務部長が正式に謝罪したとあらば、他社はこのネタを尻つぼみにできなくなるからだ。F署の会見で女の素性を明かしたことへの仕返し。蔵前は蔵前でノートを取りながらそう感じたと言っていたが、無論、三上の頭は別のところにあった。

警務部はぶったるんでる。荒木田刑事部長がそんな台詞で秋川を焚きつけ、マス懇で野々村に言わせたのだ。朝刊での不意打ちに終わらず二の矢を放った。脅しの本気度を通告するために警務部のボスを記者会見場に引きずり出す。確信犯だ。ただ焚きつけたのではなく、荒木田がリークの交換条件としてマス懇での追い打ち発言を要求したことも考えられる。秋川は話に乗った。部長の申し出を軽く見た。ありがちなセクト間の綱引きと早呑み込みし、いや、おそらくS級ネタに目が眩んで刹那的な同盟関係を結んだ。僕はこっちの会見を聞きます。浮かれた予告が結託の動かぬ証拠だ。その迂闊さが、狂言回しでしかない秋川の役割を想像させもする。

「クラブの記者たちはどうしてるんです。このことは伝わっているんですか」

赤間の目が末席の三上に向いた。目や眉ばかりか金縁眼鏡のフレームまで吊り上がって見えた。

「各社ともF署から戻ってきました。既にマス懇出席の幹部から話が下りていて、会見時間等について話し合っている模様です」

「じゃあ、やるんですね、本当に」

往生際が悪い。そう感じさせる物言いだった。

「いま係長に探らせています」

「電話なさい」

三上は頷き、失礼しますと小声で言って携帯を開いた。

諏訪は即座に応答した。

「様子はどうだ」

〈会見は四時からやってほしいと言っています〉

「場所は？」

〈記者室でいいと〉

「会見は四時から記者室で」

復唱して出席者に報せ、腕時計を見た。三時二十五分。

「質問は練ってるようか」

〈それは特にないようです。東洋以外は乗り気じゃありませんので、部長の謝罪と頭を下げる絵さえ押さえとけばいい、といった空気です〉

声漏れが気になり、三上は携帯を耳に強く押しつけた。

「クラブ総意の質問はなさそうだということだな」

意訳して言葉にすると赤間が焦れた顔を突き出した。

「テレビカメラは入るんですか」

「テレビは入るのか」

〈入ります。さっきテレビ記者会から申し入れがありました〉

三上は無言で頷いた。テレビに映る自分の姿を想像してしまったのだろう、赤間は額に拳を当てて天を仰いだ。

「なんてことです。それこそ向こうの思う壺じゃありませんか」

刑事部の思う壺——。

三上は目玉を動かして白田の顔を盗み見た。真の敵を意味するキーワードを重く受け止めたふしはない。話の流れのままに「向こう」は東洋、あるいは記者クラブと解釈した顔だった。改めて震撼する。白田も何も知らされていない。D県警の筆頭課長であり、赤間の直下にいる警視ですら情報の圏外に追いやられている。それとも石井が叩いた陰口が本当で、白田のほうが見ざる聞かざるを決め込んで職責を放棄しているのか。

赤間が大きく息を吐いた。怒りと諦めの両方を吐き出したように見えた。

「時間がありません。会見の準備をしましょう。生駒さん——留置人の自死は僕が赴任する前でした。取り立てて問題はなかったと前任者に聞きましたが、それで間違いありませんね」

「はい」

生駒は監察官らしからぬ澄んだ目を上げた。

「極めて特異なケースでしたので、留置管理体制の不備には当たらないと判断し、職員の処分も行っておりません。事故発生当時は記者たちも概ね納得し、批判的な論調の記事は載りませんでした」

生駒の言った通りだった。三上は当時、捜査二課のデスクでその記事を読んだ。無銭飲食で捕まった中年男が深夜、T署の留置場の房内で自殺した。看守台に背を向けた格好で床に横になり、シャツの襟首の隙間から引っ張り出した下着を拳もろとも喉に詰め込んで窒息死を果たすという、まさしく特異なケースだった。夜勤の看守は男が眠っているものと誤認し、死後三時間以上経って異変に気づいた。監視ミスの責任は免れないと思われたが、同房の複数の留置人が、まったく気づかなかった、呻き声一つ聞いていないと証言したことから風向きが変わった。監察課は「事故発生時点での発見は困難だった」と強気の記者発表をした。男はキャバクラのホステスに入れ揚げて会社の金を横領。発覚するや家族を捨てて逃亡した末の身勝手な死だったこともあり、記者たちは「T署は災難だったな」などと警察に対して同情的ですらあった。だが――。

後になって嫌な噂を耳にした。

看守が房のモニター監視をさぼっていた。男は悶絶して足をバタつかせたのに居眠りをしていて気づかなかった。そんな噂だった。T署段階で隠蔽したか、あるいは監察が目溢しして組織の体面を守ったか。同房の者たちの証言のからくりも大方想像がつく。複数の留置人を偽証に誘導するような危ない橋は渡らなかったろうが、留置人のほうが警察の顔色を見るのは勝手だ。敏感に署内の空気を読み、自ら率先して「いい子」になり、T署と監察の中の祈りだ。心証を良くすれば娑婆に近づく。それは計算ではなく檻がその無害化された毒を飲み下したというのが真相だろう。

三上は生駒の横顔を見た。

曇りのない目で「問題なし」と断じてみせたが、その胸中も雲一つなく澄み渡っているかどうかはわからなかった。今春、警備二課から監察課に移ったばかりなので本当に知らない。あるいは何も知らなかったと後々言い逃れができると踏んで「噂話」を省いたか。

赤間が出席者の顔を見回した。

「いいですか。東洋は不祥事の連続をことさら強調して記事を大きくしたがっています。まんまと明日の朝刊の見出しにされたら最悪です」

三上は鳥肌が立つのを感じた。脳内で「最悪」の玉突きが起こったからだった。ひょっとして、東洋は看守の居眠りも知っているのではないか。

「綱紀粛正の本部長通達を出しましょう」

赤間が決断を下した。

「通達が記事ネタになり、見出しにもなって東洋の狙いを消せます。一昨年の自死に問題がなくとも、今回のF署の件は弁解の余地がありません。会見では僕が当該職員を厳しく指弾し、懲戒免職処分にしたことを――石井さん、もう処分は出たんですね」

「はい。先ほど」

「では、処分決定の事実を告げた後、県民に謝罪をします。次いで通達です。留置管理規則に則った適正な職務執行を行うよう、本部長通達を県下各署に伝えたことを公表して会見終了の空気を作ります。東洋はT署の質問をしてくるでしょうが、そちらについては職務執行に落ち度はなかったと改めて強調し、連続不祥事の見方を払拭します」

それこそが東洋の、いや刑事部の狙いではないのか。既に三の矢を弓に番えているのだ。落ち度はなかったと赤間に語らせておいて心臓を貫く。看守の居眠りの噂を暴露し、再調査せよと詰め寄る。赤間は狼狽するほかない。その無様な姿は一斉に夕方のニュースで流され、長官周辺も目にすることになる。

いや……。

別のシナリオが浮かんだ。

暴露はしない。ロクヨンの隠蔽がそうであるように、むしろ明かされないことによって不祥事は手がつけられない代物に化ける。刑事部にいま必要なのは派手な脅しの演出ではないし、ましてや世間を巻き込んでの騒動でもない。欲しいのは暗がりにひっそりと置かれた交渉のテーブルだ。そこで警務一派の喉元に突きつける鋭利な刃物だ。だからそう、会見では赤間の言質を取るに留め、そして裏に回って攻撃を仕掛ける。落ち度はないと天下に公言したばかりの赤間の耳元で、実は看守が居眠りをしていたと囁く。いつでもマスコミに書かせる用意がある、と。

三の矢は「火矢」になる。

本当に放つか。最後は双方、崖っ縁の勝負になるかもしれない。刑事部もまた警務部の「火矢」を恐れているからだ。幸田一樹を人質に取られたのではないかと疑心に駆られている。

〈部長に会え〉〈会えばわかる〉

漆原の声が耳に蘇った。荒木田はどこまで本当の話をするか。

「十五分前です」

石井が言った。こんな時でも気がつく男をアピールしたがる。

赤間が散会を告げた。三上にだけ残るよう命じた。予想はしていた。

「こっちに来なさい、早く」

ドアが閉じるや赤間が忙しく手招きした。

三上は白田がいた場所に尻をずらし、至近で赤間と向き合った。青筋と血走りが同時に目に入った。

「記事が出た経過はわかりましたか」

三上は抵抗なく頷いた。赤間の読みを、それが現実だと伝えるだけだ。

「ネタ元は荒木田部長。直に東洋の秋川に流したと思われます」

赤間の拳が机に落ちた。ドン。……ドンドンドンドン！

「くそう！　やっぱりかよ！」

三上は身を締めた。眼前の、剝き出しになった歯茎は獣を連想させた。

ややあって、いつもの声が部屋に響いた。

「では、野々村支局長の発言も刑事部長の差し金ということですね」

「おそらくは」

「なんて奴らだ！　恥を知れ！」

赤間はまた吼えた。しばらく黙り、今度は机を蹴りつけた。引いては返す波のようだった。背中を丸めた。床の一点を凝視している。拳を握り締め、それをゆっくりと開いた。冷静になろうとしている。

「僕にはね、本庁に戻ってやらなければならないことがたくさんあるんですよ。こんな田舎で一カロリーすら消費したくない。国のために働かねばならないんですよ。そうしなければ意味がないんですよ。どうしてそれがわからないのか」

再び怒りが込み上げている。顔が一気に赤みを帯びる。

「ちゃんちゃらおかしい。こっちを追い詰めたつもりなのでしょうが、謝罪会見など茶番です。痛くも痒くもありませんよ」

到底そうは見えなかった。

赤間にとってまさかの事態なのだ。そもそも本庁の計画は、長官視察の目的を地元に秘したまま、視察当日にいきなり「天の声」を降らせる電撃作戦だった。だから赤間は情報を絞った。白田や二渡を使わず、三上だけを、奴隷化に成功した愉悦を玩味しつつ操縦していた。だが、どこからか情報が漏れた。本庁の目論見を刑事部に察知されたのが第一の誤算。反発が実効を伴う反撃へとエスカレートしたのが第二の誤算だった。赤間は窮地に立たされている。長官視察を目前に不穏な記事を書かれて本庁の逆鱗に触れ、沈静化させるつもりが、戦略負けして謝罪会見までやる羽目になった。キャリア組としての統治能力を疑われる。いや、評価はさらに下がる。これから向かう会見場に潜む刑事部の罠がそうさせる。

言うべきか。部屋のドアが閉じられた瞬間から考えていた。

三上の想像でしかない。しかし頭の中で組み上がった刑事部の計略は、想像と呼ぶにはあまりに現実的な危機だった。罠が仕掛けられていると確信していながら、みすみす上司を会見場に行かせるのか。

部長席の電話が鳴った。石井からだった。わかりましたと言って受話器を置き、赤間が立ち上がった。

「さっさと済ませてしまいましょう」

三上も迷いを胸に腰を上げた。歩き出した赤間の背を追う。部屋を出る。廊下を進む。前を行く男との間には一片の信義も存在しない。それでも背信を思う。後ろ暗さが胸を覆っていく。

心の振り子は刑事部サイドには振れずにいた。守るべき理由が浮かんでこない。追放同然の扱いを受けたからか。ロクヨンの穢(けが)れた井戸を覗き込んでしまったせいか。いや、本庁の真の狙いがわからないからだ。刑事部に降り掛かる災禍を具体的にイメージできないので、心は今も刑事と念じてみても当事者感覚が湧いてこないのだ。

別の当事者感覚ならある。職務を刑事部に踏みつけにされた被害感情だ。テリトリーを侵犯された。罠は広報室の庭先に仕掛けられたのだ。荒木田はマスコミを武器として使い、広報のフィールドを主戦場にせんとしている。だが――。

怒りは感じなかった。だから気づいた。自分の本心を包み隠す皮がずるりと剝けた。罠を知らせぬ後ろめたさ。刑事部に対する嫌悪。それらは付け足しに過ぎないのだ。階段に差し掛かった時には一つの思いに支配されていた。赤間の華奢な背中が目の前にある。今この場で刑事部の罠を注進したなら。臆病風に吹かれ、ただもう不安でたまらない異邦人に救いの手を差し伸べたなら。

赤間は三上のラベルを貼り替える。

真の部下。そうなった者が左遷の悪夢にうなされることはない。

部長――。

呼び掛けようとしたまさにその時、赤間がくるりと振り向いた。

「この際、あなたも謝ってしまいなさい」

軽い口調だった。

張り詰めていた気が四散した。

――謝る？　誰に、何をだ。

「記者クラブにですよ。匿名で揉めた件にケリをつけなさい。土下座でも何でもして、取材ボイコットを撤回させなさい」

三上は絶句した。マスコミに対しては断じて弱腰にならない。赤間は己が引いた一線をひょいと跨いで見せたのだ。

「彼らが納得しなかったら、今後はすべて実名で発表すると言いなさい。視察が成功すればいいんです。それが終わったら戻して、また好きなだけ揉めなさい」

本気で耳を疑った。

カラ手形――マスコミサービス充実の白田案とは訳が違う。最もナーバスな匿名問題に禁じ手で臨めと言うのか。

「なんて顔をしてるんです」

赤間は笑っていない目と口で嗤った。

「三日間の辛抱ですよ。まあ、心配はしていません。どう足掻こうと、刑事部は木曜で終わりです」

46

記者会見は粛々と進行した。

「――これらの経過を踏まえ、本日、当本部内にて懲戒委員会を開き、栗山吉武巡査長に対する処分を検討した結果、警察官としてあるまじき行為を犯したことは明白であり、またF署において緊急逮捕された法的実体があるとして、本日付で懲戒免職処分とすることに決定致しましたので、ここにご報告する次第です」

記者二十三人。テレビカメラ五台。赤間警務部長は用意された長椅子の中央に座り、ほとんど勧進帳で喋っていた。文書を作成する時間がなかったので手元にあるのは簡単なメモ書きだけだ。時折、脇に座った白田警務課長がペンを走らせ、メモを継ぎ足す。

三上は部屋の隅に控えて記者たちの様子を観察していた。東洋の二人を除けば、程度の差こそあれ、皆どんよりとした負け顔だ。さっき三上が入室した時も白眼は浴びなかった。明らかに先週とは空気が変わっている。諏訪が言うように、東洋憎しの流れをまとめられれば長官の会見ボイコットを覆せるかもしれない。赤間の枷も外れ、記者クラブに対する謝罪は自由裁量になった。実名発表のカラ手形を掴ませればボイコット回避は確実だろうが、そんな悪手を打たずとも、三上が抗議文毀損の一件を謝罪してしまえば何とか収まりがつきそうな気がする。

真剣に段取りを考えていたわけではなかった。広報戦略は脳の表層を走るばかりで感情の襞に分け入ってこない。

刑事部は木曜で終わりです——。

脳の奥深い所で赤信号が点滅している。結局、罠を仄めかすことすらせずに赤間を会見の長椅子に座らせた。「終わり」の一言があまりに強烈だったからだ。

穿（うが）ちすぎか。普通の精神状態の赤間が口にした言葉ではない。プライドをいたく傷つけられ、本庁での立場も揺らいでいる。刑事部が被るであろう不利益の深刻さを、仕返しの思いを込めて象徴的に言っただけかもしれないし、単なる負け惜しみと聞き流すことだってできた。しかし赤信号は照度を増して点滅し続けている。仮に誇張でないとするなら「終わり」とは何か。衝撃、不利益、被害といったレベルでは見合わない。正しく連想されるのは、終焉であり、消滅だ。

「今回の事態を重く受け止め、今後二度とこのようなことがないよう、即日、留置場の適正なる管理運営に関して本部長通達を県下十九署に送達したところであります」

赤間が白田に目配せした。二人同時に立ち上がる。儀式だ。カメラの砲列が波立つ。

「国民、県民の皆様、並びに被害女性をはじめとする関係者の方々に心よりお詫び申し上げます。今後は皆様の信頼を回復すべく、D県警職員一同襟を正し、誠心誠意職務に励んでいく所存です」

二人が頭を下げた。シャッター音とともに夥しいストロボが放たれ、そこだけ異次元のような明るさになった。

数秒後、赤間、白田の順で頭を上げ、着座した。白田が緊張した面持ちのまま記者たちを見渡した。

「何か質問がありましたらどうぞ」

三上は秋川を見つめていた。挙手したのは隣の手嶋だった。

「一昨年にも留置人が自殺する事故がありましたよね。今回の件も考え合わせると、留置管理体制そのものに根本的な問題があるんじゃありませんか」

言った。秋川は手嶋の口を借りて荒木田との密約を果たした。

「根本的な問題というと？」

白田が耳に手を当てて聞き返すと、手嶋は苦笑いを浮かべた。

「たとえばですね、留置管理の仕事を軽視して、その方面にいい人材を回していないのではないか、といったことですよ」

赤間が白田を制して答えた。

「それはありません。留置管理業務の重要性に鑑み、可能な限り優秀な人材を配置するよう心掛けています。また、一昨年の自殺事案につきましては、極めて特異な自殺手段を用いたレアケースであり、留置管理員に落ち度はなかったと結論付けております」

言わされた。

三上は東洋の二人を凝視していた。再質問の気配はない。手嶋はメモ帳にペンを走らせ、秋川は余裕綽々、腕組みをしている。

三上は音のない息を吐いた。

「看守の居眠り」は温存された。いや、そもそも秋川はまだそのネタを渡されていないのではないかと思い直した。刑事部が「居眠り」を水面下で使う腹なら、ゆうべの段階で秋川に知らせておく必要はないし、安全のためにもセーブすべきだ。警察担当のキャップを抱き込んだとはいえ、在京大手新聞の底力は侮れない。曰くありげなネタを二つ同時にリークするような真似をすれば、東洋は秋川の立場など無視してＤ県警の内紛を暴きにくる可能性だってある。

「他に質問はありませんか」

もう終わりたいの顔で白田が言った。手も声も上がらない。東洋のためだけの会見だ。白けた空気の中、うんざりした顔がただ並んでいる。

「では終わります」

赤間と白田が立ち上がり、一礼してドアへ向かう。波乱なく切り抜けた。肩の力が抜けた二つの背中がそう語っている。罠に嵌ったと気づくのは夜か。三上も記者室を出た。心の立ち位置が定かでなかった。二重国籍。いや、無国籍の人間が祖国愛を論じろと迫られたらこんな気持ちになるか。

〈部長に会え〉

まだだ。記者対策が先だ。三上は強引に頭を切り替えた。荒木田刑事部長に会うのはそれからだ。呼び出されたから出頭するのではなく、広報官としてこちらから面会を求める。職務の鎧を纏っていなければ心が保（も）たない。刑事部は終わる。その意味するところが、きっと荒木田の顔に書いてある。

47

三上はデスクに部下を集めた。美雲も呼んだ。今日中に東洋以外の十二社の真意を探るよう命じた。東洋憎しの空気は出来上がった。ここで改めて「広報官の謝罪」を条件提示した場合、何社が会見ボイコットの撤回に応じるか。

「塀の上にいる社はこっちに落とせ。勝てる数を揃えて、明日必ずクラブ総会を開かせろ」

知らずに語気が強まった。諏訪の目を見て最後につけ加えた。

「何も心配するな。広報官の謝罪は部長の意向だ」

諏訪が止めていた息を吐き出した。そして再始動とばかり自分の両頬を叩いて気合いを入れ、緊張した面持ちの蔵前と美雲に言い放った。さあ、引っ繰り返すぜ、ボイコット――。

廊下で足音がした。諏訪はひらりと身を翻してデスクを離れ、入ってきた記者をリラックスムードで迎えた。タイムスの山科（やましな）。そして時事通信の梁瀬（やなせ）。

「諏訪さん、幾らだった？」

「ああ、片手」

ゆうべの飲み代の精算に現れたらしかった。山科は財布を出しながら上目遣いに三上を見た。談合事件の特ダネを貰った礼を伝えたがっている。

「山科さん、歌、上手なんですね」

美雲がおだて口調で言った。勇気が要ったのか、ほんのり頬が赤い。

「ええっ！　俺？」

山科は自分の鼻を指差し、満更でもない様子で照れ笑いを浮かべた。そうかなあ、でも俺なんかより——。

「梁ちゃん、ちょっといいかい」

諏訪が唐突に言った。真顔でソファに誘っている。梁瀬は小首を傾げ、一方の山科の顔からは笑みが引いた。自分が呼ばれなかったことに何か意味があるのではないかと勘繰った顔だ。

梁瀬は「何です？」の顔でソファに尻を置いた。その体を奥へ押し込むように諏訪がくっついた。

「ゆうべの続きさ。ウチがちゃんと頭を下げれば丸く収める。梁ちゃんの考えはそうだよね」

声も顔もマイルドだ。穏健派の筆頭格である梁瀬は困惑顔になった。

「ええ、まあ……」

「助かるよ。長官の会見を蹴られたら、さしずめ広報室は総辞職。下手すりゃ全員クビだからさ」

山科が突っ立ったままソファをちら見している。諏訪は構わず梁瀬一本だ。

「他の社にも広げてよ。本当んとこ、みんなパーフェクトに取材したいわけだろ。ぶらさがりは画竜点睛じゃないか」

「うーん、でもクラブ総会で決まったことだし、少なくとも会見のボイコットは覆せませんよ」

「決めたことを変えるのも総会さ。明日、もう一回開いてよ」

「いやあ」

「あの時は普通じゃなかったろ？　本部長室の真ん前の騒ぎでみんなスズメバチみたいに興奮してた。違うかい？」

「それは認めますけど、でも満場一致の結果は重いですよ」

「俺や蔵前を路頭に迷わす気？　美雲だって交番に逆戻りだぜ」

「勘弁して下さいよ。そんなつもり毛頭ないけど、上が許さない社だってありますよ。揉めた原因が匿名なんで、県警から確たる譲歩を引き出さない限りバツって社も」

「広報サービスを増やす話は聞いたろ。ちゃんと謝罪もするんだよ。誠意は見せてるじゃないか」

「それはわかりますけど……」

「あのさ」

脇から山科が言った。

「俺が提案してもいいよ、クラブ総会」

諏訪はうるさそうにした。

「いま梁ちゃんと話してるんだ」

「だからあ、俺がやってやるって言ってんの。総会を開けばいいんだろ。簡単さ。結果は保証できないけどね」

諏訪は答えず梁瀬を凝視していた。間もなく吐息とともに決着がついた。

「わかりました。山ちゃんが提案するなら僕も乗りますよ」

今更ながら職人芸を見る思いだった。二社が共同提案すれば確実にクラブ総会に持ち込める。

山科たちの背中が廊下に消えると、三人はどの社をどう当たるか相談を始めた。ボイコット回避。細いながらもレールは敷かれた。

三上は席を立った。

「ちょっと二階に行ってくる」

嘘ではなかった。白田課長にも小用がある。

自分の行動を気にしているのは自分だけだった。三人の機械的な目礼に送られ、三上はひどく孤独だった。

警務課にいたのは五分足らずだった。

白田課長から二渡の携帯番号を聞き出した。同期なのに知らないのかい？　詮索めいた台詞はそれだけだった。空席の調査官デスクを一瞥し、首を傾げつつ手帳を捲った。一事が万事、話を突き詰めないのがこの男の処世術なのだと改めて知る。

三上は廊下の奥の鉄扉から非常階段に出た。携帯を取り出し、登録したばかりの名前を呼び出した。荒木田刑事部長と会う前に幸田の情報を摑んでおきたかった。二渡は接触したのか。幸田の行方を知っているのか。

携帯は留守電になっていた。本部長とでも会っているのか。それとも見知らぬ番号の電話にはでない口か。メッセージは残さずに切った。電話は例外なく掛けた側が有利だ。向こうのペースで折り返されたのでは後手を引く。

――いいだろう。手ぶらで行ってやる。

三上は廊下に戻って刑事部長室を目指した。広報官の肩書に自分を納めきれたとは言えない。冷静さを保つのは難しかった。エレベーターを使わず階段で五階まで上がったが、気持ちは落ち着くどころか波立つばかりだった。荒木田という男に対する極度の不信感。それでいながら原罪のごとく心に絡みつく刑事部への負い目。ぬかるんだ己の立ち位置。刑事部は木曜で終わりです。混沌を胸に五階の廊下を歩く。窓の外は暮れ泥(なず)み、

48

灰色にも黒にも映る分厚い雲が空一面を覆い尽くしていた。

刑事部捜査第一課――。

三上は強い手で扉を押し開けた。いてくれと期待したが、正面奥の課長席に松岡の顔はなかった。隣の次席デスクで御倉の首が伸びた。三上の二期下。顔が強張るのが遠目にもわかった。まあ、ノミの心臓とまでは言わないが、せいぜいアリぐらいの心臓だ。誰かが口にした御倉評を思い出す。

三上は部長室に親指を向けた。

「呼ばれたんだ」

御倉は無言で席を立ち、せわしく歩いて部長室の扉をノックした。耳を澄まし、控え目に扉を開けて顔を突っ込み、それを戻して「どうぞ」と三上の目を見ずに言った。

刑事部長室に入るのは春以来だった。少なくとも前回は元刑事として入室を許された。

「失礼します」

三上は絨毯の手前で腰を折った。

「おう、ようやく来たか」

荒木田は陽性の声を上げた。老眼鏡を外し、巨体を揺らして執務机からソファセットに回り込んできた。表情は平時のものだが、薄皮を一枚捲れば戦時なのは漆原と同じだろうと察しがつく。

「まあ、そう硬くなるな。座れ」

三上が着座すると、荒木田はガラス製のシガレットボックスの蓋を摘み上げて、どうだ、と勧めた。

「結構です」

「やめたのか」

「いえ」

「そっちはどうだ」

探りが入った。三上は首を傾げてかわした。

「二階だよ。慌ててるか」

「それは……わかりません」

「おい、どうした。こういう時のためにそっちに仮住まいしてるんだろうが」

その対義語を知っている。部外者は出ていけ——。

「漆原署長に行くよう言われて来ました。ご用件は何でしょう」

「そう慌てるな。おいおいわかる」

ひどく居心地が悪かった。警務に放逐して八カ月、三上の染まり具合を瀬踏みしようというのか。

「広報室は大変らしいな。ブン屋連中と揉めてるんだって？」

「それより、東洋の特ダネの出所がわからず困っています」

小さな反撃を試みると、荒木田は目を細めた。

「俺だって言いたいのか」

「赤間部長と話し合いを持つおつもりですか」

「聞いてこいと言われたのか」

「言われてません」

「会わんよ。カマキリ野郎のツラなんぞ見たくない。所詮、東京じゃ小物だ。奴を揺さぶったところで何もならん」

三の矢は直接本庁に向けて放つ。そう聞こえた。刑事局に出向している前島の顔が脳裏を過った。彼を使って仕掛ける腹か。

「参事官はどちらへ」

「うん？　松岡がどうした」

「課長席に姿がありませんでした」

「知っての通り、彼は政治には向かん。事件しか頭にないんだ。今日も専従班に発破を掛けに行ったよ」

政治――そう言ったのか。

「松岡はお前を班長にしたいようなことを言ってたぞ」

反射的に感情のスイッチを切った。

なのに荒木田が満足そうな表情を覗かせたので三上は内心慌てた。大きな体がゆっくりとテーブルに乗り出してきた。指を組み、そして囁くように言った。

「現実的なのは中央署の刑事官だ。来春に席が空く」

五臓六腑がふわりと浮いた。次の瞬間、ドスの利いた声が部屋に響いた。

「用件は二つだ」

薄皮が剝がれた。貪欲極まりない戦時の顔が眼前にあった。

「幸田はどこだ」

「知りません」

「お前は知らない。だが二渡は知っている」

「わかりません」

「幸田は警務の支配下にあるのか、ないのか。どっちだ」

「わかりません」

「だったら聞き出してこい！」

三上は黙った。

ただの恫喝ではなかった。旗幟を問われたのだ。

見くびるな。警務部に真を捧げたつもりはないが、だからといって荒木田の手駒になる気など毛頭ない。中央署刑事官。言うだけならタダだ。たとえ本気で言ったのだとしても、荒木田の要求が警務部の人事権を超越できる保証がどこにある。

「誰の命令で幸田を捜した」

「偶然会いました」

「何を吹き込んだ」

「挨拶を交わしただけです」

「何を聞き出した」

「挨拶だけです」

「なぜここに来た」

えっ……？

「なぜお前は俺に会いに来たのか、と訊いたんだ」

「呼ばれたからです」

「それだけか」

「広報官の職務です。このままではマスコミを巻き込んでの騒動に発展して――」

「期待してたろう」

「何をです」

荒木田は答えなかった。自分の胸に聞けと言わんばかりの顔だ。

自問するまでもなかった。

快感はまだ生々しく全身にある。荒木田が刑事部への復帰話を持ち掛けてくるのは予想できたし、そうなることを期待してもいた。しかし現実に復帰の約束を取り付けたくてここに来たわけではなかった。もはや手遅れだ。赤間のために働きすぎた。事情はどうあれ刑事部屋の連中に顔向けができない。三上自身の変化もある。身を焦がすような復帰願望が今は色褪せて見える。だから期待したのは実効性のある取り引きではなく、身も蓋もない誘いの言葉だった。一片の情もなく三上を手放した荒木田の口から「戻ってくれ」の一言を聞き、溜飲を下げたかっただけだ。

「悪いことは言わん。こっちのために一肌脱げ。赤間と刺し違えてでも召還してやる」

三上は荒木田を見据えた。無言に思いを込めた。答えはノーだ。

沈黙を破ったのは荒木田の舌打ちだった。

「東京の魂胆を知ったら、そんな態度は取れなくなるぞ」

三上はぎょっとした。最後に訊くつもりでいた。答えないだろうと思ってもいた。

――言う気か？

「二つめの用件だ」

マントを翻すかのように荒木田は話を戻した。

「お前、騒動師の素質があるらしいな」

「ソウドウシ……？」

「祭りを盛り上げるためにわざと騒ぎを起こす道化だよ。金を貰ってデモを暴徒化させたりする煽動のプロもいる。身に覚えがあるだろう。ブン屋と散々揉めた挙げ句に秘書課で大立ち回りを演じて、それで連中、長官の会見をボイコットするって言ってるらしいじゃないか」

「不可抗力でした。意図したわけではありません」

「意図してやるんだ。もっと揉めろ。とことん連中を怒らせて、必ずボイコットに落とし込め」

——なんだと？

三上は目を尖らせた。

「そうする必要性を感じません」

「ボイコットされないと見てるってことか」

「広報官として煽動などできない、と言いました」

「俺は状況を訊いてる。撤回の可能性が高いのか、低いのか」

「回避は難しい状況ですが、打つ手がないわけではありません」

「そのまま静観してろ。それならお前の心も痛むまい」

「できません」

「古巣がどうなってもいいのか」

「頭上で飛び交っている弾丸です。私は開戦の理由すら知りません」

再び部屋は沈黙した。さっきよりも長く、重苦しい静寂だった。

荒木田の巨体が動いた。息を吐き出しながら、萎むようにソファの背もたれに後退した。

「教えてやる」

神妙な声だった。

「本庁の本音を聞いてから、もう一度、身の振り方を考えろ」

三上はゆっくり頷いた。膝頭を掴んだ手に力が籠もった。

「召し上げだ」

荒木田は虚空を睨みつけて言った。

「刑事部長ポストをキャリアに奪われる。D県警刑事部は東京の天領になるんだ」

49

靴底に接地感がなかった。

三上は廊下の突き当たりの鉄扉から非常階段に出た。他に行き場所が思いつかなかった。陽はとっぷり暮れていた。風が強い。なのに寒さは微塵も感じない。体の熱は、奪われても奪われてもこんこんと湧き上がってくるようだった。

刑事部長ポストを召し上げる。

結論が先にあり、ロクヨン視察のシナリオが書かれたのだ。小塚長官が直々にD県に乗り込む。遺族宅の慰問で犯人逮捕を誓う。直後のぶらさがり会見でテコ入れ策を表明する。刑事部長ポストにキャリア組の有能な人材を据え、本庁との緊密な連携のもと、D県警の能力を最大限に引き出してロクヨンを解決に導く、と。

詭弁だ。キャリアが刑事部長になったところでフリーズした事件はびくともしない。ただ存在感を示すためだけの指示命令で現場を混乱させ、報告ばかり求めて人と時間を無駄遣いするのがオチだ。事件を解決できる見込みがないことは百も承知の本庁が、ロクヨンを組上（そじょう）に載せた理由は一つ、もっともらしく形を整えてポストを奪うためだ。見ているがいい。ロクヨンが解決しようが時効を迎えようが、その後もD県警刑事部長の椅子にはキャリアが座り続ける。

残酷な話だった。

刑事部長ポストがキャリアの指定席となっている警察本部は全国で十に満たない。いずれも大都市圏で、他の大多数の地方警察では刑事部長の「地産」が長い年月守られてきた。もとより本庁の地方支配は国家警察の完成形に近い。ナンバー1、2の本部長と警務部長をキャリアが総ナメにし、公安を内包する警備部長ポストも然りだ。さらなる侵食は自治体警察の理念や定義すら揺るがしかねない。刑事部長ポストは、だから地方警察がその土地に根ざした警察であり続けるための最後の砦（とりで）なのだ。

何より人心がぐらつく。地元生え抜きの警察官にとって、刑事部長は単なる重要ポストではない。自分たちが到達しうる出世の最高地点であり、それはまさしくムラに聳（そび）え立つ霊峰だ。自分は無理でも、自分たちの代表が常に頂に立っている。普遍性がもたらす心理的影響は計り知れない。富士山の近場で生まれ育った人間が富士山を抜きに己の人生を語れないのと同じだ。東京支配が際限なく進む中、それでも地方警察官が「我々の組織」「我が県警」と胸を張って言えるのは、ともに巡査から叩き上げた同胞がキャリアと肩を並べ、最高幹部の一人として組織に君臨する現実があってこそだ。

それを奪うと言うのか。地方警察にたった一つ残されたプライドを引き剥がし、身も心も完全にひれ伏せと言うのか。

三上は天を仰いだ。星のない、真っ黒い空が風を呑み込んでいく。

〈刑事部は木曜で終わりです〉

D県警は狙われていたのだろう。地産の刑事部長は不作続きで、それはこの先何年も続く。ロクヨン発生から十四年。その間、全国各地で起きた誘拐殺人の中で唯一、犯人を挙げることなく事件を店晒し(たなざら)にしている。付け入る隙を与えてしまったことは否めない。しかし百歩譲って人材不足と重要事件の未解決がD県警刑事部の「罪」だとして、それは部長ポストの没収という「極刑」に見合う重罪と言えるか。

そもそも、これまで本庁が地方の刑事部長ポストに触手を伸ばさなかったのはなぜか。部長の指揮下にある捜査二課には早々と指定席を作った。汚職と選挙違反の摘発基準に些かの地域差もあってはならないと宣い(のたま)、本庁とのホットラインを設けるかのごとく若輩のキャリア課長を全国各地に送り込んだ。そんなまどろっこしいことをせずとも、大は小を兼ねるとばかり最初から強権を用いて刑事部長を指定席にすればよかった。なのにそうはしなかった。知っていたからだ。中小規模の地方警察にとって刑事部長ポストは宝であり、精神的支柱であるとわかっていたから躊躇したのだ。配慮ではない。危機管理だ。起こりうる地元の反発をリスクと考えた。自負心を奪い、骨抜きにすることで生じる地方の士気低下を危ぶんだ。結果、刑事部をアンタッチャブルとする暗黙のルールが出来上がり、それはある意味、本庁と地方とのバランスウエイトとして巧みに機能していた。

なぜ今になって均衡を破るのか。

地元の反発は予想されていた。実際、刑事部が激しく抵抗している。ロクヨンの黒星に目を付けたとはいえ、至極良好だった暗黙のルールを一方的に破棄してまでポストを得る大義名分はあるのか。

おそらくそんなものはない。理屈は幾らもつけられるだろうが、真実ではない。覇権主義。上級庁の本能。東京で大きな歯車が回り始めたのかもしれなかった。自治体警察の自我を摘み取る。建前を取り払い、国家警察の本音を成就させる。D県警への沙汰は先鞭か。試行か。どちらにせよ自前の刑事部長を持つ中小規模の県警は震え上がるだろう。たった一件の未解決事件がポスト没収の理由になりうる。その前例は暗鬼を産み落とし、増殖し、本庁に対する恐怖心は青天井になる。それこそが真の狙いか。一罰百戒。D県警刑事部を晒し首にして、国警の神髄を知らしめる権謀術策か。

突風が横面を張った。

〈D県警刑事部は東京の天領になるんだ〉

三上は痛いほど両拳を握っていた。

血が滾っている。刑事の血だ。そうとしか説明のつかない激した感情が全身を拳に変えていた。

50

くなのランプはまだ点いていた。

三上は真っ直ぐ秘書課長席に向かった。拳は握ったままだった。適温に保たれているはずの室内がサウナに感じられ、顔を包み込んでくる暖気に噎せそうだった。

石井課長は椅子を横に回してテレビのリモコンを弄っていた。気もそぞろだ。間もなく夕方のニュースが始まり、赤間部長の謝罪会見が流れる。

「あれ？　どうした、三上君」

「本部長に取り次ぎ願います。急ぎの用件があります」

三上が言うと、石井は目を真ん丸くした。

「何だい、急ぎの用件って」

「直接お話ししたく」

「馬鹿を言うなよ。いったい何？　赤間部長には話したの？」

「雲隠れしたそうです」

ここに来る前に警務課に寄った。部長はニュースを見たくないんだろう。小声でそう言った白田課長もテレビのリモコンを手にしていた。

「とにかく僕が聞くよ。必要なら僕から本部長に話すから」

既に石井との会話は我慢の限界だった。三上は一礼して奥の本部長室に足を向けた。

石井が甲高い声を上げた。三上は構わず歩き、木目の際立つ扉をノックした。

どうぞ。微かに応答の声が聞こえた。

「お、おい、ちょっと――」

「三上君！」

悲鳴とともに石井が机の角から飛び出してきた。

「ちょっと待て、三上――」

腕を摑まれた。それを振り払って薄い胸板を突いた。石井はよろけ、一歩、二歩と後退して尻餅をついた。驚愕に見開かれた目が三上を見上げた。

その視線を切って三上は扉を押した。

「失礼します」

課員が一斉に立ち上がったが遅かった。三上はもう体を室内に移動させていた。後ろ手で扉を閉める。重量感のある音が外界を遮断した。

部屋の空気さえ別物に感じられる。柔らかな間接照明。立食パーティーでも開けそうな広々とした室内。肘掛け椅子が一ダース揃った革張りのソファセット。所々に織り柄をあしらった分厚い絨毯。D県警の中の東京。警察庁。だから来た。

辻内欣司は執務机にいた。

頭のてっぺんから爪先まで。三上はそんな不躾な視線に見舞われた。入室は過去二回。挨拶以外に言葉らしい言葉を交わしたことはない。

「えーと、三上君だったね、広報官の」

言葉はソフトだった。石井を介さずに入室した非礼を咎めるふうもない。

そうです、と答えた直後、背中にノックの音が響き、三上の体を押し退けて扉が開いた。石井の顔は猿のように赤かった。

「本部長、大変申し訳ございません。いま退出させますので――」

三上は言葉を被せた。

「重要なお話があって参りました。どうかお人払いを」

「君ッ！」

石井が押し殺した怒声を吐いた。

辻内は二人を見比べ、面白そうだ、の顔で言った。

「石井君は下がっていいよ」

「しかし本部長――」

「いいんだ。たまには君たち以外のナマの声を聞きたい」

「ですが、もう退庁のお時間ですので」

「私がいいと言ってるのだからいいだろう」

辻内が一睨みすると、石井は鞭で打たれたかのように体を捩じらせた。

「わ、わかりました。では五分間ということで。時間になりましたらお知らせ致します」

「話が終わったらブザーを鳴らすよ」

もう石井に言えることはなかった。滑稽なほど深い敬礼をし、三上には懇願の視線を残して扉を閉じた。

「じゃあ、こっちに座って」

「はい」

足はスムーズに動いた。駆け巡る血流がそうさせている。

三上はソファに浅く腰掛けた。間近に辻内の顔がある。聡明さを印象づける広い額。太い眉。涼しげな切れ長の目——。

「で、どんな話？」

「是非ともお伺いしたい儀があります」

「話でなく質問？」

好奇に染まっていた瞳が翳った。ノンキャリアの不平不満でも聞けると期待していたか。

「まあいい。言ってみなさい。私が知っていることなら答えるよ」

恐縮です、と三上は頭を下げ、辻内の鼻筋に目線を合わせた。荒木田が真実を語ったとは限らない。赤間が不在とあらば、この男から聞き出すしかない。

「二渡に下命された件です」

「二渡君に？　ここのところ会ってないが、何か頼んだっけかな」

惚（とぼ）けるのか。

「木曜に長官が視察に来られます」

「うん」

「当地の刑事部長に本庁の資格者を据える。そう発表される予定と聞きました」

「その通りだ」

胸を抉られた。あまりに呆気なく、そして軽々とハードルを飛び越された。

「それがどうかしたか」

「理由をお聞かせ願えませんでしょうか」

「理由？　だから例の少女誘拐だよ。最後まで諦めないというアピールだ」

「時限的な措置ということですか」

「どういう意味だい？」

「誘拐が決着をみた場合です。部長ポストは当地に戻されると理解してよろしいのでしょうか」

「それはわからないな。決まってないんじゃないか。長官が来たら訊いてみるといい」

「恒久措置の可能性もあるわけですね」

「だからわからない。場所によってはウチと地元が交互に刑事部長をやってるところもある。ま、ケース・バイ・ケースってことだ」

「人材次第ということですか」

「それは言える。人は重要だ。その点、ここの刑事部は少々問題がある」

落胆が増す。点線だった想像が次々と実線でなぞられていく。荒木田が語った範囲の検証はもう終わっていた。

〈D県警刑事部は東京の天領になるんだ〉

三上は尻を前にずらした。

「刑事部が強く反発しています」

「らしいね」

辻内は平然と言葉を返した。

「実力行使に訴える動きもあります」

「それで赤間君が東京に向かったよ。さっき本庁内で怪文書が出回ったそうだ」

三上は仰天した。

「表に出ていないD県警の不祥事が列挙されている。怪文書というより紙爆弾だな。長官に来るなと言ってるんだろう」

既に三の矢は放たれていた。前島か。荒木田の命を受けて騒動師の役を果たしたのか。

「官房の対応が見ものだな」

辻内は他人事のように言った。

「ケネディをダラスに送るな、という言葉があるだろ」

「ダラス……?」

「側近の心得だよ。君子危うきに近寄らずが理想だが、実際の君子は虎穴に入らずんばのタイプが多くてね、とかく危なっかしい場所に行きたがるものなんだ。そこで側近の判断力が試される。ボスの身体生命はもちろん、今回の件で言えば、目的地に行くことで評価評判を落とすリスクを見極める目が要求されるということだ」

辻内が質問を誘うように瞬きを止めた。

「当地がダラスだと？」

「そうならないことを祈るね。あまり物騒なようなら官房も考えるだろうが、しかし東京で会見を開いたんじゃ説得力も宣伝効果もゼロの話だからな」

詰まるところ強行突破か。

いや待て。視察取材のボイコット騒ぎが話に出てこない。耳に入っていないのか。赤間は高を括っていた。回避は容易いと考えていたのだから情報を上げていない可能性はある。辻内が、いや本庁がボイコットの動きを知ったらどうなる。勇んで現地入りした長官がマスコミに梯子段を外される。刑事部の不穏な動きはマスコミと連動している。そんな分析がなされたら、長官官房はD県をダラスと見なすか。

「さて、もういいかな」

辻内が言った。

「今夜は知事と会食なんだ。あの狸おやじを化かして予算をぶんどらんとな」

話し飽きた顔だった。本を閉じるように頭が切り替わったのが傍目にもわかった。

怒りが湧き上がった。興味がないのだ。地方警察の痛みなど想像してみることすらしないのだ。

「刑事部の意見はお聞きになったのでしょうか」

三上は言った。

「どんな組織にとってもポストは大切です。奪われるとなれば守ります。事前に話がなく、突然とあらば尚更です」

辻内はきょとんとした。

「なぜ君が力むんだい？　広報にとっても刑事部は目の上の瘤だろう。やたらに自意識過剰で、情報と名のつく物は何でも隠したがる。上を変えるのが手っ取り早いんだ。警務と刑事の風通しがよくなって、お互い仕事がしやすくなる」

赤間のほうがまだマシなのかもしれないと本気で思った。相手をいたぶっていると承知でやっているぶん、この男よりは人間臭い。

「私はこの春まで刑事部にいました。二十四年間刑事をやり、その経験から――」

「ああ、道理で」

刑事部の肩を持つと思ったよ。続く台詞を聞いた気になったが、空耳だった。

「靴だよ、君の靴。入ってきた時、ずいぶん汚いなあって思ったんだ」

――靴？　汚い？

突然のことに三上はうろたえた。足元を見た。右、左と革靴に目を凝らした。普通だ。

綺麗だ。どこを見て言った？　相当にくたびれてはいるが美那子は毎日ブラシを欠かさない。傷も靴墨で目立たなくしてある。決して汚れてなどいない。今日一日分の、うっすらとした埃が光沢を鈍らせているだけだ。

「どれぐらいで一足履き潰すんだい？」

辻内はすっかり雑談モードだった。

「私はね、気に入った靴は同じのをまとめて二足買うんだ。でも、なかなか傷まないから、そのうち買い置きのほうにカビが生えてしまったりしてね」

三上はまだ足元を見ていた。瞬きすら忘れていた。美那子のかがんだ姿が見えていた。昔、合成皮革の官給品を履いていた時代も、自前で幅広の楽な靴を買うようになってからも、あゆみがいなくなった後でさえも、三上が玄関で足を入れる靴はいつも黒光りしていた。ブラシを掛け終わり、ちょんと指を引っ掛けて三上の靴を揃える時、美那子は決まって口元を緩ませる。

俺はいったい……。

震えは体の芯で起こり、ぞぞっと四肢に伝播(でんぱ)した。魔法が解けていくかのようだった。大それたことをした。赤間の頭越しに東京の扉を開けた。石井を突き飛ばし、人払いをさせ、キャリア本部長を質問攻めにした。将来の警察庁長官を。雲上人を。

頭が痺れた。視界が狭まった。だが——。

不快ではなかった。むしろそれは快感に近かった。

「今どきの刑事は運動靴です。それでも年に何足か履き潰します」

言葉がスラスラと出た。

「ほう、そうなんだ」

「ホシを挙げたいからです。理屈ではありません。刑事は気持ちだけで動いています」

辻内は小首を傾げた。

「わかってやって下さい。刑事は山から山へと移動していくハンターです。里の言葉は通じません」

「ヤマからヤマか。上手いことを言うな」

「刑事部長は山の頂です。仰ぎ見る頂を奪われれば刑事たちは混乱し、消沈します」

辻内は一声笑った。

「あんな腹黒い男が頂かい？　しかも彼は警備あがりだろう」

「特定個人ではなく象徴の話をしています。地方に行けば行くほど、象徴はなくてはならない存在になります」

「なるほど」

辻内の声が変わった。

「君が人事をしたいわけだ」

恐怖心は痺れに紛れたままだった。だが階級社会の躾は骨の髄まで入っている。上に凄まれると条件反射的に体が硬直する。

「楽しかったよ。また頼む」

辻内は体を大きく仰け反らせて背後に手を伸ばし、執務机の上のボタンを押した。

「本部長——本庁にご進言願えないでしょうか。この件は再考すべきと」

言い終わらないうちに石井が飛び込んできた。その背後に課員数人の険しい顔——。

辻内は絵画のように微笑んでいた。

三上は立ち上がって正しく敬礼をした。

「どうかご再考を！」

出せ！　石井の号令で何本もの手が体に絡みつき、驚くべき力で後方に引っ張られた。どさくさの中で辻内の声を聞いた。二度と入れるな——。

三上は秘書課と部屋続きの「別室」に連行された。テーブルに置かれたポータブルテレビに赤間が映っていた。だからか、石井は憚るように声を絞って怒鳴った。

「何の真似だ！　本部長に何を言った！」

放せ！　三上は荒っぽく課員の腕を振りほどいた。火のように体が熱かった。

「ちゃんと話せ！　本部長に何を——」

「アンタに話しても始まらん！」

テレビ画面が眩く光った。頭を下げた赤間に夥しいストロボが浴びせられている。

「アンタらは何もわかっちゃいない。背伸びして上ばかり見てるから、足元の地割れに気づかない」

「わかってないのは君だ！　本部長を怒らせてどうする。困るのはD県警だ。全員がしっぺ返しを受けるんだぞ！」

「馬鹿が！　だからナメられるんだ。俺たちの県警だ。こんな奴らの好きにさせてたまるか！」

拳をテレビ画面に叩き込んだ。赤間の顔が歪み、闇に呑み込まれ、無数の破片となって宙に飛び散った。

51

殴るべき男は他にいた。

三上は秘書課を飛び出して廊下を歩き、警務課のドアを突き押した。相当な音がしたので課員の多くが驚きの顔を向けた。

二渡は――。

いない。デスクは無人のままだ。白田課長の姿もなかった。婦警担当係長の七尾友子が椅子を回して立ち上がった。

「どうしたんですか、その手」

言われて気づいた。右手が真っ赤だった。人差し指の付け根から甲に掛けて傷口が開き、垂れ落ちる血が床を打っていた。

「二渡は庁内か」

「外です」

答えるより早く、七尾は赤い十字マークのついた壁際のロッカーへ小走りしていた。

「戻りは何時だ」

「今日は戻りません。直帰です」

ならばと三上はフロアを突っ切り、ノックなしで警務部長室に入った。たった今まで赤間がいたかのようにオーデコロンの香りが漂っている。救急箱を抱えた七尾が駆け込んできた。手早く消毒液と包帯を取り出し、三上に向けて手を差し出した。

「巻きます」

「自分でやる」

「巻きますから」

「いいから置いていけ！」

七尾を締め出し、三上は救急箱から脱脂綿の束を掴みだした。それを傷口に当て、包帯の端を噛んで引っ張り、ぐるぐる巻きにした。そうしながら主のいない執務机に向かい、荒っぽく天板に尻を乗せた。携帯を取り出し、二渡の番号をディスプレイに呼び出し、それを見ながらデスクの電話を使って掛けた。警務部長の直通番号だ。出ないわけにはいくまい。

数回のコールで繋がった。

「これが小事か」

いきなり言った。

「東京の魂胆は聞いた。これが小事なら、お前の大事とは何だ」

〈誰から聞いた〉

「本部長だ」

〈そうじゃない。俺の番号だ〉

「貴様！　わかってんのか！　これは刑事部潰しじゃねえ。D県警潰しだ。わかってて片棒を担いでるのか」

返事はなかった。足音。雑音。車のドアが閉まる音。

「二渡――」

〈言ったはずだ。警察は一つの生き物だ。地方も東京もない〉

「それは東京の連中の妄言（もうげん）だ。刑事部長をぶんどられて地方が地方と言えるか」

〈頭を冷やせ。悪くはならない。むしろ効率が良くなる〉

効率だと？

辻内本部長の言葉とダブった。上を変えるのが手っ取り早いんだ。警務と刑事の風通しがよくなって、お互い仕事がしやすくなる――。

わかった気がした。今度こそ二渡の本心に指先が触れた。刑事部を弱体化し、警務部の支配力を揺るぎないものにする。そうだとばかり思っていたが、しかし違うのだ。本庁と同化した脳。辻内の命令。それらがこの男の行動のすべてを司っているのでもない。

「怖いのか」

〈何がだ〉

「刑事部長の椅子だ」

二渡は黙った。言葉の意味を問い返しもしない。図星だからだ。

誰よりも二渡自身が知っている。番狂わせはないのだ。四十歳の若さで警視昇任を果たした男が最後に座るポストは刑事部長以外にない。「陰の人事権者」が「表の刑事部長」になる。その皮肉めいた十数年後の現実を二渡は恐れているのだ。事務方としてどれほど有能であろうが、刑事のケの字も知らない男を待ち受けているのは面従腹背の乾いた砂漠でしかない。空疎な御輿になる。「不作」の一人として不名誉を連ねる。それは長年組織を実効支配してきた男にとって受け入れがたい現実だろう。降って湧いたような「召し上げ」の話は、だから二渡にとって福音だったのだ。

「どうした。何とか言え」

〈わかるように話せ〉

「わかるだろう。お前のユートピア計画の話をしてるんだ」

二渡に対する東京の信頼は厚い。D県警を経験した歴代キャリアは抜かりなく、人事と組織管理に精通した地元の絶対的エースを「使える男」として引き継いできた。新たに着任する男の肩書が刑事部長だからといって何も変わらない。所詮は官僚だ。刑事部の誰の言葉より本庁推奨の男を頼ると二渡は踏んだ。進んで「陰」になる。自分は下位の生活安全部長に収まり、助言という名の強権を用いて刑事部に影響力を行使する。名を捨て実を取る。それこそがこの男の行動原理だ。人事で大勢の警察人生を設計しつつ、二渡は己の警察人生の締め括り方を考え続けていたのだ。

「答えろ。お前の桃源郷を作るためにD県警を売るのか」

〈わかるような質問をしろ〉

「本庁と二人羽織で闇将軍気取りか。それが地方エリートの本懐か」

〈切るぞ〉

「エースならエースらしく腹を括れ。キャリアが刑事部長に座るぐらいなら、お前が座ったほうがなんぼかマシだって言ってるんだ」

ほう、と二渡は意外そうな声を上げ、そしてぼそりと言った。

〈俺でいいのか〉

三上は虚空を見つめた。暗い目を間近に感じた。おしぼりを差し出された、あの瞬間の異様な感覚が蘇った。

〈あんまり深刻ぶるな。記号だ。誰が座っても大差はない〉

一瞬、話に置いて行かれた。記号？　刑事部長のことを言ったのか。

「お前、本当にD県警の人間か」

〈誰が上でも刑事は動く。違うのか〉

「厳父だろうがろくでなしだろうがオヤジはオヤジだ。血の繋がってない腰掛けキャリ

ア に代わりは務まらん」

〈ひと月で慣れる。ふた月で染まる。人事は例外なくそうだ〉

「自惚れるな。貴様ら人事屋にできるのは無責任な部屋割りだけだ」

〈お前がいい例じゃないか〉

「何？」

〈記者相手に体を張ってたな。本部長室の前で〉

三上は息を呑んだ。

〈誰が見ても立派な秘書課員だったよ〉

ぎゅっと奥歯を噛み締めていた。包帯に血の滲みが浮かんだ。

「もう一度言ってみろ」

〈誤解するな。俺は褒めたんだ〉

「俺の目を見て言え！　部長室に来い。今すぐだ！」

〈そういうところは変わらないな〉

笑ったのか。

〈現実を受け入れろ。ここは剣道部の部室じゃないんだ〉

52

水割りは水、ロックも水に感じられて酔えなかった。

民家の前部分を改築した、六十過ぎの夫婦が切り盛りするスナック『月並』。刑事の店でも警務の店でもなく、数少ない三上の隠れ家的な店だ。マスターが迷い犬を交番に届け出たのが縁で、だからもう四半世紀の付き合いになる。ママはイノシシ並みに勝ち気で、マスターのほうも思ったことは口にせずにはいられない性格だから、当時も今もしょっちゅうカウンターの中で夫婦喧嘩をしている。決まってカウンター席の隅に座る三上にとって、それが煩わしく、時に羨ましくもある。

拳の包帯の訳を訊かれたので、上司を殴ったと答えたら、ママは躍り上がって喜び、マスターはひどく心配そうな顔をし、それがもとでまたひとしきり言い合いをしていた。

馬鹿げたことをした。

頭の痺れが引いてみれば、後悔だけが死骸のように転がっていた。刑事部長ポストが没収されると聞かされて全身の血が沸騰した。気持ちを追えるのはそこまでだ。本部長への直訴。真に刑事の血がさせたことだと言えるか。地方の一警視の意見が本庁の決定を覆すことなどありえない。直訴など無意味。重々わかっていながら敢えて英雄的行為に走った。刑事部に対するせめてもの罪滅ぼし。そんな意識が自己陶酔を呼び込み、だから脳内に快感物質が放出されたのではなかったか。

家族のことは頭になかった。我を忘れ、家族を忘れた。赤間の留守中に本部長室を侵犯した。その罪一つで山奥送りに相当する。石井を突き倒し、秘書課の備品を壊した。三上に自傷も出血もなく、石井がああも腰抜けでなかったら、今ごろ地下の監察課別室で長い調書を巻かれていたろう。そもそも家族を大切に思うなら、刑事部が仕掛けた罠を赤間に注進すべきだった。顔を使い分けて荒木田の誘いに乗るふりをすることだってできた。たとえ可能性が限りなく低くとも、刑事部がこの争いに勝利した場合に備えて「中央署刑事官」に保険を掛けておくべきだった。中央署なら引っ越しをせずに済む。あの家で、美那子とともにあゆみの帰りを待てるのだ。

カラン、とグラスの氷が向きを変えた。

どんな我慢もしてきた。家族のために……。

そうではなかった。家族を弾除けにしていた。自分が可愛かった。組織での立場が危うくなるたび、家族に託つけて我慢のカードを切ってきた。わかっていた。家庭などなくても生きられるが、組織の中で居場所を失ったら生きていけない。自分はそういう種類の男だと認め、受け入れない限り、死ぬまで己を語る方法を見出せそうにない。

気持ちが醜く歪んだ。

――二渡はどうなんだ。

語れる自分があるか。あいつはまともな家庭を持っているのか。仕事は仕事。家に帰れば溶け出す本当の自分がいるのか。違うだろう。刑事部長を記号と言ってのける男が、愛情深い夫であり父親であるはずがない。家庭という名の記号を所有しているだけだ。自分以外の誰かが夫であり父親である我が家の風景を想像できる男なのだ。だから決して他人に心を読ませない。二渡の真実が二渡の口から語られることはない。だが目を凝らせば見えてくる。陰を厭わず、陰と寄り添う。いつか表に出るのではなく、溜めに溜めた陰の力で表を呑み込んでいく。それが二渡の生態だ。原点を知っている。感情を殺した穴のように暗い目だ。あの夏、あの体育館で立てたであろう誓いだ。俺じゃない。剣道部の部室に今も心を残しているのはあいつのほうなのだ。

懐の携帯が震えた。ずっと震えていたのかもしれなかった。

幾つかの顔が同時に浮かんだが、そのどれでもなかった。慌てた声の主は捜査二課次席の糸川だった。前置きもなく例の談合事件の話を始めた。任意で事情聴取していた八角建設専務の容疑がようやく固まり、逮捕状を取った。ところが執行直前に専務が吐血し、厚生病院に搬送したのだという。なぜ内情を喋るのかと怪訝に思ったが、話の先があった。読売と産経が逮捕状発付の情報を掴み、書くと通告してきた。待ったを掛けたが蹴られた。なので明朝は騒ぎになるでしょうから事前にお知らせしておこうと――。

荒木田刑事部長の顔がちらついた。時計を見てから諏訪の携帯を鳴らした。午後八時四十五分。『わんわん亭』にいた。諏訪が最近開拓したおかまバーだ。庁内では各社の意思を探れず、急拵えで美雲主催の「社会勉強会」を開いたのだという。包帯の理由を話さず本部を出たからだろう、諏訪の声には不自然なもたつきがあったが、逮捕状の話を伝えた途端、いつもの口調になった。ああ、それでか。読売の牛山と産経の須藤がまだ顔を出していないんですよ、と。そして声を潜め、またぞろ特ダネでボイコット回避がパーにならないといいですが、と。

朝イチで結果を報せろ。そう命じて携帯を畳んだ。向こうの馬鹿騒ぎがこっちのカラオケに切り替わる。年齢がまちまちの、会社勤めとおぼしき男女十人ほどが奥の絨毯座敷に陣取り、マスターの話によれば気の早い忘年会をやっている。

尻が落ち着かなくなる。諏訪と美雲、おそらく蔵前も一緒だ。広報室の持てる力は会見ボイコットの回避一点に注がれている。当然だ。三日後に長官が来る。記者対策を生業とする広報室が今それをやらずして何とする。

――お前は？

自問が吐く息に熱を持たせる。

D県警をダラスにするのか、しないのか。

〈土下座でも何でもして、取材ボイコットを撤回させなさい〉

〈もっと揉めろ。とことん連中を怒らせて、必ずボイコットに落とし込め〉

荒木田は引けない。単なる警備部あがりのなりすましではなく、今回の試練が彼を刑事部長たらしめた。それは擬似的症状には違いないが本人にとっては紛れもない現実だ。何より「防戦」であり、「正当防衛」であることが荒木田の心を奮い立たせている。おそらく名を惜しんでもいる。自分が「最後の刑事部長」になることを恐れている。「最後」の響きは哀愁を誘うが、要は本庁にポスト没収の口実を与えた無能な男としてD県警の歴史に名を刻まれるということだ。

引けないのは赤間も同じだ。刑事部の叛乱を本庁に知られた。あろうことか紙爆弾まで落とされて東京の逆鱗に触れた。統治能力なしと烙印を押されてしまえば将来もない。もはや手負いの猪の体だ。なりふり構わず結果を出しにくる。だが――。

部長の事情などどうでもいい。

――お前はどうする？　どうしたいんだ？

言うまでもない。刑事部長ポストを守りたい。頭はそう叫ぶ。なのにもう血は暴れない。気持ちは斑だ。ジレンマの檻に囚われたままだ。この期に及んで家族に仮託して迷っているのか。それとも無意識にそろばんを弾いたのか。どのみち刑事部が負けると決めつけている。勝ち馬に乗りたがっている。そんな浅ましさが迷いを呼び込んだか。そうでないなら何だ。戦意喪失で白旗を揚げたのか。刑事部からも警務部からも心が乖離し、真実、無国籍の人間になってしまったということか。

いや……。

無国籍ではない。職責がある。感情に揉みくちゃにされながらも、頭から広報官の意識が消えたことはなかった。たった今、この現実もそうだ。決断を迫られているのは、元刑事でも裸の個人でもないのだ。

D県警広報官として何をすべきか。

〈彼らが納得しなかったら、今後はすべて実名で発表すると言いなさい〉

カラ手形を切る。記者たちをペテンに掛けて会見ボイコットを回避する。考えただけで鳥肌が立つ。次の匿名問題が起これば万事休すだ。記者たちはこの裏切り行為を決して許さない。一時しのぎの嘘のために広報室は未来を失う。それでいいのか。

〈そのまま静観してろ。それならお前の心も痛むまい〉

耳が怒りを蒸し返す。騒動師。サボタージュ。たとえ「刑事部死守」がD県警の大義だとしても、荒木田が広報室に突きつけた要求には一片の正義もない。おかまバーでくそ真面目に記者を口説いている部下たちに帰って寝ろと言うのか。もう何もするな、ボイコットが成立するのを黙って眺めていろと命じるのか。彼らに職務放棄を強いる。恥ずべき不作為犯の共犯者にする。そんなことはできない。してはならない。

ジレンマの強固さを思い知る。赤間。荒木田。どちらにハンドルを切ろうが結果は同じだ。広報官の職責など微塵も果たせない。内からも外からも壊れて瓦解する広報室の姿がまざまざと目に浮かぶ。

「窓」を思った。組織のパワーゲームが窓を閉ざし、光を消し去る。焦燥感に駆られた。刑事部か、警務部かの二者択一。本当にそれがすべてか。広報官として選択すべき第三の道はないのか。

不意に雨宮芳男の顔が浮かんだ。それは本当に不意にだった。だから錯覚した。ジレンマを破る閃(ひらめ)きだと。

血の気が引くのが自分でわかった。

〈長官といえば警察のトップです。新聞は大きく記事にしてくれると思います。テレビもニュースで流し、多くの人が目にします〉

　この口が言った。慰問を呑ませたくて、被害者の父親に期待を抱かせるようなことを言った。いや違う。雨宮はとっくに警察を見限っている。脅迫電話の隠蔽を知ったからには恨んでもいる。長官視察は警察の宣伝だと見抜き、だからまともに話を聞いていなかった。何も期待していない。そうとも、三上の言葉に心を動かされて慰問を受け入れたわけではない。泣き落としに絆（ほだ）されたか呆れたかしただけだ。

　だが……。

　この口は言った。

〈事件の情報が新たに掘り起こされる可能性もあると思います〉

　グラスを呷（あお）った。

　やはり閃きだったのだ。刑事部でも警務部でもない、それは外の世界で交わした「約束」だった。秤の片側に分銅が置かれて心が傾ぐ。長官会見のボイコットは許されない。是が非でも警察トップの声を活字と電波に乗せねばならない。雨宮のために、だ。自分の発言に責任を持つために、だ。

　ああ、そうとも、作り話だ。本当は雨宮との約束など存在しやしない。ボイコットを回避するために記者を騙すしかないのであれば、広報官として取るべき第三の道を見出したことにもならない。刑事部、警務部に次ぐ第三の極を見つけただけのことだ。しかしもういい。それで十分だ。今度は遺族に託つけて舵を切る。いかにも自分らしい決着のつけ方ではないか。

あら、この人、思い出し笑いしてるよ。ママがからかい半分に言った。よっぽど気持ちよかったんだね、アホ上司をぶん殴って。ほっといてやれよ、と横からマスターが言う。独りで飲みたいんだから。

また始まる。椅子を回してカウンターに背を向けた。そういう顔してるじゃないか。奥の絨毯座敷は佳境のようだった。グループの長らしき五十男が調子外れのバラードを響かせている。男の部下たちはまだ部下の顔で囃(はや)している。若い女たちはそろそろ帰りたがっている。諏訪に期待していた。美雲にも、蔵前にさえも期待を抱いていた。クラブ総会でボイコットが撤回されれば結果オーライだ。作り話は完結する。広報室も死なずに済む。女の一人と目が合った。くすりと笑い、隣の女に何やら耳打ちした。

顔を戻して煙草をくわえた。まだ口喧嘩の最中で、ママが突き出したライターは火炎放射器のような炎を放った。そのタイミングで隣の男が話し掛けてきた。前にも一度ここで会った。医者だと朧気に記憶していたが、実際には三浪したが医大に受からず、祖父の代からの総合病院で事務長をしている男だった。口が面倒がり、包帯の理由を目眩のせいにしたことで症状まで話す面倒を招いた。男は神妙な顔で頷首を重ね、メニエール病かもしれないですねと言い、左右どちらの耳から目眩が始まるかというようなことを訊いた。医者でもないのにと意地悪く思いつつ、無意識に左耳に手を当てていた。

タクシーを呼んだ。ママの笑顔と、マスターの気遣いと、さざ波のように広がった女たちの視線に見送られた。

車中、気がつくと左耳に手を当てていた。受話器の冷たい感触が蘇っていた。あゆみは何も言わなかった。何も言わずに痕跡だけを残した。ああ、そうだったのか、と思う。きっとあゆみは自問を促したのだ。親として何をしたか？　娘の何をどう理解していたか？

タクシーを降り、玄関先に山科の顔を見た時、自分はかなり酔っていて、そして相当に機嫌が悪いことに気づいた。

トロッコめ。わんわん亭で飲んでいたが読売と産経のキャップが顔を見せず、不安になってここに来た。いや、あわよくば自分も何か抜く気でのこのこやって来た。あゆみを見つけたわけでもないのに、二匹目のドジョウを信じている顔だ。卑屈に笑い、寒そうな仕種を武器に歩み寄ってくる。それを仁王立ちで待ち構えて包帯の手を突き出した。マフラーの端を摑んでぐいと引き寄せ、真っ赤な耳に吹き込んだ。勘違いするな。娘可愛さに談合ネタをくれたんじゃねえ。てめえがずぶ濡れの捨て犬みたいな目をしてたから恵んでやったんだ――。

棒立ちになった山科を押し退け家に入った。すぐに美那子が出てきた。表に山科さんがと言い掛け、だが手の包帯に気づいて言葉を止めた。ああ、転んでちょっと切ったんだ。靴を脱ぎながら言った。信じたふうはなかったが、美那子はそれ以上は訊かず、顔も空気も普通に戻して、八時頃、大舘部長の奥さんから電話がありましたと言った。

息が止まった。

腕時計を見た。十時を回っている。

〈伺う前に電話を入れます〉

三上は身震いした。夢から覚めた。酒と喧騒に浸ったまやかしの時間が、痛みを伴う現実の時間に取って代わった。

真空の頭で廊下を走り、茶の間に入り、子機を摑んで番号をプッシュした。指が止まった。局番から下の番号が出てこない。拳で額を叩いた。それでも思い出せず手帳を捲った。

コール音は畳に膝を揃えて聞いた。

仲人親との約束をすっぽかした。自分から電話しておきながら忘れた。荒木田から本庁の目論見を知らされ、その瞬間、脳が大舘を用済みと見なした。いや、もともと期待などしていなかった。あゆみの家出すら耳に入らない「過去の人」に長官視察の裏情報がもたらされているはずがなかった。わかっていながら会いたいと電話した。ただ不安を紛らわすために。何かしていないと落ち着かなかったから。

先方の受話器が上がった。

〈まあ、三上さん！　よかった、声が聞けて〉

夫人の声は昼間のまま親しく、しかし昼間ほどの朗らかさはなかった。

「失念しました。お詫びの言葉もありません」

〈いいのよ、忙しいんだから。じゃあ、主人に替わりますね。起きて待ってたから〉

夫人の声が消え、それからが途方もなく長い時間に感じられた。

耳に戻ったのは声ではなく、雑音と聞き違えそうな息遣いだった。うとうとしていたのかもしれない。あるいは体調が優れないのに無理して起きていたか。

「部長――」

〈あ……ああ……大舘だ……〉

詫びの言葉をありったけ口にした。「用件」は打ち消した。お顔を見たかっただけです。近いうちに必ず伺います。その間、ずっと息遣いが耳にあった。時折、ぜいぜいと喘いだ。これ以上は体に障ると電話を切り掛けた時、大舘が言葉を絞り出した。

〈……電話、ありがと……ありがとな……〉

嬉しげな声だった。

三上は目頭に指を押し当てた。電話を切った後も膝を崩せなかった。

元D県警刑事部長、大舘章三。その胸は誇りに満ちているか。今となっては泡沫（うたかた）の夢か。組織は彼に何を与え、彼から何を奪ったのか。

心が静まり返った。

D県警は刑事部長を失う。

雨宮との「約束」が霧散していく。苦し紛れの作り話に寄り掛かって決断を下すわけにはいかなかった。真実が要る。ジレンマを超越する光が要る。

見つけねばならない。第三の道を――。

53

〈十三社中、七社はボイコット撤回の用意があります。ただし――〉

三上はキッチンのテーブルで諏訪からの電話を受けた。ゆうべは眠らずここで朝を迎えた。長い時間、自問を繰り返した。一つの答えが胸にある。果たして自分に成しえるか。沈思の最中に飛び込んできた電話だった。

〈あくまで昨夜の段階での話です。今朝の騒ぎで白紙でしょう。ましてやクラブ総会どころじゃありませんよ〉

諏訪の声は投げやりだった。

朝刊がかつてなく荒れた。通告通り、読売と産経が『八角建設専務に逮捕状』をでかでかと記事にした。それればかりか、ノーマークだった朝日と毎日の紙面にも特ダネが躍った。朝日はN署の交通官が甥っ子の速度違反を揉み消したという内容で、それはそれで衝撃を受けたが、しかし驚愕の極みは毎日だった。『一昨年の留置人自殺・看守が居眠りか？』――。

三上は七時にはもう広報室にいた。諏訪、蔵前、美雲の三人も相前後して駆けつけた。早く会見を開けと詰め寄る記者たちと押し問答になった。赤間警務部長は登庁してこない。石井秘書課長が一度部屋を覗きにきたが、記者たちの剣幕に尻込みし、あるいは三上の手の包帯がそうさせたのか、指示も助言も残さず姿を消した。三上は独断で会見のセッティングに動いた。関係各課に電話を入れ、記事内容と対応を協議し、時間を調整し、捜査二課、交通指導課、警務課の順で三十分刻みの会見スケジュールを決定したころには八時半を回っていた。

荒木田刑事部長の高笑いが聞こえてきそうだった。「落ち度はなかった」と赤間に公言させておいて「看守の居眠り」で引っ繰り返す。その役割は必ずしも第一弾を書いた東洋でなくてよかったということだ。どの社に担わせても同じ効果が見込める。むしろそのほうが安全だ。複数の社にネタを振り分けることで刑事部の意図は確実に見えづらくなる。

談合の逮捕状ネタも意図的なリークだろう。交通違反の揉み消しだってN署の刑事が小耳に挟んだものかもしれない。荒木田自身が騒動師なのだ。「看守の居眠り」を温存せずに使い切ったうえ、さらなる火矢を乱れ撃ちしてきた辺り、紙爆弾として本庁に突きつけた不祥事群は相当な数と破壊力を有しているとみてよさそうだった。

午前中は長かった。広報室も記者室も熱に浮かされたような状態が続いた。三つの会見はどれも荒れた。記者たちは刺すような質問を連発し、回答の歯切れが悪いと口汚く罵り、夕刊の締切間際には記者同士が怒鳴り合う場面もあった。先の予測がつかなかった。四社同時の特ダネが記者室にどんな化学変化をもたらすのか。昨日抜いたネタを抜き返された社。一つ抜いたものの二つ抜かれた社。丸々三つ抜かれてしまった社。怒りの作用と反作用は複雑に入り組んでいて、わかったことと言えば東洋憎しの明快な構図が吹き飛んだことぐらいだった。記者たちは憑かれたように原稿と電話に没頭し、クラブ総会の話など持ち上がりようがない。山科と梁瀬が諏訪との約束を果たしたかどうかも不明のままだった。

三上はデスクで遅い昼食をとった。ようやく記者の出入りが途絶え、室員たちは偵察に出ていて部屋に一人だった。自分がパンを嚙む音だけがする。思えば、長官視察の騒ぎが持ち上がってからというもの一度も昼時に家に戻っていない。美那子は何を食べているのか。何も食べていないのか。

〈そっちは落ち着きましたか〉

赤間が電話を寄越したのは午後二時を回っていた。まだ東京だ、戻りは夜になると言うので、いよいよ赤間の窮状が現実として感じ取れた。

〈看守の居眠りはどう対処したんです〉

「白田課長が会見し、事実関係を調査中の一点張りで切り抜けました」

赤間の息が緩んだ。が、それは一瞬のことだった。

〈アレはどうなりました〉

「えっ？」

〈ボイコットですよ。撤回させましたか〉

聞き取れないほど小さな声だった。周囲に誰かいる。

「まだクラブと話をしていません」

〈なぜです〉

「朝刊の余波で先方が混乱しています」

〈謝罪は？〉

「まだです」

〈匿名はやめると伝えましたか〉

「ですから――」

〈早く伝えろ！　このウスノロ！〉

三上は目を閉じた。脳が霞ヶ関の高層ビル群を俯瞰した。

「わかりました」

言った直後、ぷつりと電話が切れた。

三上は煙草に火を点けた。

心は凪いでいた。赤間の言葉は新たな負荷をもたらさなかった。荒木田の言葉も遥か遠くに感じられる。どちらの道も歩かないと決めた。組織内部のパワーゲームに正義も不正義もない。しかし警察官個々人の持ち場には厳然としてある。交番には交番の、刑事には刑事の、広報官には広報官の正義と不正義がある。

たまたまが一生になることもある――。

わかった気がする。D県警の広報官は自分だ。一瞬であろうが一生であろうが、その事実は動かない。

煙草の煙が目に染みた。その目が諏訪の入室を捉えた。

「どんな感じだ」

「少し落ち着きましたが、記者同士はひと言も口をききません」

「総会は」

「難しいです。山科はみんなに提案したと言ってましたが、本当かどうか」

「どのみち、俺の謝罪など誰も聞くまい」

諏訪は無言で頷いた。

「蔵前と美雲を呼べ」

「はい?」

「みんなに話がある」

言った直後、蔵前が入室した。いったん自分のデスクに寄り、クリアファイルを手にして歩み寄ってきた。

「何だ」

「はい。時事の梁瀬ですが、山科からはなんの働き掛けもないと——」

「そうじゃない。ファイルだ」

「あ、これは、例の銘川老人の続きというか、補足です」

案の定だった。諏訪が呆れ顔になる。

「重要なことか」

三上が訊くと、蔵前は困った顔になって首を捻った。

「いえ、それはちょっとわかりませんが……。しかし……」

「しかし何だ」

「銘川本人にとっては重要なことではないか、と」

軽い衝撃を受けた。

本人にとっては重要なこと。今朝方、空が白み始めた頃、三上も同じことを考えたのだ。雨宮の変化についてだった。二度目に訪ねた時、髪も髭もさっぱりしていて見違えたのを思い出したのだ。三上の言葉は届いていたのかもしれない。泣き落とさずとも、雨宮は慰問の受け入れに傾いていた。干からびた心にハサミを入れた。散髪は、外出は、雨宮にとって重要なアクションだったのではなかったか、と。

約束は存在していた。その想像は想像として頭の隅にそっと置いてある。雨宮との約束はどうあれ、既に心は決していた。第三の道。三上自身にとって重要なこと――。

「美雲を呼んでこい」

54

外のドアノブに「会議中」の札を下げた。来る者は拒まずが大原則の広報室を閉め切る。三上が広報官になって以来、初めてのことだった。ソファの向かいの席に諏訪と蔵前。その脇に美雲がパイプ椅子を寄せた。走って戻ったので息が乱れている。

「匿名問題にケリをつけようと思う」

切り出してから三上は三人の顔を順に見た。

「隣と関係が悪化したのも会見ボイコットも、元を正せば匿名が原因だ。元凶と言い換えてもいい。だから切る」

切る？　諏訪が眉を顰めた。

「匿名をやめるんだ。今後は原則として実名で記者発表する」

三人の顔色が変わった。諏訪の目は一瞬、天井を見た。

「そんなことをしたら、上が……」

「上がそう言ったんだ」

「本当ですか？　部長が実名でいいと？」

「ボイコットを回避するためにカラ手形を切れと言った」

諏訪は仰け反り、が、すぐに体を戻して呟き込むように言った。

「じゃあ、クラブを騙すんですか」

「騙さない――原則実名でいい。俺はそう思う」

「……実名でいい？」

「そうだ。上のペテンを逆手にとって実名発表のレールを敷く」

諏訪の顔が引き攣った。蔵前は呆気にとられた顔だ。美雲は食い入るように三上を見つめている。

「クラブではなく、上を騙すんですね」

諏訪の念押しは怒気を含んでいた。

「匿名のルール改正に利用させてもらう」

「改正？　改悪でしょう。理解できません。なぜ上を騙してまでそんな無茶をするんです。何でも実名発表なんて無責任ですよ。あの妊婦はいいんですか？　少年犯罪はどうするんです？　少年法は無視ですか。ヤクザ絡みの事件は？　一般人の名前が新聞に出たりしたらお礼参りをされますよ。自殺は？　心中は？　精神疾患の通院歴があったら？　何もかもマスコミ任せになんかできませんよ」

「だから広報室があるんだろう。俺たちの仕事だ。実名で発表はするが、酌むべき事情があればとことん膝を詰め、納得ずくで匿名報道に落とし込めばいい。考えてみろ。こっちの匿名発表とマスコミの匿名報道の判断基準に差があるか？　俺たちが筋の通った広報をしている限り、人権やプライバシーにうるさい彼らが大きく逸脱するはずがないんだ」

「それは願望でしょう？　広報官だって散々痛い目に遭ってきたじゃないですか。彼らは親睦団体の皮を被った烏合の衆だ。想定外の逸脱や暴走はいつだって起こりえます」

諏訪こそが広報室の歴史であり現状だ。この男を納得させられなければ何も変わらない。

三上はテーブルに身を乗り出して指を組んだ。

「信じてみたいんだ」

諏訪は瞬きを止めた。

「信じる？　連中をですか」

「そうだ。匿名に関しては彼らを信じて戦略を捨てる。それでどこまで歩み寄れるか試してみたい」

「よして下さい。性善説で語れる話じゃない。警察にとってマスコミは制御対象です。匿名にせよ何にせよ、情報的に常にこちらが優位に立っていなければコントロールできません」

「それは本当にお前の考えか」

「どういう意味です？」

諏訪は挑むように顔を突き出した。

「五年ここで記者の相手をしてきました。クラブを制御できなくなった時の恐ろしさは知っています」

「恐ろしさって何だ？　実害は？　お前は組織が恐れるであろうことを先回りして恐れてるだけじゃないのか」

諏訪は乱暴に頷いた。

「当たり前でしょう。私はＤ県警の一員です。組織が恐れることは恐れねばならないし、組織が方針を決めた以上、それに則って動くしかありません」

「D県警の方針じゃない。東京の考えだ」

「そんなことはわかってます。だからなおさら逆らえない。我々は個人であって個人でない。違いますか」

三上は大きく息を吸った。部下に反問されてみて、部下に言うべき言葉がはっきりとした。

「上は変わるが職務は不変だ。広報のことは広報室で決める。今ここにいる俺たちが決めるんだ」

諏訪は首を横に振った。

「上イコール組織です。組織の意思を無視した広報なんて広報と言えません」

「個人の集まりが組織だ。個人の意思が組織の意思になることがあっていい」

「破れかぶれで言っているとしか思えません」

諏訪は語気を荒らげ、忌ま忌ましげに三上の手の包帯を一瞥した。

「立場を考えて下さい。今後実名で発表すると広報官が言ってしまったら、それはD県警が言ったことになるんですよ」

「無論だ」

「一度与えてしまった権利を取り上げるのは至難の業です。最初から与えないでいる反発の何倍も何十倍も大きくなる」

「撤回はしない。実名で通す」

「あなたはいい。自分の意見を通して満足でしょう。しかしその後は？　来春以降、広報の人間たちはずっとあなたの言葉に縛られて苦しむ」

「俺は春までか」

「惚けんで下さい。そう見切ったから実名を言い出したんでしょう？　上を無視して本部長室に乗り込んだ。秘書課で暴れた。来春は飛ばされる。だから――」

蔵前は地蔵のように固まっている。美雲は耳まで真っ赤だ。自分が責められているかのような顔だ。

「広報官、現実的な話をしましょうよ」

諏訪は説得口調になった。

「上もクラブも騙さずにボイコットを回避できる方法を考えましょう。まずは謝罪です。とにかく謝罪です。向こうが受け付けなくても押し掛けていって謝るんです。土下座しましょう。私もします。蔵前と美雲にもさせます。匿名の部分はあくまで玉虫色で、思いっきり譲歩の色を滲ませて。今後は極力実名で発表する。できる限りクラブの意に沿うようにする。そう言って下さい。連中も長官の取材はしたい。玉虫色を承知で呑む可能性はあります」

「お前はそうして進言をするためにサツ官をやってるのか」

「えっ？」

「この先は？　次も、その次も決断はせず、進言だけして警察人生を終えるのか」

諏訪は歯を剝き出した。

「玉虫色だって一つの決断です。私は腹を括って進言しています」

「問題の先送りだろう。それこそ後の連中が苦しむ」

「問題の中身によっては、先送りにすることも重要な決断だと言ってるんです。だいいち、私は実名発表が正しい決断だなんて思っちゃいません。例の妊婦はどうです？　広報官だって匿名発表が妥当と考えてそうしたんじゃないんですか」

「妥当と思った。だが菊西華子（きくにしはなこ）はキングセメント会長の娘だった」

六つの目が大きく見開かれた。

「そ、それじゃ……」

「そうだ。公安委員の娘と知って上が名前を伏せた」

沈黙は長かった。責任を引き受けるように諏訪が曲げた口で言った。

「……それだって正しい判断かもしれません。公安委員が傷つけば組織も傷つく」

「本気で言ってるのか」

三上が見据えると、諏訪は歪んだ笑みを返してきた。

「広報官はやっぱり刑事ですね」

「どういう意味だ」

「あなたたち刑事は組織に興味がない。組織が傷つこうが壊れようが他人事だ。刑事以外の仕事をすべて見くだしている。鼻で笑っている。ある意味、キャリア組と同じですよ」

「俺がそうだって言うのか」

「違いますか？　広報室なんて腰掛けでしょう？　刑事部に帰任するまでの繋ぎだ。馬鹿らしいと思いつつ仕方ないからやっている。でもここでメシを食ってる人間もいるんです。大勢の警察官が捜査と無縁の仕事をしてるんです。あなたは警務部から追い出されたって痛くも痒くもない。いずれこんな所とはおさらばだ。そう思っているからキャリアみたいに無責任なことが言えるんです」

もう腹は立たなかった。大きな悲しみに襲われた。部下は部下で上司にレッテルを貼る。ここでは刑事が「前科」だった。この八カ月間、諏訪は一度として自分の初見を見直さなかったということだ。

三上は深い息をした。

「あと一つ話しておくことがある――ウチの刑事部長ポストが本庁人事になる。ロクヨン視察は目くらましだ。こっちで発表するために長官が来る」

諏訪はぽかんと口を開いた。その口のままスローモーションのように天を仰いだ。

「俺は刑事部に戻れるとは思っていない。会見ボイコットを成功させろと言われたが断った」

ドアがノックされた。誰も席を立たなかった。またノック。誰も動かない。ややあって靴音が遠ざかった。

「私は係長の案に賛成です」

突然、美雲が声を上げた。

「匿名は玉虫色の決着がいいと思います」

「私も……そう思います」

蔵前も続いた。

「一緒に土下座します。ボイコットが回避できてもできなくても、それなら……」

三上に逃げ場が残る――。

気持ちは崩れなかった。

「戦略の話はもういい。すべての道を断たれて、そうなって初めて見える道もあるってことだ。戦略を捨てる道だ。自分たち以外の世界を信じてみる道だ」

蔵前は頷かない。頷くはずの美雲も頷かなかった。

「わからないのか？　警察は警察だけじゃ真っ当に生きていけないんだ。腐ってる自覚がないままどんどん腐っていってるんだ。記者がどれほど信用ならない連中であろうと、娑婆がどれほど穢れていようと、繋がっていないよりはましなんだ」

手の傷が痛んだ。知らずに拳を握り締めていた。美雲は膝頭を摑んでいた。その手も膝も震えていた。蔵前は細く長い息を吐いた。そうしながら力のない目で隣の諏訪を見た。

三上は拳を緩めて指を動かした。

「諏訪」

返事はない。首筋しか見えない。背中を丸めて自分の足元を見つめている。

数秒待った。動く気配はない。

「ここでの話は聞かなかったことにしとけ」

三上は腰を上げた。

「お前らもだ。これから隣に行ってくる。戻るまで待機してろ」

「刑事部を見殺しにするんですか」

ぼそりと声がした。諏訪が上目遣いでこちらを見ていた。

「広報官の覚悟はわかりました。でもそれで本当にいいんですか。愛着のある職場でしょう。キャリアの好き勝手にさせていいんですか」

三上はドアに足を向けた。

「俺の職場はここだ。キャリアにも刑事部にも好き勝手にはさせない」

55

少しは廊下を歩きたいといつも思っていた。広報室を出れば思案の暇もなく記者室だ。今日はそれでよかった。三上は逡巡なく隣室のドアを押し開いた。

かなりの数の記者がいた。幾つかの顔が三上に向いたが無視を決め込んだ。社ごとに額を寄せて話をしている。読売の牛山、笠井、木曾亜美……。産経の須藤と釜田……。NHKは袰岩と林葉……。朝日が掛井と高木まどか……。東洋の秋川も手嶋の耳に何やら吹き込んでいる。毎日の宇津木はふて腐れたように机に足を投げ出し、共同通信の角池はだらしなくソファに転がっている。他の社も大方揃っているが不気味なほど静かだ。抜いた社でも二本抜かれた。勝者のいない記者室は飢餓感が相殺され、それだけに各社個別の心理はわかりづらい。三上の入室に気づいていながら誰も声を掛けてこない。三つの会見が終わった今、広報は用済みだと言わんばかりの空気だった。

構わず声を張り上げた。

「話がある――全社揃っているか確認してくれ」

東洋のデスクに向かって呼び掛けた。その途端、手前にいた読売の牛山がノートを手に立ち上がった。勝手にやってくれの顔で息を吐き、三上の横を素通りした。部屋を出ていく。産経の須藤も「失礼」と雑に言ってドアに向かった。他にも能面のような顔が幾つも両脇をすり抜けていく。ちょっと待ってくれ。言い掛けた時、背後の廊下で声がした。

「それはないだろ、ギュウちゃん。広報官が話があるって言ってるんだから」

諏訪だった。牛山が言い返している。どうせボイコットをやめてくれって話だろ？　そんなの付き合ってる暇ないよ。まあまあと宥める声。そう言わずに少し時間をくれよ。須藤ちゃんも頼むよ。クラブにとって重要な話なんだ――。

ほどなく、諏訪に肩を揉まれながら牛山と須藤が戻った。他の数人も不満そうな顔をぶら下げて入ってきた。その後ろに蔵前がいた。美雲も入室してきた。後ろ手でドアを閉め、諏訪と三人で出口を封じるように立った。

三上は記者たちに向き直った。さっきまでとは気持ちが違った。背中に力を感じる。

「いったい何の真似ですか」

声を上げたのは手嶋だった。隣の秋川は椅子に座ったままこちらを見据えている。他の記者たちも苛立ちを隠さない。おい、禁足かよ。何の権利があってやってんだよ。

「各社揃っているなら話をしたい」

「謝罪なら結構です。お引き取り下さい」

手嶋はすげなかった。クラブの総意を伝える口ぶりだった。実際どこからも異論の声は上がらない。奥にタイムスの山科がいた。時事通信の梁瀬の顔も覗いたが、何かを期待するだけ無駄な雰囲気だった。

「謝罪に来たわけじゃない」

「では何です」

「匿名問題の新たな方針を伝えたい」

「新たな方針？」

手嶋は横目で秋川を見た。それから部屋を見渡し、三上に顔を戻した。

「全社揃ってます。言うだけ言ってみて下さい」

三上は頷いた。背後に緊張が走ったのがわかった。

「今後、広報の発表事案は実名を原則とする」

全員の顔が静止した。

ややあって部屋はざわめいた。それを制するように秋川が声を上げた。

「条件は？」

「ない」

「長官会見のボイコットを撤回しろってことですか」

「ないと言った。無論期待はするが、交換条件ではない」

再び部屋がざわついた。その中から牛山の声が抜け出した。

「いったいどういう風の吹き回しですか」

「熟慮しての判断だ。各社の良識を信じて踏み切ることにした」

「上の判断ですか」

「俺の判断だ」

「じゃあ、覆ることもありますね、上がノーと言えば」

「ない」

小さな間の後、牛山の横にいた木曾亜美が手を挙げた。

「赤間部長に確認を取っても構いませんか」

「構わん。だが今日は不在だ」

「三上さん」

　秋川が場を取り戻した。

「原則という含みを持たせたのはなぜです」

　三上は真っ直ぐ秋川を見た。

「クラブと合意の上で匿名発表になるケースがありうるからだ」

「こっちが同意？　わかりません。教えて下さい。どんなケースがあるって言うんです」

「俺はレイプ被害者の名前を他人に言えない。ましてや名前や住所を記した発表文をボードに張り出すことなどできない。それをやれというのなら広報官を降りるしかない」

「それは――」

　秋川は一瞬言葉に詰まった。

「極端な例でしょう。拡大解釈されるのが心配なんですよ。これは特別、これも例外とやられて、そうなったら元の木阿弥だ」

「記者がレイプの被害者の名前と住所を知る必要があるか」

「だから――」

「もしもだ、ここで実名発表が定着し、メンツ争いのような現状が解消されたら、そっちだって冷静になれるはずだ。こっちが押しつけるのではなく、名前を知る必要があるかないか、本当に知っていなくてはならない情報かどうか、そっちはそっちでよく考えてほしいと言ってるんだ」

「おこがましいですよ。結局のところ我々を洗脳しようとしている。『原則』の文言を外さない限り、受け入れられません」

「ならばこの案は取り下げる。さっき言った通りだ。俺は各社の良識を信じてこの話をしている。そっちがD県警の良識をまったく信じないと言うのならルールは作れない」

「開き直るんですか」

ちょっと待てよ、と誰かが言った。ＮＨＫキャップの袰岩だった。

「一考に値する話じゃないか」

小さな間の後、山科と梁瀬が続いた。

「そうさ、勝手に蹴っちゃまずいや」

「原則実名は大前進だ。話し合う余地はあるんじゃないか」

共同通信の角池も賛同の声を上げた。

「広報官がここまで言うんだ、こっちもちゃんと検討しようぜ」

ああ、そうしよう。穏健派が雪崩を打った。話し合おうや。クラブ総会を開こう。それがいい、総会で受けるかどうか決めよう。秋川は明らかに動揺していた。口を動かし、だが言葉が出てこない。他の強硬派も黙っている。その多くは賛意の顔に見える。流れは決した。三上がそう思った時だった。

「証拠を見せて下さい」

すべての視線が声の出所に向いた。朝日の高木まどかだった。

「証拠……？」

「今後は実名にすると言われても俄に信じられません。今、証明して下さい。大糸市の交通事故です。妊婦の名前と住所をこの場で発表して下さい」

それは神の言葉に聞こえた。破壊の神――。

「ちょっと、高木ちゃん！」

諏訪が素っ頓狂な声を上げた。

「なんだって蒸し返すわけ？　とっくに終わった話じゃんか。今さら聞いたって記事にもできないだろ」

「終わってません。だって妊婦の名前で揉めて、そちらが一歩も譲らなかったからここまで拗れたんですよ。この件を放置したまま、今後なんて語る資格がないんじゃないですか」

「だけど――」

後が続かず、諏訪の目は宙を泳いだ。高木の正論を際立たせただけだった。既に潮目は変わっていた。強硬派、穏健派の別なく高木を支持する声が上がった。確かにその通りだ。そっちが先だ。それを聞いてからクラブ総会を開けばいい。秋川も息を吹き返した。周囲の様子を搦め取るように目で確認し、やがてすっくと立ち上がった。

「各社――では、改めて妊婦の実名発表を広報室に要求する。異議ありませんか」

異議なし！　部屋中に声が響いた。

秋川は三上に顔を向けた。うっすら笑っているように見えた。

「そういうことです。口では何とでも言える。まずはD県警の良識を見せて下さい」

三上は目を閉じた。瞼がひくついた。諏訪。蔵前。美雲。背後から心臓の音が聞こえてきそうだった。こうなることはわかっていた。この窮地を具体的に想像したのではなく、外に向かって本気で窓を開こうとするなら、組織と自分を繋ぐ血管の何本かを引きちぎることになるだろうと覚悟していた。

三上は目を開いた。

「いいだろう。要求を呑む」

広報官！　後ろから強く袖を引かれた。

資料を取ってくる。そう言い残して三上は記者室を出た。部下三人が団子状態になった。広報室に入るなり諏訪が大声を上げた。

「本当に言う気ですか！」

「もう後には引けない」

「まずいですよ。それはまずい。キングセメントに繋がったら一巻の終わりだ」

「けど、苗字が違います。うまくすれば……」

言った蔵前を諏訪が怒鳴りつけた。

「そんなに連中は甘かねえ！」

三上はデスクの引き出しを開き、目当ての用紙を取り出した。さっき渡された蔵前のクリアファイルも手にした。

「広報官、よしましょう」

諏訪が立ち塞がった。必死の形相だ。

「レイプの被害者と同じだ。妊婦の名も俺には言えない。そう言い張って下さい」

「それじゃ永久に終わらない」

「広報官――」

美雲が拝む手で言った。

「おおらかとか、戦略は必要ないとか、間違ってました。浅はかでした！」

深く垂れた頭に言った。

「高木にああ言われてわかった。部屋の中からじゃ窓は開けられない。自分が外に出て開くしかないんだ」

三上は二人の間を割って廊下に出た。直後に諏訪に腕を掴まれた。

「最後の進言です。広報官、やめて下さい。これをやったらあなたの首が飛びます」

「そうならないように努力してみるさ」

「必ずそうなってしまいます。終わってしまいます」

諏訪の手に力が籠もった。

「私は……この先も……引き続き広報官の下で仕事をしたいと思っています」

廊下から音が消えた。

三上は諏訪の手を摑んだ。それをゆっくり下に降ろした。

「そう思うなら行かせてくれ」

諏訪は観念したようにうなだれた。美雲は両手で顔を覆っていた。蔵前は幽霊のようにふらりと立っていた。

三上は記者室のドアノブを握り、もう片方の手を諏訪の胸に押し当てた。

「ここまでだ」

「広報官――」

「今度は待機を守れ。お前が上なら、ここから先に部下を連れて行かないはずだ」

56

整然と並んだ記者たちの目は、タクトが振られるのを待つ楽団員のように見えた。

「では、発表する」

三上が口火を切ると記者たちは一斉にノートを開いた。

「大糸市における人身交通事故の第一当事者――菊西華子。ひな菊の菊に東西の西、華やかな子供。三十二歳。住所――大糸市佐山町一丁目十五の三」

ペンを走らす音が重なる。それは数秒で終わり、全員の顔が上がった。匿名の壁を打ち破った。D県警記者クラブが実名を勝ち取った瞬間だった。なのに興奮は些かも伝わってこなかった。おこりが落ちた。気が抜けた。東洋の秋川でさえそんなしけた顔だった。

「補足がある」

三上は言った。「外」に出る——。

「菊西華子はキングセメント会長、加藤卓蔵の娘だ」

誰も何も発しなかった。やがて気づいた順に顔色が変わった。

おい、キングセメントの加藤って……。そうだ！　公安委員じゃないか！　瞬く間に全員の目が尖った。

「だから匿名で発表したんですか！」

「想像に任せる」

「何だと！」

何人かが勢いよく立ち上がった。ふざけるな！　どこまで腐ってやがるんだ！　毎日の宇津木が、読売の牛山が、産経の須藤が、次々と糾弾の声を上げた。

「待ってくれ」

三上は両足を踏ん張って言った。

「公安委員の娘であろうがなかろうが、俺の判断基準は変わらない。妊娠八カ月、しかも事故を起こしたショックで錯乱状態に陥った。だから改めて申し入れる。この大糸市の交通事故を報道する際には、菊西華子の名前と住所を伏せてほしい」

話は怒号に掻き消された。秋川と目が合った。冷徹とも獰猛とも判断のつかないその目を見つめて三上は続けた。

「もう一つ補足がある」

一気に部屋の音量が絞られた。新たな獲物を待ち受ける目、目、目――。

「大糸市の事故の第二当事者、銘川亮次は事故翌々日の六日、収容先の病院で死亡した」

「おいおい」

「隠してたのかよ、それも」

「想像に任せる」

今度は騒ぎにならなかった。場の緊張が崩壊した。もう馬鹿らしくてやってられねえ。誰かが言い、呆れ顔が瞬く間に伝染し、立ち上がっていた記者たちが音を立てて椅子に腰を下ろした。これだよ。これが正体だ。クソ県警め。

秋川が気怠そうに腰を上げた。部屋の空気の化身のように見えた。

「やはりD県警は信用できない。まともに交渉できる相手ではない。残念ですが、それが結論です」

「馬鹿の一つ覚えはよせ」

言葉が迸（ほとばし）った。

「組織はいい。そんな漠然としたものを信用しろなんて言ってるんじゃない。俺はD県警を脱ぎ捨ててここに来た。その俺を信用できるかどうか見極めろと言ってるんだ」

「ちょっと、三上さん――」

「そっちも看板を下ろせ。東洋や読売や毎日や朝日や、そんな得体の知れないものを相手に話はできん」

「もう結構です。終わりましょう」

「首を賭けてここに立っているんだ、聞くぐらい聞け！」

秋川が最後の一人だった。他の記者たちは崩れた格好のまま、そっぽを向いたまま、それでも耳は三上に傾けていた。

「お前らおかしくないか。実名発表をもぎ取ったのになぜ大切にしない？　なぜ簡単に捨ててしまうんだ。永久に戦っていたいのか。それが望みか。俺は実名発表に踏み切った。話すべきことはすべて話した。それでも駄目か。D県警が汚いから、信用できないから、だから俺とは握手ができないのか。話を白紙に戻して、また一からこの不毛な争いを繰り返すのか。そうしたいならそうしろ。組織と組織の話にしろ。ここでの話をデスクに報告し、俺の上司にも抗議しろ。すぐに新しい広報官が来る。そいつと匿名実名の議論を最初からやり直せ」

部屋は無人のように静かだった。崩れた格好のまま動かない。そっぽを向いたまま止まっている。目を閉じている者。額に拳を当てている者。床やノートや自分の手や、一点をジッと見つめている者……。

「以上だ。大糸市の人身事故に関する発表を終わる」

いや、と小さく発して三上は続けた。

「あと一つ補足がある」

三上は手にしていたクリアファイルから用紙を引き抜いた。

「死亡した銘川亮次に関する情報だ。死因は内臓破裂による失血死。近くの立ち飲み屋で焼酎を二杯飲んだ帰りだった」

目がレポートの先を追った。無性に読み上げたくなった。

「銘川は北海道苫小牧の出身。家が貧しくて小学校もろくに通えず、職を求めて二十歳前に本県に出て来た。練り物の食品加工工場で定年まで四十年間勤務。以来、年金暮らし。八年ほど前に妻と死別。子供はいない。県内及び近県に身寄りもない。自宅は長屋風の2DKで――」

記者たちが聞いているのかいないのかわからなかった。それでも構わず読み進めた。

「土地は借地で上物だけ本人名義。趣味はプランターの野菜作り。ギャンブルやパチンコはせず、月に一度の贅沢と称して近くの立ち飲み屋『むさし』に行き、焼酎を二杯飲むのが常だった」

用紙を捲った。蔵前がさっき寄越した追加報告。

「店主の話によると、銘川が店に来るようになったのは五年ほど前。寡黙に飲むタイプだが、年々酒が弱くなり、最近になって自分のことをぽつりぽつり語るようになった。

母親は優しかったが、銘川が八歳のとき流行病で死んだ。父親の話はしたがらなかった。姉が一人いるが音信不通。こっちに出てきた経緯は口を濁したが、最初は東京に行ったんだと言っていた。苫小牧には五十年以上、一度も帰っていない。ずっと色弱を隠して仕事をしていた。そのせいで同僚と打ち解けられなかった。赤系統は弱いが、その代わり青系統には人並み以上に敏感なので、本当は空や海を撮る写真家になりたかった」

鼻の奥がつんとした。

「これまでで一番の幸運は女房と出逢ったことだと言っていた。ずっと安月給で、二度も大病を患い、苦労を掛けっぱなしだったが文句一つ言わずに尽くしてくれた。温泉巡りはしたが、とうとう海外旅行には連れて行ってやれなかった。墓は立派なものを建てた。人生で家の次に大きな買物だったと言っていた。女房が死んでからはテレビばかり観ている。たいていバラエティーをかけている。別に面白いわけではないが、賑やかなのがいいんだと言っていた」

不覚にも声が裏返った。

匿名発表の罪深い一面を思い知らされた。覆い隠したのは菊西華子の名ではなく、銘川亮次という人間がこの世に生きた証だった。不幸な結末とはいえ、生涯でたった一度、新聞に名前が載る機会を、それを目にした誰かが彼の死を悼む機会を、匿名問題の争いが奪った。

続きを読み上げた。

「店主の話によると、事故当日の銘川は上機嫌だった。数日前、買物から戻ると留守電のランプが点滅していたのだという。メッセージは何も吹き込まれていなかった。最近はセールスや間違い電話もなく、電話が鳴ることは滅多になかった。古い電話機なので発信元はわからない。誰かなあ？　誰だろう？　さかんに首を傾げていた。その様子がいつになく嬉しそうだった」

本人にとっては重要なこと。書かれてあるすべての事柄がそうだった。

最後の二行は照会結果だった。読み上げるのが辛かった。

「北海道警に照会したところ、銘川の姉は既に死亡。遠縁の者と連絡がついたが遺骨の引き取りを拒否」

三上は用紙を持った手をだらりと下げた。

記者たちは崩れた格好のままでいた。だが全員が三上を見ていた。すべての目がはっきりと焦点を結んでいた。

だから言うつもりのなかったことを言う気になった。いや、自分の胸に些かなりとも疚しさがあれば言えなかった。

「長官視察の取材をして欲しい。遺族が報道による情報の掘り起こしに期待しているかどうかはわからない。だが、慰問と取材を承諾した。その事実にどうか報いてほしい」

どっと疲労感に襲われた。

57

三上は椅子の背もたれに体を預けた。広報室は「判決待ち」の空気だった。ドアに耳をつけて一部始終を聞いたのだろう、諏訪は戻った三上に正しく敬礼し、お疲れ様でした、とだけ言った。美雲は泣き腫らしたような目をしていて、何か言ったが聞き取れなかった。蔵前は――。

部屋の隅の机でパソコンの画面を見つめている。神妙な、ちょっと困ったような、部屋の空気に見合った表情をしている。擬態に見える。意識的にそうしているのではなく、我が身を守るためでもなく、組織の下草として生きる事務屋の、ごくごく自然な姿がそこにある。

皮肉と言うべきか。広報という仕事にのめり込んでいない蔵前だけが「内」と「外」の境を見極めていた。広報室と記者室。それぞれまったく別の存在でありながら、ふわり舞い上がって俯瞰してみれば両者は一つ井戸の住人だった。広報のプロパーである諏訪は言わずもがな、三上も、美雲までもが天を見上げることを忘れ、井戸の底に答えを求めていた。マスコミではなかった。本当の「外」は銘川であり、雨宮だった。そんな当たり前のことが見えなくなっていた。

記者たちはどうか。井戸の中の共犯関係に思いが至るか。広報室と記者室が老人の屍を野晒しにした。そう受け止めることができるか。妊婦の実名発表に拘泥して記事化は二の次だった。病院か市役所に電話一本入れさえすれば拾えた老人の死を見過ごした。胸に幾ばくかの痛みがあれば前に進める。外への「窓」は両者の共同作業でしか開けない――。

諏訪が情報を伝えてくる。

「上に抗議に行った記者はいません」

そうか。

「今、クラブ総会が始まりました」

そうか。持ち上がったか。

目を閉じているのに気づいた。無理もない。ゆうべは一睡もしなかった。そう思うこと自体、睡魔の術中なのかもしれなかった。

パパ、まだだよ。

まだ目を開けちゃダメだからね。

まだだからね。まだよ、まだよ、まだよ。

あ、パパ、ずるい！　まだ開けちゃダメだったら！

体を揺すられた。

目を開けた。もう開けていいのか？

「広報官――」

諏訪の顔が大写しになった。

「記者たちが来ています」

上体を起こした途端、肩口からピンク色の膝掛けがずり落ちた。デスクの前に男たちが立っていた。大勢。脳はそう判断した。

三上は壁の時計を見た。三十分。いや、四十分は眠っていたか。

改めて記者たちを見た。秋川、宇津木、牛山、須藤、梁瀬、袰岩、山科、角池、浪江(なみえ)……。クラブ加盟十三社のキャップが雁首を揃えていた。

三上は頰を両手でパンパンと叩き、そして椅子を深く引いて一団と正対した。

秋川が無言で用紙を差し出した。

三上も無言で受け取った。

〈長官ぶらさがりの予定質問＝D県警記者クラブ〉

ボイコット撤回――。

横にいた諏訪が大きな空気の塊を吐き出したのがわかった。用紙には五項目の予定質問が記されていた。ざっと目を通した。視察の感想や今後の捜査方針を問うありきたりの内容で、悪意や敵意の混じり気はなかった。

「新しい広報官は必要ない――それがクラブの総意です」

山科が言った。おちゃらけは影を潜め、こんな顔ができるのかと舌を巻くほど引き締まったいい表情をしていた。見渡せば、どの顔もいつになく精悍だった。秋川ですら冷笑や皮肉っぽさとは無縁の、ただただ仕事熱心な一人の若者に見えた。

頬に風を感じた。窓が開いているのかと振り返ったが、違った。

「それと、これはお返しします」

秋川が二枚綴（つづ）りの用紙をデスクの上に置いた。蔵前が作った銘川亮次のレポートだった。記者室を出る時、発表用紙とともにホワイトボードに貼り付けてきた。

「見も聞きもしなかったことにします――これは我々の仕事ですから」

そうか。

三上は深く頷き、秋川の目を見つめた。握手の手を伸ばしたつもりだった。握り返しはしないが撥ね除けもしない。そんな微かな瞳の揺れを残して秋川は踵を返した。キャップたちが三上に会釈してあとに続く。一人ひとりと目を合わせた。勝ちも負けもない。こんな退室風景を見るのはいつ以来か。

ドアが閉じた瞬間、諏訪が両拳を天に突き上げ、サイレントで快哉を叫んだ。美雲も無音で手を叩き、泣き笑いの顔で立ち上がった。蔵前は安堵の息とともに体をくの字に曲げ、ハイタッチを求める諏訪と見事に擦れ違った。

三上は椅子を後ろにずらして床から膝掛けを拾い上げ、おい、と宙に突き出した。美雲が小走りで寄ってきた。手渡しながら言った。

「誇れ。戦略なき戦略の賜（たまもの）だ」

「広報官――」

感極まった顔は見ずに、首を伸ばして蔵前に声を掛けた。

「よう、記者に取材の秘訣を教えてやったらどうだ」

ハハッと笑った諏訪と目が合った。その瞬間を逃さず言った。

「諏訪――ありがとう」

三上はくるりと椅子を回転させて窓に体を向けた。照れ隠しと受け取ってくれればそれでいい。膝に置いた用紙に目を落とす。ありきたりの質問――時効まであと一年余りですが、長官として事件解決に向けてどのような方策をお考えですか？

広報フィールドはダラスに非ず。刑事部を吊るす刑場が完成した。広報官の職責を果たした。ために多くを失った。長官視察に向け、さらに失うものが増えていくに違いなかった。しかし心は濁ってはいない。不安も悔恨も沈殿していく。上澄みが、救いのように胸にある。

背後で笑い声が重なり合っている。

三上は今この瞬間を噛み締めた。

ここで、刑事部屋ではないこの部屋で部下を得た――。

58

五時前に県警本部ビルを出た。

美那子が広報室に電話を寄越したからだった。取り乱した声だった。家に無言電話があった。前の時と違い、ナンバーディスプレイの機能で先方の番号が知れた。局番はD市内――。

直感的にあゆみではないと思った。夫婦で同じだけ期待してしまうと外れた時が恐ろしい。いや、ブレーキ役の習慣が糠喜びの危険を避けようとした。それでも体は正直だ。ハンドルを握る手が汗ばむ。アクセルを踏む足は強まり、一度ならず黄色信号を突っ切らせた。

青白い顔が玄関の前で待っていた。扉は開け放ってある。中で電話が鳴れば聞こえる。

「近くにいるんだわ」

美那子は瞬きのない目で言った。

「とにかく入ろう」

三上は廊下で電話の親機を浚い、コードを引き摺って茶の間に入った。上着を脱ぐのももどかしく、そのまま畳に胡座を掻いて親機のボタンを操作した。ディスプレイに番号が表示された。

確かにD市内の市外局番だ。十桁の数字の羅列。ふと既視感を覚えて三上は眉を寄せた。つい最近目にした気がする。頭を過ったのは雨宮芳男の自宅だったが、不確かな記憶で美那子を萎ますわけにはいかない。

「どんなふうだった」

「前と同じ。ひと言も話さないで切っちゃったの」

「お前は電話に出たとき名乗ったか」

「いいえ。何も言わずに出た」

ならば間違い電話ではない。謝らずに切ってしまう者は幾らもいるが、受信者が名乗らなければ、もしもしぐらいは言う。

「繋がってたのは何秒ぐらいだった」

「わからない。短かった。もしもし、って何度か言ったら切れたの」

「背景音みたいなものは聞こえなかったか」

「音……。何もしなかったと思う。何も聞こえなかった」

「家の中からってことか」

さかんに宣伝しているからナンバーディスプレイのサービスも世間に知れ渡ったろう。悪意や悪戯目的の電話なら非通知発信にして自分の番号を隠しそうなものだ。やはり雨宮だろうか。世間に疎くなっていて新しい電話の機能を知らなかった。慰問の件で三上に話があったが、女が出たので慌てて切ってしまった。それはそのままあゆみにも当て嵌まる。自宅の電話にそんな機能がついたとは夢にも思っていまい。美那子でなく三上に話があった。いや、今度も無言という手段で親の心を試そうとした――。

三上は電話を引き寄せた。

「掛けてみるしかないな」

「えっ？」

美那子の頭にはなかったようだ。

「この番号に掛け直すんだよ。そうすりゃ、どこからだったかわかる」

言いながら頬の辺りが強張った。美那子の表情も張り詰めた。そして我に返ったように真っ直ぐ三上を見た。

「ええ、そうして」

「水を一杯くれ」

三上はネクタイを緩めながら言った。美那子を台所に向かわせ、体の陰でそっと手帳を捲った。違った。雨宮宅の電話番号ではない。ならばそうなのか。あゆみがD市内にいるのか。

美那子が小走りで戻った。本当に喉が渇いていた。差し出されたコップの水を呷り、受話器を取り上げて発信ボタンを押した。

あゆみの友人宅を念頭に置いていた。コール音が数を重ねる。美那子の膝と顔がにじり寄ってくる。

先方の受話器が上がった。一拍遅れて女の声が耳に響いた。

〈はい、日吉でございます〉

あっ、と三上は発した。

科捜研の元技官。引き籠もり。日吉浩一郎の実家に繋がった。

〈もしもし、どなた様ですか〉

「失礼しました。数日前にお邪魔した県警の三上です」

日吉に何かあって、それで母親が三上を頼って電話をしてきたのだと思った。だが――。

〈何のご用でしょう〉

訝しげな声に三上は当惑した。

「いえ、電話を頂いたようなので折り返し掛けました」

〈わかりません。どういうことですか〉

仕事の関係だ。送話口を押さえて美那子に告げた。

「三十分ほど前です。実はこちらの電話には――」

ナンバーディスプレイの仕組みを説明すると母親はひどく狼狽した。

〈でも、私は買物に出ていて……〉

家人の留守中に日吉本人が電話を掛けた。どうやらそれが真相らしかった。三日前と一昨日、日吉に宛てた短いメッセージを母親に託した。ドアの下から部屋に差し入れました。母親の言葉に三上は頷いた。読んだのだ。そして添え書きした電話番号をプッシュした。

「息子さん、いま部屋ですか」

〈……だと思いますが〉

「この電話、取り次いでもらえませんか」

〈そ、それは……〉

母親は口籠もった。波風を立てたくないと思ったのかもしれない。たとえ悪夢であろうと、十四年も続けばそれは紛れもない日常だ。

「チャンスだと考えるべきじゃないんですか。息子さんのほうから電話をしてきたんですよ」

言わずにはおれなかった。

「これまで一度でもありましたか。息子さんが誰かに電話をしたことが」

〈いえ、一度も……。今日のように留守の時はわかりませんが〉

「そちら、コードレス電話ですか」

〈えっ？　あ、はい〉

「では、私から電話だと声を掛けて、ドアの外に子機を置いて下さい。話せたら話してみますので」

〈わかりました〉

突如、母親の声が上擦った。

〈お願いします。どうかお願い致します〉

スリッパの足音がパタパタッと耳に届いた。急いでいる。階段を上っている。止まった。呼び掛けている。猫撫で声だ。怯えを含んでもいる。ややあって、カタッと音がした。スリッパの足音が遠ざかっていく。

耳に痛いほどの静寂が訪れた。床にぽつんと置かれた子機が目に見えるようだった。十秒……。二十秒……。三十秒……。三上は辛抱強く待った。どんなに小さな音も聞き逃すまいと耳に全神経を集中させていた。不意に美那子の顔が視界に入った。ねえ、どうしたの？　囁き声を手で制した。それは追い払うような強い手になった。音がしたからだ。ドアが開いた音。そう聞こえた。次いで雑音。子機を摑んだのだ。受話器に押しつけていた耳たぶをぎゅっと握られた気がした。ドアが閉まる音……。椅子だかベッドだかが軋む音……。受話器が室内に持ち込まれたと確信して三上は呼び掛けた。

「日吉君だね」

返事はなかった。しばらく待った。息遣いさえ聞こえない。

「三上だ。県警の広報官をしている。さっき電話をくれたね」

〈………〉

「驚かなくていい。今どきの電話は――」

言い掛けて、はたと思った。日吉はＮＴＴの先端部門で仕事をしていた。引き籠もりを始めるずっと前からパソコンを使いこなしていたということだ。部屋にパソコンがあり、ナンバーディスプレイへの移行も当然知っている。知っていながら自分の番号を非通知にせずに掛けてきた。

――ＳＯＳか。

「手紙、読んでくれたか」

〈………〉

日吉の時計は止まっている。あの日、あの家で漆原に耳元で囁かれた時のままだ。もし万が一ってことになったら、お前のせいだからな――。

「書いた通りだ――君のせいじゃない」

息を吸うような音がした。

「日吉君」

〈………〉

「なあ、聞こえているんだろ」

〈………〉

気配はそれきり消えた。だが、いる。聞いている。息を詰めて待っているのだ、三上の次の言葉を。

言わねば、と思った。響く言葉を。自分のせいで少女が死んだと思い込まされ、十四年間閉ざし続けている心に届く言葉を。

三上は目を瞑った。すうっと息を吸い込んだ。

「あれは本当に不幸な事件だった」

そんな話し出しになった。

「被害者や両親はもちろん、少女の友だちにとっても、学校や地域にとっても、D県警にとっても不幸な出来事だった」

〈……〉

「君にとってもだ。本当に不幸で、本当に不運な出来事だった。事件の現場に行くはずのない君が被害者宅に行かされた。テストでは動いていたテープレコーダーが回らなかった。人間として最低の男が自宅班を仕切っていた。何もかもが不運だった。すべてが悪いほうに転がった。少女は亡くなった。君が辛いのはわかる。自分を責める気持ちもわかる。だが少女を死なせたのは犯人だ。君じゃない」

〈……〉

「確かに録音ミスはあった。痛いミスだった。だが知っておくべきだ。あの事件の捜査ミスは一つじゃなかった。幾つも幾つも、それこそ掃いて捨てるほどあった。嘘じゃない。捜査というものは、やってることのほとんどがミスなんだ。ミスの集合体が結果となって、D県警は少女を救えなかった。犯人を挙げてもいない。D県警の責任だ。個人の誰かのせいなんてことはありえないんだ。君が責任を感じるのはいい。真っ当な人間である証拠だ。だが一人で組織全体の責任を背負うことはない。それは無理だ。思い上がりというものだ。ちゃんと分かち合うべきだ。捜査に関わった一人ひとりが痛みも負い目も均等に分かち合うべきなんだ。わかるかい？」

耳は真空のようだった。これほど完璧な無音が存在するはずがない。日吉は送話口を押さえているのだ。手のひらの感覚がなくなるほど強く。そして聞いている。全身を耳にして。

「君は覚えているかどうか知らないが、俺もあの家に行ったんだ。雨宮さんにも奥さんにも会った。身代金を渡す車を追尾した。橋の上からスーツケースを川に投げ込む雨宮さんをこの目で見たんだ。今でも思い出すと胸が痛む。犯人が指定した店の前を通ると、当時のことが蘇って悔しさや情けなさに襲われる。そうだ、その時だけだ。君のようにずっとじゃない。ずっとじゃないが持ち続けている。忘れたわけじゃない。忘れられっこない。忘れたいとも思わない。俺も幸田も柿沼もみんな少しずつ持ち続けている。傷の舐め合いは許されない。少女と遺族が許してくれない。だから黙って分担した。何も言わず、何も言い訳せず、一人ひとりが死ぬまで負い目と付き合っていく。君がどれほど深く思おうが、それだけじゃ足りない。みんなが思わなければ死んだ少女は生き続けられない。それが分かち合うってことなんだ」

〈……………〉

「聞いてるかい？　聞いてるんだろ？」

闇に向かって叫んでいる気がした。深い森か。光の届かない深海なのか。何もわからないから最初の手紙に書いた。『君がどこにいるのか教えてほしい。行ける場所なら会いに行く』――。

「何か言いたくて電話してきたんだろ」

〈……………〉

「話してくれ。どんな話でも聞く」

〈……〉

「なぜ何も言わないんだ」

無音が闇を広げる。自分まで呑み込まれそうになる。それは恐怖に近かった。

「十四年だぞ。もう十四年経ったんだぞ」

〈……〉

「十四年も部屋にいられるわけがない。だから手紙に書いたんだ。君はどこにいる。そこはいったいどこなんだ。天国か？　地獄か？　海の底か？　空の上か？　なぜ独りでいられる？　ちゃんと聞くから話してくれ。他の人間はそこへは行けないのか。家族でも駄目なのか」

〈……〉

「ファミレスであれを書いた。何を書いたらいいかわからず、悩んだ末にああ書いたんだ。俺の正直な気持ちだ。知りたいんだ。聞かせてくれ。そこはいったいどこなんだ」

〈……〉

「どうやったら会える？　行き方を教えてくれ。それが無理ならせめて声を聞かせてくれ。たったひと言でいい。頼むから何か言って——」

プッと電子音がして電話が切れた。

あゆみ——。

三上は放心した。「向こう」に魂を持って行かれた気がした。

あゆみじゃない。

あゆみなのかもしれない。無言の世界はすべて繋がっているのかもしれない。

受話器を下ろすのも忘れていた。腹の底から息を吐き出した。気を取り直して日吉宅に電話を入れた。母親が出た。息子さんはひと言も喋りませんでした。それでも母親は涙声で礼の言葉を重ねた。

脱力した。立ち上がるのも億劫だった。だから美那子の様子に気づくのが遅れた。キッチンのテーブルにいた。三上に背を向けて椅子に腰掛けていた。ゾッとするほど孤独な姿だった。あゆみのことを考えている。いや、娘ではない誰かに呼び掛け続けた夫のことを考えているのかもしれなかった。

三上は自分の手を見た。美那子を追い払った手……。真に怯えた。電話の前を離れてキッチンに行った。向かいの席につくのは勇気が要った。美那子の顔が上がった。重力に逆らってそうしたように見えた。

「大変？」

本気で訊いてはいなかった。三上は少し迷惑そうな顔を作ってみせた。

「前に科捜研にいた男なんだ。翔子ちゃん事件で色々あって辞めて、それからずっと引き籠もっている」

「そう……」

「十四年もだからな。母親も可哀想だ」

「……」

「何かきっかけが摑めるといいんだがな」

「あなたは立派だと思う」

言ってすぐ美那子は両手で顔を覆った。その様子で皮肉を口にしたのだと気づいた。

「美那子……」

思わず手を伸ばして細い肩を摑んだ。と、その肩が後ろに引かれて手が宙を搔いた。身の縮む思いがした。髪で翳った美那子の顔を見つめた。掛ける言葉が浮かばなかった。どうすることもできず、三上はそろりと手を引っ込めた。

懐の携帯が震えた。それは籠もった唸り音をキッチンに響かせた。たまらず取り出して開いた。諏訪からだった。

〈赤間部長が戻りました。広報官を呼べと言ってます〉

「そうか」

三上は席を立って美那子に背を向けた。

〈登庁できますか〉

ゆっくり歩いた。キッチンのカウンターを回り込み、流しの前で振り返って美那子を見た。悲しみの塊に見えた。

「いや、行けない」

〈わかりました。では私から部長に報告しておきます。実名を提示し、ボイコットを撤回させた。それだけ伝えます〉

「すまん」

話が終わったのに諏訪は電話を切らずに黙った。三上は声を潜めた。

「関係のない電話だった。蔵前と美雲にも言っといてくれ」

〈……わかりました〉

携帯を畳んでテーブルに戻った。入れ替わるように美那子は夕食の支度に立った。包丁の音が小さかった。後ろ姿から、老婆がひとり自分のための食事を用意しているかのような寂寥感が漂っていた。

夕食の間も茶の間に腰を移してからも会話はなかった。三上はテレビを点けた。無難なクイズ番組にチャンネルを合わせた。視界の隅に美那子がいる。画面の世界とは無縁のどこかを見つめている。電話はあゆみからではなかった。三上に向けた皮肉は彼女自身の心を突き刺したろう。何か言ってやらねばと思うが、拒絶された手の感覚が生々しくて逡巡する。村串みずきに聞かされた話が頭の中で渦巻いていた。「大丈夫か」。自分は本当にそんな言葉を美那子に掛けたのだろうか。みずきの作り話に思えてくる。結婚してからの記憶も覚束（おぼつか）ない。二十年以上も一緒に暮らしてきたが、美那子の心の変調に気づいて優しい言葉を掛けたことが一度でもあったろうか。

十一時には床に就いた。休みます、と美那子がぽつりと言った時、俺も疲れたから寝ると応じた。傍にいることが大切に思えた。ともに娘の無事を祈っているからといって、夫婦を超越した特別な関係になれるわけではない。今ここに忍び寄っているのは、どんな夫婦の間にも常在する脆さと危うさに違いなかった。

寝室は冷え冷えとしていた。美那子はナイトスタンドの豆電球まで消した。枕元に置いた子機の白さが残像もろとも闇に没した。三上は布団の中で息を潜めていた。寝返りを打つのも憚られた。美那子の息遣いが微かに耳に届く。胸苦しかった。次第に酸素が薄くなっていくような気がした。眠気は微塵もない。五分が一時間にも感じられた。美那子もそうだったのだろう、やがて小さな溜め息を漏らした。根負けした時のような溜め息に聞こえた。

「眠れないのか」

三上は闇を味方につけて言った。

「風が止んだな」

「……ええ」

「静かすぎると眠れないもんだな」

「そうね」

「悪かったな」

「何が？」

「あんな時に長電話をしたことだ。赤の他人の息子相手に夢中で喋った」

「……」

「情けは人のためならず、だ。いいことをすればきっと返ってくる」

「……」

「後悔してないか」

美那子の体がこちらに向いたのがわかった。

「……何を？」

「俺と一緒になったことだ」

小さな間があった。

「あなたは？」

「俺？――俺が後悔するはずがないだろう」

「……だったらいいけど」

「お前はどうなんだ」

「後悔なんてしてません」

「そうか」

「そうよ。あなた、どうかしてる」

美那子は少し怒ったように言った。精一杯の気遣いに聞こえた。美那子の人生を台無しにした。百も千もあった人生の可能性の中で最悪の道を歩かせてしまった。そんな思いが高波のように襲ってくる。

「役所は辞めない手もあったな」

「何？」

「結婚で婦警を辞めたろ。それでよかったのか」

「なぜそんなこと訊くの」

「村串が言ってたんだ。誰よりも真面目で仕事熱心な婦警だった、ってな」

「結婚しなくても辞めようと思ってた」

「えっ？」

「私には向いてなかったから」

向いてなかった？　初めて聞く話だった。

「そうは思えないけどな」

「最初は張り切ってた。世の中のためにとか、社会を良くしたいとか本気で思ってた」

「社会の役に立ったさ、お前は」

「違ったの。しばらくしてわかった。私はただ人に愛されたくて婦警になったんだって」

三上は闇の中で目を見開いた。

「だから私は社会を好きになれなかった。事件や事故や、自分勝手な人たちや、何もかも嫌いになってしまったの。ただ人に好かれたくて、感謝されたくて警察官になっただけ。それがわかってしまって途方に暮れた。怖じ気づいてしまったの。市民の平和なんか私には守れっこない。治安を守るなんて大それたこと、どうして考えられたんだろう、って。でも――」

長い間があった。

「小さな世界なら守れると思った。幸せな家庭は作れる。ちゃんと守れる。私にだってそれくらいのことは……」

美那子の声が掠れた。

三上は跳ね起きた。体を捻って隣の布団に手を差し入れた。細い腕を手繰って手を握った。美那子も握り返してきた。弱々しい握り方だった。

「お前のせいじゃない」

「……」

「あゆみは病気なんだ」

「……」

「俺がそうさせてしまったのかもしれない。何もわかってやろうとしなかった。放っておけば勝手に育つと思ってたんだ」

「……」

「この顔もまずかった。あの子のハンディになっちまった」

「そういうことじゃないの」

遮るように美那子が言った。

「何がいいとか悪いとかではなくて、もともと私たちじゃ、駄目だったのかもしれない」

頭が空転した。俺たちじゃ駄目?

「どういうことだ」

「いくらあゆみのことをわかろうとしても、私たちにはわからないのかもしれない。親だからわかるとは限らないと思う」

三上はたじろいだ。

「何を言ってるんだ。十六年も一緒に暮らしてたんだぞ。お前が産んで、育てて——」

「時間は関係ない。わからないことはどんなに努力してもわからない。親子だって別々の人間なんだから、そういうことがあってもおかしくないでしょ」

「ウチに生まれたのが間違いだったって言いたいのか」

「そんなこと言ってない。あゆみにとって本当に必要なのは、私たちじゃない誰かかもしれないって思うの」

「誰かって誰だ」

「きっとどこかにいるんだと思う。ああなってほしいとかこうなってもらいたいとか望まずに、ありのままのあゆみを受け入れてくれる人が。そのままでいいよ、って黙って見守ってくれる人が。そこがあゆみの居場所なの。そこならあゆみはのびのび生きていける。ここじゃなかったの。私たちじゃなかった。だからあゆみは出て行ったの」

聞いているのが辛かった。美那子が何を言いたいのかわからない。投げやりな気持ちになっているのか。あゆみを諦めるとでも言うのか。それとも何かに縋ろうとしているのだろうか。いいや、闇が語らせているだけだ。本心でも何でもない小さな思いつきが増幅され、無限の闇の世界で跳梁している。

「俺にはわからん」

三上は枕に頭を戻した。繋いだ手はどちらからともなく放していた。

「私はわかるの。私もそうだったから。小さい頃から家に心の置き場所がなかった。ずっとそう感じていたもの」

「お前が……？」

「私の両親、すごく仲が良さそうに見えたでしょ。でも本当はすごく仲が悪かったのよ。父には長く付き合っていた部下の女の人がいて、母はいつも気持ちが不安定だった。母が亡くなって何年かして、父が再婚した時、あなたはお義父さんの面倒を見てくれる人ができて良かったって言ったけど、それがその部下の女の人だったの」

三上は困惑した。それもまた初めて聞く話だった。美那子が滅多に父親と連絡を取らないのはそのせいか。だが――。

「ウチとは違うだろう」

「もちろん違う。それに両親が不仲だったから居づらかったのでもないの。大人の事情を知ったのはずっと後のことだったし、父も母も私にはたいてい優しかったし。でも独りぼっちだったの。私、一度も本当の気持ちを父や母に言ったことがなかった。気持ちが伝わっていると感じたこともなかった。何を言っても伝わらないとわかってた。なぜだかわかってしまっていたの。学校から家に帰って、母がいるのに誰もいない家みたいに思えて、学校はどうだったとか、訊かれることが全部わかっていて、自分が答えることも決まっていて、それがすごく虚しくて。父が帰ってきても同じで、家の中に人がいる気がしないの。窓から入る風とか陽の光とか、糸がほつれたソファとか、棚の上の埃を被ったこけしとか、今でも思い出すのはそういう人のいない風景ばかりなの」

三上は闇を見つめていた。聞けば聞くほど、美那子の話とあゆみの接点は遠ざかっていくように感じられた。追いつかない頭で、それでもなんとか線が繋げたのは美那子の心の軌跡だった。両親に馴染めず、愛情に飢え、だから人に愛される職業を望んだ。婦警になってからそうだったと気づき、自分の来し方から目を逸らせなくなり、警察官でいることが辛くなった。そうだとするなら——。

大丈夫か。

三上が掛けたその一言を、美那子は全身全霊で受け止めてしまったのではなかったか。辛いことがあって泣き明かした翌日だったが、心の扉はしっかり閉ざしていた。だから見抜かれたのは泣き明かしたことではなく、自分の人生そのものだと感じた。「誰かの家」で生まれ育ち、その呪縛に囚われ続けている自分をわかってくれた、共感してくれた、と。

大いなる錯覚をした。あるいは錯覚と知りつつ神の啓示にすり替えた。だから今、美那子は隣の布団にいる。娘の消えたこの家で途方に暮れている。

声は途絶えていた。三上は目を閉じた。闇が真の闇へと切り替わる。美那子は眠ったのか。闇を見つめているのか。静かだった。時間の感覚が消え、自分が布団の中にいる感覚すら失いかけた時、声が聞こえた。

「息子さん、戻るといいわね」

「ん？」

「科捜研の人。戻ってくるといいわね」

戻ってくる……。

「そうだな。戻って来られるといい……」

「あなたかもしれないから」

「何がだ」

「その人の誰か、あなたなのかもしれない」

もう考えなかった。考えられなかった。溜め息が出た。それが合図のように闇に溲われた。

夢にうなされた。

父の戦友が肘を張って陸軍式の敬礼をしていた。その格好でおいおい泣いていた。

誰が殺した！

どうして殺した！

全裸の雨宮翔子が巨大な真珠貝の殻の中に横たわっていた。顔や手にキラキラと七色の光が反射していた。覗き込んでみると、それは美雲の顔だった。土気色に変色して鼻や唇が腐り始めていた。

こんな顔、いらない。もう死にたい！　死にたい！　死にたい！

ああ、人に愛されたくて警察官になったのに。

ああ、それがたった一つの望みだったのに。

可哀想なことを。なんて可哀想なことを。

父の戦友は呟きながら泣いていた。父と母も鼻を赤くして泣いていた。その足元で幼い三上も泣いていた。割れた鏡がどうやってもくっつかず、絶望的な泣き声を上げていた。

59

靴は今朝も綺麗に磨かれていた。

長官視察は明日。三上は気を張って家を出た。今日一日、何が起こってもおかしくない。取り敢えず新聞各紙は異状なしだった。互いに昨日抜かれたネタの続報で紙面を埋めているだけで、新たな刑事部の「仕掛け」は見当たらなかった。

最初の異状は広報室に着いた直後にもたらされた。蔵前と美雲は新庁舎建設に向けた測量の取材に出ていて、諏訪がひとり浮かない顔で三上を待っていた。

「聞きましたか」

「何をだ」

「ゆうべ遅くに刑事部内でお触れが回ったそうです」

「お触れ？」

「本庁と警務部が結託して刑事部長ポストを奪おうとしている。そんな内容です。刑事筋に一斉に流れて、所轄の末端にまで知れ渡ったという話です」

騒動師――荒木田はすべての刑事に筵旗（むしろばた）を揚げさせる気か。

「どこで聞いた」

「同期に刑事もいますんで……。怒ってました。売国奴呼ばわりされましたよ」

三上の家には電話一本なかった。警務畑の諏訪は憤激の的だが、それが元刑事の三上となると怒りを通り越して呪詛の対象か。出世に目が眩んで刑事の魂を売った。向こうではそんなふうに言われているのかもしれない。

「諏訪」

三上はデスクに戻りかけた諏訪を呼び止めた。

「昨日は聞けなかったが、実際、お前はどうなんだ」

「何がです」

「刑事部長がキャリアになることだ。風通しが良くなって仕事がやりやすくなるか」

「それは……」

諏訪は顔を歪めた。

「確かにそういう面はあるでしょうが……。しかしまあ、やりやすくないこともあっての仕事ですから」

苦しげな答えを口にした後、諏訪は質問を返してきた。

「広報官はどうなんです。古巣にキャリア部長を呼び込むことになって、それで納得できますか」

三上は「聞くな」と一声だけ笑った。

「俺が納得できないと言ったところでどうなる？　刑事部がロクヨンを挙げてないのは厳然たる事実だ。そもそも執行力が年々右肩下がりだ。弱いから本庁に狙われたってことだ。力で奪われた物は力で奪い返すしかないだろう。昔、神奈川で実際にあったのを知ってるか。生え抜きのカリスマ刑事が登り詰めて、キャリアから刑事部長ポストを取り戻したことがある。地元の揺さぶりが効いた。その男を部長にしなければどうにも組織の収まりがつかないと本庁に思い込ませたんだ」

「その話なら知ってますが、結局、徒花(あだばな)でしたよね。地元部長は一代限りで、カリスマ部長の退官後はずっとキャリアポストだ」

「スターが一人きりだったからだ。次も、その次もカリスマが控えていりゃあ、未来は変わったかもしれん」

諏訪は頷き、そして小さく舌打ちをした。

「やっぱり悔しいですね。キャリアの部長が増えるっていうのは」

よその国で母国語を聞いたような気がした。三上に気を遣ったのではなさそうだった。たとえ脳が警察ピラミッドの形に組み上がっていようとも、D県警巡査を拝命した日の、あの胸に沸き立つ帰属意識と郷土愛は密かに生息しているということだろう。

「隣と明日の段取りを詰めておいてくれ」

話を終わらせ、三上は直通電話の受話器を上げた。雨宮芳男の自宅に掛けた。こちらは明日の段取りというより、確認とか念押しとかに近かった。

コール音を数回聞いた時、蔵前が戻り、すぐに美雲も姿を現した。黙礼に目礼を返した。その表情が妙に瑞々しく目に映ったのはゆうべ見た夢のせいか。腐りかけた顔のパーツが修復されていく。朝起きて、夢に美那子とあゆみが登場しなかった意味をぼんやり考えた。何やら今になって、美雲が持ち前の犠牲的精神を発揮し、二人の身代わりを買って出てくれた気がしてきた。人に愛されたくて婦警になったのは美雲も同じだろうから、いずれ美那子のように心的危機に陥る。そんな暗示に違いないと夢解釈を切り上げて家を出たのだったが。

雨宮宅の受話器は上がらなかった。少し間を置いて掛け直したが、無人の居間に呼び出し音が響く心寂しい光景が目に浮かぶばかりだった。午前九時二十分。まだ起き出していないのか。

三上は手帳を懐に収めて立ち上がった。引き留めるようにデスクの警電が鳴った。赤間警務部長からだった。今すぐ二階に来るよう命じられた。

急ぎ足にはならなかった。三人の曇った顔に見送られたが、三上は恐れや不安を感じていなかった。この八カ月間の自分とは違った。ならばそうなのだ。昨日を境に変わった。マリオネットの糸を断ち切り、D県警広報官として「外」と向き合い、己の信ずるまま職務を遂行した。明日のためにではなく、今日のために今日を使い切った。刑事の服も皮膚も血肉も一切合切脱ぎ捨てた。本籍を失い、しかしそうなってみて現に今ここに住んでいる事実の重みを知った。眼前の現実を見つめずして、次の現実を目にすることはできないということだ。刑事部長ポストは本庁に奪われる。憤怒の塊が腹にある。だが感情で現実を歪めてはならない。怒りや恩讐に逃げてはならないのだ。

職務は我にある。それこそが現実だ。キャリアが何人来ようがそれだけは不変なのだ。警察官として為すべき実務は常に我々の掌中にある。本庁に警察官はいない。肉体すら必要としない観念のような存在にかまけて己の職務を見失った時、本物の警察官が死ぬのだ。

警務部長室はしんとしていた。

石井秘書課長も呼ばれていた。萎縮した背中がソファの隅にちょこんとあった。三上の入室に気づいたろうに振り向きもしない。

赤間は目玉だけ動かして三上を迎えた。たった一日でやつれた。そう感じた。潤いも余裕もない面相。寝癖を無理に撫でつけたような髪。そして落ち着きなくソファの肘掛けを叩く指が、東京で受けたストレスの強さを物語っていた。

「今、石井さんに話したところです」

三上は着座しながら横目で石井を見た。うなだれている。瞬きのない目。半開きの口。相当ショッキングなことを言われた顔だった。

「秘書課長官舎に刑事部の人間から暴力的な電話があったそうです。それで僕に訊きに来たんですよ」

話は読めた。

「どんな電話です」

「刑事部内に情報が拡散したんですよ」

「何の情報です」

「来春からこの刑事部長は本庁人事になります。明日、長官が公表します」

三上は無言で赤間を見つめた。赤間のほうはあからさまに探る目で見つめ返してきた。

「知っていたんですね」

「はい」

「やはり非難の電話がきましたか」

「いえ、ありませんでした」

「では、先方と通じていたということですね」

三上は返事をしなかった。眉間が狭まっていくのが自分でわかった。赤間が視線を外した。諍いを避けるためにそうしたように見えた。

「咎めているわけではありません。記者を懐柔した話は諏訪君から聞きました。よくやりました。その点は高く評価します。しかし――」

赤間は再び三上を見据えた。

「そのあなたがなぜ本部長室に乗り込んだりしたんです。意見したそうですね。部長ポストの件を再考しろとまで言ったそうじゃありませんか」

三上は赤間の胸元を見つめていた。蒸し返されても感情はその時点に立ち戻らない。言い訳も言い返す言葉も何も浮かんでこなかった。

「どっちが本当のあなたです」

「……」

「旗幟を鮮明になさい。視察は明日なんですよ」

赤間はネクタイを揺らして身を乗り出してきた。

「三上さん、本当にわかっていますか。長官が来るんですよ。一個人ではなく、単なる一省庁のトップでもない。長官は警察組織全体の象徴なんです。その象徴が腐った卵を投げつけられたらどうなります？　あなたたちにも大いに関係あることです。自分が警察官をしていて、どれだけ優遇されているか考えたことがありますか。あなたもあなたの家族も親戚も一族郎党、目に見えない膜で世間から守られています。私生活はどうです？　仕事を離れても地域で一目置かれているでしょう？　少しばかり怖がられ、時には煙たがられ、しかし誰も好き好んであなたたちと敵対しようとはしないはずです。できれば友好的な関係を保ちたい、何かあったら頼りたい、場合によっては利用したいと内心思っている。それが権威というものです。治安なんて面倒なものは警察に預けて自分たちの生活に勤しんでいる。あなたたちを守っている膜は警察が作り上げたものではなく、国民のしたたかさが生み出した方便であり、都合のいい共同幻想なんですよ」

赤間はひゅっと息を吸った。

「それだけに国民の気分次第で簡単に膜は破れます。あまたの革命譚を例に引くまでもなく、ひとたび疑いを持たれてしまえば、与えるべき幻想を担保できなくなれば、どんな権威権力も必ず衰退します。だから慎重に守らねばなりません。威ありて猛からずです。警察は他のどの組織よりも強く、そして常に国民を慈しんでいるというイメージ戦略を欠かしてはならない。長官はその戦略の顔です。象徴である長官を高みに、より高みにと押し上げることが何より重要です。決して安くしてしまってはいけません。内紛なんてもってのほかです。皇室をご覧なさい。昨今、内部関係者と称する匿名の輩が、不埒千万、下劣なネタを週刊誌にリークする悪しき風潮が定着してしまった。結果、どうなりました？　一昔前と比べて皇室の権威も神秘性も確実に薄れたじゃありませんか。このままではいずれ英国王室並みの軽さになってしまいますよ。警察も然りです。一部の愚か者がダムに穴を開けようとしている。自分たちの不祥事を日本中に宣伝する？

英雄気取りで組織の象徴に弓を引く？　狂っているとしか言えません。自分たちを守ってくれている権威の膜を自分たちの手で破ってしまうなんて！　自殺行為だ！　刑事部の能なしどもはそこのところがまったくわかっていない！」

赤間は止まらなかった。口の端に溢れた泡ぶくを拭うでもない。

「そもそも何のための叛乱です？　誘拐犯を挙げられず、それで仕置きをされるとでも思っているのですか。見当違いも甚だしい。あらゆる分野でグローバル化、ボーダーレス化が進んだ今、地方の刑事部を本庁が預かるのは必然です。携帯電話と家庭用パソコンの普及で世の中はがらりと変わりました。もはや犯罪の多様化などといった言葉すら陳腐です。インターネット犯罪は一瞬で国境を跨ぎ、地球を何周もしてしまう。増殖は止まりません。パソコンは一家に一台どころか、子供も老人も漏れなく一人一台の時代がすぐにやってきます。あらゆる犯罪を媒介し、あらゆる犯罪の温床になります。言ってることわかりますか？　地球上でビッグバンが起こったんですよ。地方の刑事部が俺様主義で事件を抱え込む時代は終わりました。常に東京と繋がり、そして世界中の警察と迅速に連携できるシステムを構築せねばなりません。そのために垣根を取っ払うんです。生え抜き警察官の名誉職に成り下がった地方の刑事部長を、高感度のアンテナを持つ真の指揮官ポストにチェンジする。さすれば下も変わる。東京の知恵と情報をダイレクトに吸収し、共有できるんです。化石化した近視眼的な刑事は淘汰され、近未来的な事件にも即応可能な刑事がどんどん育ちます。それなのに――」

赤間は石井に視線を向けた。

「視察をぶっ潰してやる。本庁や警務部と刺し違えてやる。何人もからそんな物騒なことを言われたそうです。連中は理性を失っている。まるで獣だ。本当に何をしでかすかわかったものではない」

声が裏返った。心底怯えている。どれほど望もうとも、この男は本庁の急な階段を上れまい。己の成功を微塵も疑わない、あの辻内のような男でなければピラミッドの頂上石にはなりえないのだ。

「三上さん――あなたはどうなんです。刑事部の暴走を許せますか」

三上は深く息をしてから言った。

「警察の象徴が長官であるなら、D県警の象徴は刑事部長にほかなりません」

赤間は眼鏡を外した。その手が小刻みに震えた。

「それがあなたの答えですか」

「現状を言ったまでです。広報官として刑事部に加担するつもりはありません」

「だったら白状なさい。何か知っていることがあるでしょう。刑事部はいったい何を企んでいるんです」

「知りません」

「そんなはずはない。何か耳にしているはずです」

「私は知り得る立場にありません」

「あなたには目を掛けてきたつもりだ。僕を落胆させないで下さい」

「あなたのためにやっているわけではない」

思わず言った。

赤間は目を見開いていた。

「三上さん、あなたやっぱり――」

「お話はそれだけですか」

「な……!」

「これから雨宮芳男の自宅に行きます。明日の段取りをつけねばなりません」

赤間の目が焦点を失った。やがて頷き、眼鏡を掛け直し、膝の上で指を組んだ。

「ええ、そうして下さい。万全を期して下さい」

三上は腰を上げた。頭を深く下げたその時、赤間の顔がまともに目に入った。獲物を狙う野生動物のように頭の位置を下げ、上目遣いで三上を見据えていたからだった。

「それはそうと、娘さんの指紋と歯のカルテ、全国に手配する決心は固まりましたか」

驚かなかった。手綱は、今や赤間の命綱なのだろう。

三上は今一度、頭を下げた。この八カ月間を終わらせるために最敬礼を捧げた。

「お心遣い、感謝致します。これまでの特段のご配慮にも改めて感謝申し上げます」

三上は顔を上げた。

「ですが、どうかお忘れにならないで下さい。もし万一、部長のお嬢さんが家出をするようなことがあったら捜すのは我々です。霞ヶ関ではなく、全国にいる二十六万人の警察官です」

反応は見ずに部長室を出た。

廊下を歩く足は大股になった。後ろを石井が歩いていた。秘書課に入ったと思ったその靴音が、突然、走って追い掛けてきた。

「三上君、仕方ないよ」

憤懣やる方ない。顔はそうだった。ベルトの辺りで隠すように両拳を握り締めていた。

「仕方ないじゃないか。人事は僕らにはどうしようもない。どうにもできないんだ」

この男にもあった。郷土を守ろう。そう誓った若き日が。

三上は頷かなかった。

それでもすぐには階段を下りず、脱力した背中が秘書課の扉の向こうに消える、落日のような光景を見届けた。

60

雨宮芳男は不在だった。

車がなく、玄関の扉は施錠されていた。三十分ほど待ったが雨宮は戻らなかった。三上は名刺にメモ書きして郵便受の口に挟んだ。午後にまた寄らせていただきます——。

一抹の不安を感じた。心変わりを疑ったわけではなく、雨宮がなぜ慰問を受諾したのか、その内面の本当のところがわからないことからくる不安だった。

広報室に戻ると、下の三人は揃ってソファにいた。明日の視察コースを書き込んだ地図と写真を囲み、最終チェックの真っ最中だった。記者が初顔のカメラマンを帯同していたらどう対処するか。死体遺棄現場を出発する際の合図は必要か否か。捜査本部のある中央署に各社分の駐車スペースは確保されているか。視察コース上に新たな道路工事などの届け出はないか。諏訪が広報ズレした軽い口調で留意点を並べ立てている。蔵前はメモを取る手が間に合わずおたおたしている。美雲はしっかり者の妹といった感じで、二人に何か訊かれるたび、訊かれた以上の情報を返している。なにやら気持ちがほぐれた。これまでと少しも変わらぬ職場の光景が、これまでとは違って近しく感じられた。

三上も自分のデスクで明日のタイムスケジュールを確認した。

正午――長官到着。本部長と昼食。

一時二十分――佐田町の死体遺棄現場を視察。花束。線香。

二時十五分――中央署の特捜本部を激励。

三時五分――雨宮宅を慰問。線香。

三時二十五分――雨宮宅前でぶらさがり会見。

いよいよだ。

三上は煙草に火を点けて目を瞑った。

刑事部はどうしたか。このまま何事もなく明日を迎えられるとは思えなかった。荒木田部長は全県の刑事に本庁の狙いを知らしめた。D県をダラスにする準備を整えたということだ。次の一手、いや、最後の一手は何か。

午前中は焦れったいほどゆっくりと時間が過ぎた。記者の出入りは少なく、電話も鳴らなかった。諏訪が、準備完了です、と報告を上げてきた。突発的なことがなければ。そう付け加えることも忘れなかった。とはいえ広報室は至って平穏で、庁内の異変を伝える情報はどこからも入ってこなかった。

昼は皆に合わせて出前を取った。温かい蕎麦を掻き込みながら、美那子は何か食っただろうか、と気になった。ゆうべの心理状態はどうだったか。寝床の会話を紐解くのは難しかった。ひどく重大な局面だったようにも、寓話めいた別の世界に迷い込んでしまったようにも。

《あゆみにとって本当に必要なのは、私たちじゃない誰かかもしれないって思うの》

弁当を買って帰ってやればよかった。三上が本気で後悔をするほど、午後になっても手持ちぶさたの時間が続いた。荒木田からのアクションも赤間部長からの呼び出しもない。嵐の前の静けさか。それとも三上の知りえない次元で勝敗が決し、既に嵐は過ぎ去ったのか。

午後二時を回った。雨宮宅に行こう。三上が腰を上げた時だった。隣を偵察していた諏訪が戻った。ちょっと首を傾げている。

「広報官、ちょっと五階を覗いてきます」

「何でだ」

「いや、読売が盗犯の統計を訊こうと捜査一課に電話を入れてたんですが、ずっと話し中だとブツブツ言ってまして」

「刑事企画係の電話か」

「だと思います。で、だったら次席に訊くかと掛けたら、そっちは誰も出ないんだそうです」

平時なら聞き流したろう。

「見てきてくれ」

胸騒ぎがした。諏訪を送り出してすぐ、三上は警電を手元に引き寄せた。刑事企画係の番号に掛けた。話し中だ。次席デスクの番号に掛け直した。読売と同じだった。何度コールしても繋がらない。おかしい。御倉が席を外しているのなら、近くのデスクの内勤者が電話を取るはずだ。

思い切って捜査一課長席の番号をプッシュした。駄目だ。出ない。ならばと刑事部長室に掛けた。コール音が虚しく響く。松岡、荒木田ともに不在。そのまま十回、十五回とコールを続けたが誰も駆けつけてこない。

落ち着け。自分に言い聞かせて捜査二課の次席デスクに電話を入れた。糸川に訊けばいい。一課と二課は鑑識課を挟んで隣り合わせだ。一課に大きな動きがあれば嫌でも気づく。

まさかと思った。出ない。二課も——。

三上は顔を上げた。

「二課と鑑識を見てきてくれ。機捜もだ」

蔵前と美雲はもう立ち上がっていた。敬礼も忘れて部屋を飛び出して行った。

鑑識課の番号を叩いた指は微かに震えた。ここもだ。誰も出ない。警電表を捲り、機動捜査隊の本隊に掛けた。部屋は捜査二課の隣だ。話し中だった。

目の前の直通電話が鳴った。諏訪からだった。息が上がっている。

「妙なことになってます。一課には一人しかいません」

「一人だけ？」

「若い内勤が一人で電話を捌(さば)いています」

「デカ部屋は見たか」

「覗きました。蛻(もぬけ)の殻です」

「内勤に課員の行き先を訊け」

「ですが、いま何本も電話を取っていて——」

「隙をついて訊け」

直通を切り、再び警電の受話器を上げた。機捜隊の西部分駐隊。出ない。舌打ちした瞬間、電話が繋がった。

〈はい！　機捜西部分駐！〉

怒鳴り声に近かった。若い。

「本部広報官の三上だ。隊長はいるか」

一瞬の沈黙があった。

〈今は電話に出られません〉

「なぜだ」

〈席を外しています〉

「どこにいる」

〈わかりません〉

「わからない？」

〈すみません。他の電話が入ってますので――〉

こっちも直通電話が鳴っていた。三上は警電を叩き切って直通を取った。美雲の押し殺した声がした。

〈鑑識課には佐竹指紋鑑定官しかいません。電話中です〉

蔵前からも連絡が入った。

〈えー、二課ですが、部屋にいるのは落合課長だけでして、パニックになっています。課員がいない、どこへ行った、と電話で誰かに叫んでいました〉

キャリア組の課長を置き去りにして全員が消えた――。

放棄。いや、蜂起か。

三上は総毛立った。

刑事部が消えた。一課、二課、機捜も鑑識も丸ごと消え失せた。

61

現実のこととは思えなかった。

三上は階段を駆け上がった。駆け下りてきた石井秘書課長と踊り場で鉢合わせになった。

「み、三上君！　捜査二課が空っぽだって――」

足は止めなかった。腕で石井を押し退けて上に向かった。

五階の廊下は荒い息で歩いた。電話の鳴り響く音が各課から漏れ聞こえてくる。締め出されたのだろう、廊下で蔵前と美雲がおろおろしている。三上に気づいて駆け寄ってきた。

「刑事部関係の車庫を見てこい。誰のがあって誰のがないか詳細に報告しろ」

擦れ違いざまに命じ、そのまま足を速めて捜査一課の扉を押し開いた。だだっ広い空間に頭が二つ。ビクッとして振り返ったのは諏訪だった。刑事企画係のシマにはいたが、明らかに腰が引けていて敵地での萎縮が見て取れた。若い内勤は電話の真っ最中だった。右手にも受話器を握り、少し離れたデスクには別の受話器が転がっていた。

「すみません。ずっと電話が途切れなくて……」

諏訪が耳打ちしてきた。通話の中身は通常の事務連絡のようだと言う。三上は頷き、嫌でも視界に入るように内勤の真ん前に立った。橋元。苗字だけは知っていた。動揺したのがわかった。視線を逸らし、そのまま三上に背を向けた。おい、と呼んだが反応しない。

三上は通話中の電話のフックを指で強く押した。

「な、何を……！」

振り向いた橋元が目を剝いた。三上はもう一本の電話のフックも押し、橋元に顔を近づけた。

「部長はどこだ」

「知りません」

「参事官は？」

「知りません」

「課員はどこへ行った」

「仕事です」

近くのデスクで電話が鳴り出した。向かおうとした橋元の行く手を塞いだ。

「どいて下さい。仕事になりません」

「仕事はしてないだろう、部長以下全員」

「してます」

「どこでだ」

「だから知りません」

「重要な電話がきたら何番に掛けろと言われた？」

「言われてません」

「それで留守番が務まるのか」

「心配無用です」

「いいのか？　留守番だってれっきとした共犯だぞ」

「共犯？」

橋元は素っ頓狂な声を上げた。

「それはそっちと本庁でしょうが！」

「だから！　怒りはこっちにぶつけろって言ってんだ。娑婆にしわ寄せしてどうする。刑事部を空き家にして、コロシもタタキも見て見ぬふりか。お前らそれでもサツ官か」

「あなたに言われる筋合いはない！」

「上と話す。居場所を言え！」

「誰が！」

死んでも言うか、の形相だった。

奥のデスクで電話が鳴った。今度は道を開けて橋元を走らせた。下っ端と取っ組み合いをしている時間はない。三上は諏訪の肩を引き寄せた。

「奴に張りついてろ。そのうち電話の受け答えでボロが出る。それと警部以上の人間が現れたらすぐに連絡を寄越せ」

携帯が震えた。蔵前からだった。

〈車庫を見ましたが、えー、機捜の車両はすべて出払っていまして、強行車両もほとんどありません。機動鑑識のミニバンも出ています〉

それは日常的な光景と言っていい。

「幹部車はどうだ」

〈そっちは――あ、待って下さい〉

美雲の声に代わった。

〈刑事部長車、参事官車、捜査指揮車、いずれも車庫にありました。鑑識課長車と機捜隊の隊長車もあります〉

全員、庁内にいる――。

「このまま待て」

三上は携帯を切らずに捜査一課を出た。廊下を突っ切り、風圧に抗って非常階段の鉄扉を開いた。正面に、こっちと渡り廊下で繋がる北庁舎。右方に三階建ての交通部別館。資材倉庫の赤茶けた屋根。手摺りから身を乗り出すようにして真下を見た。中庭に面した車庫の前、蔵前と美雲らしき頭が小さく見えた。

「人の動きはどうだ」

携帯に言った。すぐさま美雲が反応した。

〈車庫の周辺は誰もいません〉

いや、いた。

車庫の周囲ではなく、交通部別館の近くで頭が三つ動いている。中庭を横切っている。何かを担いでいる。筒状の物に見える。絨毯か。模造紙か。大きな地図か。死角に入った。別館の裏に消えたのだ。

その先は塀だ。行き止まりだ。あるのはそう、別館裏手の非常階段だけだ。交通部の各課が入っているのは二階まで。三階は講堂――。

携帯を耳に戻した。

「美雲、広報室に戻れ。普通にしていろ。蔵前には捜一の部屋に上がるように言え」

通話を切り、諏訪に掛け直した。

「蔵前をそっちにやった。仕事を引き継いで講堂に来い」

〈講堂？　じゃあそこに――〉

「おそらく、いる」

62

籠城――。

三上は非常階段を駆け下りた。靴底が踏み鳴らす金属音が頭蓋に響く。激しい振動が脚から全身に伝わり、体の一部が外れ落ちてしまいそうな気がした。

中庭を駆け抜け、正面玄関から交通部別館に入った。耳を澄ませた。上方で靴音がする。階段は避け、荷物運搬用のエレベーターを使った。息を整えるいとまもなかった。階表示が「3」に変わり、チンとベルが鳴った。ドアが開いた瞬間、観音開きの講堂の扉と、関係者以外立入禁止の張り紙と、こちらを凝視する二人の男が同時に目に飛び込んできた。ギョロ目のいかつい髭面は暴力団対策室の芦田係長。もう片方は面識のない、上半身が異常に発達した角刈りの若手だった。慌てて敬礼をしかけ、だが芦田に何か言われてやめた。

ここだ。間違いない。

三上は門番の二人を見据えて歩いた。迎え撃つかのように芦田がのそりと前に出た。間合いが狭まるにつれて眉間も狭まり、やがて両手で待ったを掛けた。

「すみません。ここまでです」

言葉遣いこそ丁寧だが、声質と表情は威嚇に近かった。三上は待ったの手に胸を押し当て足を止めた。頭半分、芦田のほうがでかい。その昔、マル暴絡みの詐欺事件が起こるたび、そのでかい体を丸くして三上に教えを請うたものだった。一晩寝れば恩も仇も忘れる芦田の特異な性格が、こんな場面では恨めしい。

「用件を尋ねないのか」

「必要ありません」

「どけ」

「部外者は入れるなと言われてますんで。悪しからず」

「誰が部外者だって？」

「ご不満なら言い換えましょうか」

「そうしろ」

「サッ庁のスパイは帰れってことですよ。まったく情けねぇ。長年ヤマでメシ食ってきたデカが、どんな餌に釣られたんだかコロッと寝返りやがって」

耳だけで聞いた。気は扉の向こうに行っていた。中はどんなことになっているのか。音は漏れてこない。扉まで六歩。あるいは七歩。角刈りは油断なく観音開きの中心線を固めている。

「お前とじゃれ合ってる暇はないんだ。上に取り次げ」

「ご免被ります」

「中にいるんだな、部長も参事官も」

「さあ、それはなんとも」

惚けた仕種が隙を生んだ。三上は包帯を巻いた右手に目を落とし、それを眼前の首めがけて突き上げた。がっちり喉輪をかまし、足を踏ん張り、巨体を大きく仰け反らせた。手首を掴んできた芦田の手首を左手で鷲掴みにした。角刈りが猛然と向かってきた。その一瞬を待っていた。思い切り両手を引いて喉輪を外し、よろけた芦田を角刈りに押しつけ、自分は腰を沈めてサイドに回り込んだ。ブンと振られた丸太のような腕をかいくぐり、ダッシュし、その勢いで扉の合わせ目を蹴り飛ばした。

視界が開けた。

壮観。目は感情を排した単語を脳に伝えた。音に驚いた顔が一斉にこっちを見ていた。五十。百。いや、もっといるか。ひしめき合っている。人数に見合うだけの長机が広い講堂を埋め尽くしている。段ボール箱を抱えている者、ホワイトボードを移動させている者、通信機器をセッティングしている者、床で白地図を開いている者——時間が止まったかのように全員の目が三上に向けられていた。刑事の顔ばかりではなかった。鑑識課長がいる。その隣は生活安全課の課長補佐だ。奥に機動隊の副隊長。さらには地域課長、交通規制課の次席、自動車警ら隊長——。

刑事部だけではなかった。警務部を除くD県警の全セクトが籠城準備に加わっていた。

三上は震撼した。県内は今どうなっている？　警察システムはまともに機能しているのか。事件対応は？　パトカーのリスポンスは？　通常警邏は？　交番の接遇は？　交通事故処理は？

そうなのか。これこそが荒木田率いるD県警の最後の一手なのか。単なる刑事部のサボタージュではなかった。県下の治安を丸ごと人質に取り、本庁に激震を走らせ、長官視察を中止に追い込む。狂気の沙汰だ。それが事実ならまさしくクーデターではないか。

講堂の中には踏み込めなかった。背後から羽交い締めにされていた。ふざけやがって！　耳に芦田の荒ぶれた声が吹き込まれた。

「現認した！」

三上は中に向かって叫んだ。コンマ何秒かの差で角刈りが扉を閉じ、そして敵意に満ちた目で三上を見つめた。

「お前、機動隊員か」

いかにも、の顔をした。

「なら今すぐ隊に帰れ！　お前らは身内を守るために雇われているんじゃない！」

三上は激しく首を振った。羽交い締めの手はビクともしない。

「芦田、放せ」

「そうもいかんでしょう。まったく、汚い手を使いやがって」

「汚い手はお前の専売特許だろうが」

「よして下さいよ。若い衆もいるんだ」

「いいから放せ」

「もう暴れませんか」

「誰が暴れた」

「二度目はありませんよ。このまま静かにお引き取り願えますか」

まだ肝心な顔を見ていない。荒木田刑事部長。松岡参事官兼捜査第一課長。中にいたのか。それとも――。

靴音がした。階段を駆け上がってきたのは諏訪だった。角刈りが過剰に反応し、腰を落としてレスラーのように身構えた。驚く諏訪に、よう、と芦田が声を掛けた。

突然、体が自由になった。同時に諸手で背中を突かれて三上は前方につんのめった。

「諏訪、ボスを連れて帰ってくれや」

芦田の口ぶりから察するに二人は同期か同郷だ。なのに諏訪は言葉が出てこない。さっき捜査一課の部屋にいた時と同じで腰が引けている。だからここに呼んだ。広報のエースが刑事部恐怖症では話にならない。

三上は諏訪を手招きし、首と肩を順に回した。解放されてみて、いかに強い力で締め付けられていたかがわかった。場の空気も緩んでいない。角刈りはもはや蟻一匹通さない盤石の構えだ。芦田は喉輪の跡を手でさすり、そうしながら四肢に緊張感を漲らせているのが見て取れる。若い時分、柔道で国体に出場したのが自慢の猛者。だが——。ここで尻尾を巻いて逃げ帰るわけにはいかない。広報室のデスクで、ただ気を揉んでいる自分の姿は想像できなかった。

三上は諏訪の頭を引き寄せ、手を添えて耳打ちした。

「二階のトイレに行け」

「えっ？」

「棒だ。モップを外して柄を持ってこい」

諏訪がぶるっと全身を震わせた。その背を力任せに押した。縺れる足で階段を下りていく姿を見て、芦田は鼻先で笑った。

「報告はご自由に。それとも援軍要請ですか」

三上は芦田に向き直った。

「俺たちが憎いか」

芦田はまた鼻で笑った。

「あんたたちはコバンザメでしょうが。本当に許せんのは何でも喰いたがる東京湾のサメですよ」

「弱いから喰われる。魚が恨み言を言うか」

芦田の目つきが変わった。

「本気で言ってます？」

「未決のコロシを残らず挙げろ。市長クラスのヒゲをサンズイで縛り、マル暴を根絶やしにしろ。そうすりゃ、誰も部長ポストを寄越せなんて言わん」

「欲ボケが！　東京のスピーカーになりやがって」

「欲ボケはてめえらだ！　たかがポストに恋々としやがって。おい、答えろ。たった一つのポストを守るために百八十二万県民を袖にするのか！」

「何だと？　ふざけたことを言うな！　俺たちがいつ県民を袖にした！」

「警察学校で一から学び直せ。カイシャが治安に背を向けたらただの暴力装置だ。日章を代紋にしているぶん、お前の得意先のマル暴より質が悪い！」

三上は背後を見た。諏訪が戻った。青ざめている。不自然な歩き方が、後ろ手の棒を確信させた。

「投げろ！」

条件反射のごとく諏訪が反応した。次の瞬間、三上はモップの柄を握っていた。やや長い。だが必要十分だ。右手が使えることも、さっきの喉輪で実証済みだった。

「野郎！」

芦田が唸った。たじろいでいる。柔道家なら剣の怖さは知っている。角刈りは違った。微塵も怖じていない。機動隊魂に火が点いたか。肩を怒らせ、今にも突っ込んできそうな気配だ。倒すのはたやすい。怪我をさせずに排除する方法はないか。

三上は角刈りに正対し、棒を握った両手をぐっと絞り込んだ。刹那、二渡の稽古着姿が脳裏を過った。奴はどうしたか。刑事部を押さえ込めず暴走させた。もはや打つ手をなくして白旗か。

「潰せ！」

芦田が怒鳴った。

角刈りは顎を引き、ぶっとい腕を顔の前で交差させた。打たれようが突かれようが体に物を言わせてぶちかましてくるつもりだ。瞬きが止まった。山のような肩の筋肉がぴくっと動いた。来る。全身の汗腺が閉じた、その時だった。角刈りの背後でカチャリと音がした。

扉が開いた。場の緊張が、別の緊張に取って代わった。男が出てきた。捜査一課次席の御倉だった。アリの心臓。そうは見えない堂々たる態度だ。扉の外のいざこざを収めるために出てきたのではなさそうだった。角刈りや芦田には目もくれず、真っ直ぐ三上を見た。

「お話があります」

「何だ？」

三上はまだ棒を下げずにいた。御倉はその間合いぎりぎりまで歩み寄ってきた。

「部長から伝えるように言われました」

「だから何だ？」

「報道協定の締結を要請して下さい」

何か理不尽なことを言われた気がした。

「何を言ってるんだ、お前」

「誘拐事件が発生しました」

「……誘拐？」

「そうです。ホシは『サトウ』と名乗り、現金二千万円を要求しています」

三上は瞬きをした。

サトウ……。二千万円要求……。

視界がセピア色に染まった。雨宮翔子の死顔がわっと迫ってきた。

ロクヨンの亡霊が出た――。

三上は芦田を見た。角刈りを見た。御倉を見た。どの顔にも現実が張り付いていた。籠城ではなかった。ホワイトボード。通信機器。白地図。夥しい数の捜査員。設営だったのだ。この講堂に、誘拐事件の特捜本部が設置された。

カラーン。

棒が床に転がった。反響音とともに、たった今まで現実だった脳内世界が崩壊した。

63

ロクヨン。

ホシを昭和六十四年に引きずり戻して手錠を掛ける。誓いが果たされぬまま、そして平成も十四年を重ねた今、昭和のほうから声を掛けてきた。サトウ。二千万円。模倣したのか。愉快犯か。それとも――。

三上は講堂の横の小部屋に御倉を引っ張り込んだ。諏訪はパイプ椅子を開くのに難儀した。手が震えて言うことをきかない。

「詳しく話せ」

三上は座るなり言った。

御倉は椅子を断り、立ったまま答えた。

「玄武市内の女子高生が誘拐されました」

女子高生――。
ロクヨンの像が歪んだ。小学生ではない。あゆみと同じ女子高生が攫われた。玄武市は県中央部に位置する人口十四万の都市。ここD市から十五キロ東方。G署の管内だ。
「これを」
御倉が背広の内ポケットから二枚綴りの紙を差し出した。定型文の活字が目に飛び込んできた。
『D警察本部記者クラブ殿
報道協定締結の申し入れについて
平成十四年十二月十一日　D警察本部刑事部長』
三上は用紙を引ったくった。
『平成十四年十二月十一日、G署管内において、別紙の通り誘拐事件が発生し、目下捜査中でありますが、本件について取材又は報道されることによって被害者の生命に危険が及ぶことが十分考えられます。つきましては、この事件の取材及び報道について、次により協定の締結方を申し入れます。尚、協定締結中における捜査過程の発表は刑事部幹部が行います。
記
1　本件についての取材及び報道は当分の間行わない。
2　被害者が保護もしくは発見された時、また、取材又は報道をされることによって被害者の生命に危険が及ぶことがないと判断された時は、刑事部長と記者クラブ幹事が解除について協議する。

3　解除の協議が整った場合の解除時期は記者クラブが決定する。

4　事件が未解決のまま協定締結が長期にわたる場合は、記者クラブ幹事が刑事部長と協定の取り扱いについて随時協議する』

斜め読みして紙を捲った。知りたいのは「別紙」の中身だ。

『玄武市内における女子高生身代金目的誘拐容疑事件概要』

一転、雑な手書き文字だった。

『被害者――玄武市内の自営業A（49）、主婦B子（42）の長女C子（17）＝私立高校二年生＝』

匿名表記。頬がひくりとした。

『認知日時――十二月十一日午前十一時二十七分。被害者の父Aから県警本部通信指令室に対し、子供が誘拐された旨の一一〇番通報により認知』

腕時計を見た。二時三十五分。既に通報から三時間以上経っている。用紙を睨みつけて先を読んだ。

『脅迫電話の状況

第一回架電――十一日午前十一時二分、Aの自宅にC子使用の携帯電話から架電（B子が受信）。ヘリウムガス等を使用して変声させたと思われる声で脅迫及び身代金の要求をした。

〈娘を預かっている。生きて返してほしければ明日の昼までに現金二千万円を用意しろ〉

B子はAの事業所に連絡し、Aが一一〇番通報。

第二回架電――同日午後零時五分、第一回架電と同様、C子の携帯電話で変声細工した声で架電（急遽帰宅したAが受信）。

〈さっき電話したサトウだ。金は古い札にしろ。丸越百貨店で売っている一番大きなスーツケースに詰めろ。明日、指定する場所に一人で持って来い〉

現在、鋭意捜査中。以上』

すぐには言葉が出なかった。

ロクヨンに酷似している。〈明日の昼まで〉〈現金二千万円〉〈サトウ〉〈金は古い札〉〈丸越百貨店〉〈一番大きなスーツケース〉〈一人で持ってこい〉。最初の電話では名乗らず、後で〈サトウ〉を使っているところまで同じだ。

訛りのない、やや掠れた三十代から四十代の男の声。それだけが違う。いや、違うかどうかすらわからないのだ、犯人が声に細工をしたために。

同一犯による再犯。その可能性を否定する材料はこのペーパーの中にはない。だが三上の直感は「別ホシ」だった。ロクヨンの犯行過程に愉快犯の要素は一切なかった。大金を得んがための「真剣」かつ「必死」の犯行だった。その本ボシが事件を再現して己を誇示するはずがない。もし仮に再犯を企てるなら、ロクヨンを想起させる要素を徹底して取り除き、二つの事件の捜査情報をクロスさせられないよう細心の注意を払うに違いないのだ。

目が醒めた気がした。

昭和に呼び戻されたのではない。これは平成の事案だ。ロクヨンとは別物の、新たな誘拐事件が発生したのだ。たった今、いや既に三時間以上前に――。

「速やかに報道協定を結んで下さい」

遠慮のない声が頭上から降ってきた。

速やかに？ 三上は上目遣いで御倉を見た。

「よくもそんなことが言えたな」

「えっ？」

「認知から三時間以上経ってる。今頃こんな紙っぺら一枚出して、記者連中が、はい、わかりましたと協定を呑むと思うか」

「問題ないでしょう。誘拐事件の発生を記者クラブに通告すれば、その時点で自動的に仮協定が成立するはず」

「ああ、その通りだ」

本協定が締結されるまでに生じる空白時間に、これ幸いと取材に走る社を防ぐための安全装置だ。だが――。

「本協定まで辿り着けなかったらどうする？　各社が話し合った結果、協定は結べないとなったら仮協定も吹っ飛んで取材はオールフリーだ。いいか、向こうが取材自粛をするのはな、こっちが詳細な捜査情報を可及的速やかに提供することが大前提なんだ」

「だから今、出しました」

三上は用紙を手ではたいた。

「あらすじ以下だ。三時間分の詳細な事件経過と捜査状況を出せ。誘拐と知れば東京から何百人と記者カメラマンが押し寄せてくるんだ。こんなナメた態度で誘拐報道を仕切れると思うな」

「そんなことは思っていませんよ」

御倉はムッとして言い返した。

「必要とあらば、私の知っている範囲で補足します」

「よし、補足しろ。まず実名だ。被害者はどこの誰だか言え」

諏訪が慌ててメモ帳を取り出した。が、ペンは動かなかった。

「名前は明かせません」

「何だと？」

三上は気色ばんだ。誘拐報道の資料は読み込んだ。匿名でレクをやった捜査本部など過去に一つとしてない。

「なぜ言えない」

「やむをえない措置です」

「やむをえない理由を言え」

「ロクヨンを模倣した悪戯の可能性があるからです」

「悪戯？　ロクヨンを模倣しているから悪戯だと決めつけるのか」

「違います」

「だったら何だ？　携帯は本人の物なんだろう」

三上は用紙に目を落とした。『C子使用の携帯電話から架電』。断定だ。自宅の電話がナンバーディスプレイに加入している。電話局で通話記録も調べ済みということだ。ならば――。

「ホシが娘の携帯を拾った、盗んだ、奪った。そう類推できるネタがあるってことか」

御倉は首を横に振り、荒い息を吐いた。

「そうではなく、現段階では自盗の線も捨て切れないということです」

自盗？　三上はぎょっとした。娘の狂言だと言うのか。

「C子は素行が悪く、金の無心や着替えを取りに帰る以外、ほとんど家に寄りつきません。高校も籍があるだけで、昼も夜も遊び仲間とほっつき歩いているようです。事実、一昨日の夜に家を出たきり、足取りが摑めていません。遊び仲間の悪い男と組んだ。あるいは唆（そその）かされた。本気で二千万の自盗を企てたのか、単なる悪ふざけかわかりませんが、C子ならやりかねないというのがこちらの見解です」

腑に落ちなかった。

「娘は十七だぞ。そのカレシが十四年前のロクヨンをなぞったって言うのか」

「携帯一つあれば五十過ぎのオヤジともマル暴とも五分で知り合えます。それに若い男とロクヨンだって簡単に繫がりますよ。パソコンで過去の誘拐を検索すればロクヨンだらけだ。未解決イコール成功例ですから、雛形にしたとも考えられます」

三上は頷かなかった。話に芯がない。仮定と想像を繫ぎ合わせただけの創作だ。

「やむをえない理由はそれだけか」

「十分でしょう。未成年者であるC子の名前を現時点で公表し、結果、狂言だったとなったら取り返しがつきません」

「公表？　勘違いするな。名前は非公開の場で記者に提供するだけだ。報道協定が結ばれれば、解除になるまでマスコミは一行も記事を流せない。狂言がオチで解除になったとして、それはそれで少年法に引っ掛かるから実名は書けない。要するに娘の名前が世間に晒される危険はないってことだ」

「そうはならんでしょう。マスコミは協定が解除になれば自宅周辺に押し掛ける。女子高生の狂言誘拐ですよ。金、男、家庭崩壊。格好のネタだ。テレビも週刊誌も飛びつく。名前が出ようが出まいが、C子の一家はメディアスクラムの餌食(えじき)になって首を括りますよ」

聞き飽きた台詞だ。いや、言い飽きた台詞か。

「そうさせないために広報室があるんだ。俺たちに仕事をさせろ」

「事件が大きすぎます。身代金目的誘拐の興奮と狂言に対する怒りがそのままC子に向けられる」

「事件が大きいから言ってるんだ。狂言じゃなかったらどうする？　報道協定が宙に浮いたらそれこそ修羅場だぞ」

「だから両構えです。名前は伏せますが、事件については話せることは話す。そう言ったはずです」

「実名は必須だ。お前が言えないのなら部長に会わせろ」

「私が任されています。私以外は対応しません」

御倉は力むでもなく言った。付け入る隙がない。大事件とあらば「アリの心臓」にも毛が生えるのか。

三上は腕時計を見た。怒りや苛立ちよりも焦りのほうが勝っていた。刻一刻と事態は悪化している。いまだ記者たちは誘拐事件が発生した事実すら知らないのだ。D県警が事件を認知してから三時間二十四分。もはや「隠蔽」の領域――。

三上は綴りのクリップを外し、事件概要の用紙を諏訪に突きつけた。

「書き写せ」

「えっ？」

「書いたら戻って全社に通告しろ」

諏訪の目に怯えが走った。

「匿名のままですか」

「そうだ」

諏訪は虚空を見た。怒号渦巻く光景を見たに違いなかった。昨日の今日だ。舌の根も乾かぬうちに匿名発表を復活させる。マスコミが、これぞ最大級の事件と口を揃える身代金目的誘拐でだ。

「諏訪」

「し、しかし……」

昨日のやり取りならば三上の頭にもあった。

〈一度与えてしまった権利を取り上げるのは至難の業です。最初から与えないでいる反発の何倍も何十倍も大きくなる〉

〈撤回はしない。実名で通す〉

再び「窓」を閉ざす。

状況は待ったなしだ。通告を急がねばならない理由は他にもあるのだ。報道機関のアンテナは侮れない。どの社も県内に独自の情報網を張り巡らせている。何かの拍子で玄武市内の異変が引っ掛かったら。誘拐とは知らずに事件エリアを嗅ぎ回ったら。動きをホシに勘づかれたら――。

あゆみの泣き腫らした顔が瞼にちらついた。狂言とは限らない。狂言のはずがない。

そう考えるべきなのだ。今この瞬間、十七歳の少女の命が生死を分かつ塀の上に置かれている。

「早く書き写せ！　五分以内に一報を流して仮協定を発効させろ」

「しかし、匿名では本協定は絶対に結べません。暴動が起きます。話し合いすらできない状態になります」

「追って第二報、三報を出す。そう言って本協定へのレールを敷け」

「そんな、無理です、私には――」

「やれ！　俺が実名を取る。それまで持ちこたえろって言ってるんだ！　いずれお前は広報官だ。お前がやるしかないんだ！」

部屋が静まり返った。

諏訪は放心したように三上を見つめ、やがて椅子にすとんと腰を落とした。唇を噛み、用紙を手元に引き寄せ、メモ帳を開いた。

三上は目線を上げた。

「実名は出せません」

御倉が先んじて念押ししたが、三上は別の頭で手帳とペンを取り出した。

「ホシは男か女かもわからないのか」

「何です？」

「脅迫のヘリウム声だ。母親はどう言ってる」

「あ……」

「もったいつけるな。時間がない」

御倉は不服顔で頷いた。

「男とも女ともわからなかった、と」

ペンを走らせながら次を口にした。

「訛りは？」

「それもわからない、と。ヘリウム声ですからね、よほどな訛りでないと記憶に残らないと思います」

「一回目の電話はサトウと名乗ってないんだな」

「名乗らなかったと言っていますが、なにぶん母親は動転していたので」

「警察に言うな。言ったら殺す——その手の台詞はなかったのか」

ロクヨンではあった。一回目の電話でだ。

「なかったと言っています」

三上は諏訪の手元に目をやった。

「なのに通報まで……二十五分だ。両親は何をしていた」

「C子の携帯に何度も電話を掛けてます。それと通報への躊躇もあったようで。犯人に口止めされずとも、警察に話したら娘が殺されるのではないか。夫婦間でそんなやりとりがあったと言っています」

諏訪がメモ帳を閉じて立ち上がった。三上はペンを止めて手帳の頁を切り、協定の要請文と一緒に手渡した。

「頼む」

諏訪は深く頷いた。腹を括った顔だった。続報、待ってます。そう低く発し、小走りで部屋から出て行った。

実名を摑むまでは戻れない。三上が意を新たに御倉に向き直った時だった。懐の携帯が震えた。石井秘書課長からだった。

〈三上君、その後何か――〉

「誘拐事件が発生しました」

〈……誘拐？〉

「詳細は後刻。諏訪が広報室に向かったので接触願います」

一方的に言って切った。が、切り際に甲高い声が鼓膜を打った。

〈それじゃ、長官が来られないじゃないか〉

三上は携帯を畳み、机の上に置いた。長官視察は頭から飛んでいた。石井は違った。誘拐という単語の魔力に呑み込まれなかった。警察官とは名ばかりの事務屋なればこそ、勃発した大事件と明日のイベントが瞬時に繫がった。

確かにそうだ。石井の言った通りだ。小塚長官はD県に来られない。

真新しい誘拐事件がもうもうと湯気を上げている。緊迫の極みにあるその地に長官が出向き、十四年前の誘拐事件の視察を行う。それほど間抜けな話は他にあるまい。ならばどうする。陣中見舞いとでも換言して視察を強行するか。いっそのこと、この機に乗じて実効支配を目論むか。刑事局のスタッフを引き連れて乗り込み、特捜本部を仕切り、本庁主導を既成事実化してみせるか。恐ろしくてできまい。犯人を取り逃がせばD県警と心中だ。天下に大恥を晒し、二度とポスト召し上げの話などできなくなる。延期か中止だ。たった今、事件がスピード解決でもしない限り、明日の長官視察はない。

感慨はなかった。落胆にも安堵にも、そして喜びにも心の針は振れなかった。ただ因縁めいた結果の皮肉さだけを噛み締めた。ロクヨンの亡霊がロクヨンの視察を潰す。刑事部でもD県警でもなく、「サトウ」が本県をダラスにした――。

「もういいですか」

痺れを切らした声がした。

三上は改めて御倉を見つめた。内面を透かし見る思いで瞳を探った。アリの強心臓。現れた時からそうだった。狂言の可能性があるにせよ、たった三時間半前に誘拐事件を抱えた捜査幹部とは思えぬこの落ち着きよう。考えたくはないが、やはり心のどこかにあるのか。神風が吹いた。誘拐が起きてくれたお陰で長官視察が吹っ飛んだ――。

「質問がないようでしたら私はこれで」

「ないわけないだろう。こっちは情報が三時間半遅れてるんだ」

三上は語気荒く言って手帳を開いた。

「続きだ――母親が娘の携帯に掛けて、その時はどうだった」

「繋がらなかったそうです」

「今もだな」

「ええ。バッテリーを外しているらしく微弱電波も出ていません」

「携帯の会社は？」

「ドコモです」

「娘の遊び仲間に連絡はつかないのか」

「親は友人の苗字すら知りません。一人もです」

三上は手帳の頁を捲った。

「放任か」

「溺愛です。小、中の過干渉が非行の原因ではないか、と」

「誰が言った」

「市のカウンセラーです。前に親が連れて行っていました」

耳の奥が疼(うず)いた。

「一昨日の晩はなぜ家に戻った」

「着替えの調達です」

「様子は？　いつもと変わったことはなかったのか」

「口をきかなかった、と。普段通りと言えば普段通りです」

頁を捲った。

「事件の前兆は？」

「何度か無言電話があったそうです」

また耳が疼いた。

「何回だ」

「そこまでは……。まだ聴取中ですので」

「いつだ」

「十日ほど前です」

「相手の番号は？」

「番号？」

「ナンバーディスプレイだ」

「あ、はい。公衆電話だったと」

記憶の扉が開き掛かる。気持ちが突っ込みすぎている。

「他には？」

「見慣れない車が――黒っぽいワゴン車が家の近くに駐まっていたのを母親が見ています」

「いつだ」

「三、四日前です」

「恨まれる覚えは？」

「ないと言ってます」

「携帯の遺失物届は？」

「何です？」

「娘から交番に出てないのか」

「それは聞いていませんが、あったら事件になっていません」

「報告させたのか、全県の交番に」

「いや、それは……」

「やるべきだろう。携帯に限るな。バッグとして届けてるかもしれん」

御倉は関心なさそうに形だけ頷いた。

三上は頁を捲って続けた。

「自宅班は何時に何人入った」

「ちょっと正確な時間は……。人数は五名です」

「二度目の電話は録音できたのか」

「間に合いませんでした」

「ホシはどこから掛けてきた」

「はい？」

「どこの中継塔が発信の電波を拾ったか訊いてるんだ。発信エリアは中継塔の半径三キロ。ドコモに確認済み。そうだな？」

「私は……県内としか聞いていません」

暈(ぼか)した。何か意図があるのか。

「調べて後で聞かせろ」

「訊いてはみます」

「親は何の自営だ」

「それは……身元が特定されますので」

「数の少ない業種、商店ということか」

「まあ、そういうことです」

「事業所はどこだ」

「玄武市内です」

「裕福なのか」

「二千万はどうにか用意できる、と」

「娘の兄弟姉妹は？」

「妹が一人います」

「いくつだ」

「十一歳。小六です」

「小六……」

ペンが止まった。小六の妹ではなく、高二の姉が攫われた。

「そこです。我々がC子の自盗を疑った理由の一つです」

どこか得意げな口ぶりだった。

「もともと計画性が低かった。最初は猥褻目的だった。あるいは娘の顔見知りが誘拐犯に豹変した。幾らも読み筋はあるだろう」

「まあ、それはそうですが」

御倉は興味を示さなかった。遺失物届の話をした時もそうだった。

釈然としない。事件は始まったばかりだ。なのに狂言の可能性を高く見積もり過ぎてやしまいか。

まだ何かあるのか。御倉の話から「本物感」が伝わってこないのはそのためだ。

特捜本部は狂言誘拐を確信しうる決定的なネタを握っている。そうなら合点がいく。長官視察の中止よりも、むしろ事件に対する楽観視が御倉を堂々とさせていると読むこともできる。

三上は手帳を閉じた。

「なぜ警務外しをした」

「何です？」

「講堂には警備や生安や交通の幹部までいた。さっさと連中を招集しておいて、三時間半もこっちを蚊帳の外に置いたのはなぜだ」

「それは緊急性の問題です」

御倉は難なく答えた。

「遺留品が発見されれば周辺捜索に機動隊を出さねばなりませんし、交通はネズミ取りを装ってナンバーチェックと指紋収集をやります。生安は――」

「兵站(へいたん)は？」

話を遮って問うた。

「特捜本部を動かすにはまず金と装備だろうが」

「頭が回りませんでした。ですが捜査と違ってそれは後でどうとでもなります」

「広報は後でどうにかなるのか？　報道対策など後回しでいい。部長がそう言ったのか」

「それは……」

御倉は言葉に詰まった。図星ということか。

「意図的にこっちへの連絡を遅らせた。そうなんだな？」

「誤解です」

「俺がここに現れなかったら、いつまで警務外しを続ける気だった」

御倉は黙った。

「何をやったかわかってるのか。女子高生の行方が知れない。自宅に脅迫電話が掛かっている。なのにお前らはホシを挙げる以外のことに頭を使ったんだ。外道(げどう)捜査だ。組織のいざこざに誘拐を巻き込んだ。利用した。本庁に対する報復のつもりか。駄目押しの警告か。どうしたらそんな腐った真似ができるんだ」

「外道はそっちでしょう」

三上は無視して続けた。

「狂言だと確信している。だから外道捜査がまかり通っている。違うか？」

「確信などしていません。その可能性もある、と言っています。我々はホシを挙げることしか考えていない。警務外しなんてそっちの被害妄想だ。我々に対して負い目があるからゲスの勘繰りをする」

「だったらなぜ匿名の紙を寄越した」

「理由は言いました。たとえ一パーセントでも未成年者の狂言の可能性がある以上――」

「マスコミの話をしてるんじゃない！　なぜ俺たち広報にまで実名を隠すのかを訊いてるんだ」

ジジジッと机の上で携帯が動いた。御倉を目で縛って手を伸ばした。蔵前からだった。

〈あの、松岡参事官の居場所がわかりました。強行の車でG署入りしています〉

「確かか」

〈はい。一度に五つも六つも電話が鳴り出したので、思わず受話器を取ったところ、先方がG署の人間で――〉

「わかった。広報室に戻って諏訪をフォローしろ」

通話を切った。御倉は返答を用意した顔だった。

「重要な情報を共有できる仲間ではないからです。警務部はＤ県警を東京に売った」

「言え」

「そんな話は聞き飽きた。外道捜査をしていないと言うなら実名を明かせ」

御倉は短い溜め息をつき、そして冷ややかに言った。

「あなたたちには関係のないことです。一生、知らなくていいんです」

三上は黙った。

警察の本性。内なる完結。三上もそうだった。長い歳月、排他は当然のこととして刑事をやってきた。だが――。

今は「外」の脳も働く。

〈あなたたちには関係のないこと〉

〈一生、知らなくていいんです〉

記者ならきっとこう反問してくる。

自営業Ａ。Ｂ子。Ｃ子――この家族は本当に実在するんですか。

64

砂埃に目をやられた。

三上は車に乗り込んで目を擦り、ダッシュボードのデジタル時計を見た。三時十五分だ。携帯を取り出し、広報室に掛けた。繋がった瞬間、喧騒に呑み込まれた。怒号が飛び交っている。ふざけるな！　実名を言え！　昨日の話はデタラメかよ！　記者が波打っている。諏訪が詰め寄られている。その間合いの近さまでもがありありと伝わってきた。

電話に出たのは美雲だった。女の声だったからそう判断した。

「聞こえるか」

〈もしもし、聞こえますか〉

「全社に漏れなく通告したか」

〈すみません。聞こえません〉

三上は声を張り上げた。

「仮協定は発効したんだな？」

〈あ、はい――〉

がさごそ音がして喧騒の音量が幾分下がった。デスクの下に潜り込んだか。

〈発効しました。ですが、こっちが実名を出すまで認めないと言っている社が多くて。出さないなら玄武市担当の記者を動かすと〉

「仮協定も協定だ。絶対に破らせるな」

〈三時間半も黙ってて今さら何だと。その間に交通事故の取材でＧ署に行ったし、また行かせると言ってます〉

「駄目だ。Ｇ署には近づくなと言え。れっきとした協定破りだ」

〈係長が懸命に説得しています。狂言の可能性があるので実名の発表が遅れている。そう再三言っていますが誰も耳を貸しません。あまりの剣幕に——〉

「二報だ。メモを取れ」

〈ちょ、ちょっと待って下さい〉

喧騒の音量がわっと上がり、そしてまた絞られた。

〈お願いします〉

御倉から引き出した情報を読み上げた。合間合間に罵声が耳を打つ。どこへ逃げた！ 今すぐここに呼べ！ 広報官不在が彼らの怒りに油を注いでいる。

「以上だ。諏訪に渡せ」

〈あの、被害者の実名は？〉

「まだだ」

〈……〉

美雲の落胆が伝わってきた。もう諏訪は限界。そう見えるのだろう。

「持ちこたえるよう言え」

〈広報官は？ こちらに戻られますか〉

「Ｇ署に行く。諏訪に耳打ちしておけ」

〈何時に戻られますか〉

切羽詰まった声だった。今の段階では答えようがない。松岡参事官と会えるかどうかもわからないのだ。

〈概ねで結構です。何時頃こちらに――〉

「蔵前を県庁の管財課に行かせろ」

〈えっ？〉

「西庁舎六階に三百人以上入れる会議室がある。そこを借りて記者会見場にする。管財課には大きな事件とだけ言え。庁舎の地下駐車場も空けさせろ。東京や近県から来る報道車両を呑み込めるスペースを確保しろ」

〈わかりました。伝えます――私は何を？〉

「禁止事項を各社に周知徹底しろ。東京本社に連絡を入れさせるんだ。社旗や社のロゴマークの入った車は駄目だ。テレビ中継車のアンテナはカモフラージュしろ。間違っても玄武市内を走行させるな。県警の駐車場への乗り入れも厳禁だ。道中、報道をひけらかすような目立つ言動を控え、必ず県庁の地下に駐め、荷物用エレベーターでこっそり六階に上がるように言え」

〈今は――今は無理です〉

悲鳴に近い声だった。

〈話しても誰も聞いてくれません。とてもそんな状態じゃないんです〉

「一社一社個別に摑まえて話せ」

〈みんな本協定を結ばないと言ってるんです。ずっと怒鳴っています。本社に連絡なんかしてくれません〉

「それでも本社からは来るんだ。どの社もありったけの記者を送り込んでくる。おそらくもう出発している」

〈…………〉

「考えてるヒマがあるなら動け！　十七歳の娘の生き死にが懸かってるんだ。広報室はホシをパクれない。今できるのは一つだけだ。マスコミが娘を死体にしちまわないようにリードしろ」

返答を待たずにエンジンを始動した。

わかりました。やってみます。美雲の声に怒号が被り、それでも決意は耳に届いた。

三上は車を急発進させた。枯れ葉舞う県警の敷地を出た。県道を東に向かう。すいていればG署まで三十分弱。

娘の生き死にが懸かっている――。

そう言い放った口に雑味が残っていた。美雲の背中を押すために言ったからではない。狂言の可能性を刷り込まれてC子への関心が薄まってしまったわけでもなかった。実感はある。あゆみの笑顔。雨宮翔子の死顔。高校の制服。七五三の髪飾り。道行く若い娘たち。ショーウインドウの真っ赤なコート。視覚と記憶と感情が絡み合い、それが実感を生み、見ず知らずのC子に鼓動と体温を与えている。だが――。

ノイズが入る。

被害者一家は実在するのか。

三上はハンドルを切り、一気に加速して前方の車二台を追い越した。

特捜本部はC子による狂言の線を偏重している。オチは最初から狂言と決まっていて、そこから逆算して話をしている。御倉の泰然ぶりはそんな気配すら感じさせた。普通に考えれば「隠し玉」を持っている。しかし狂言と断ずる動かぬ証拠があるのなら、それはもう事件ではない。特捜本部を立ち上げる必要などなかったのだ。なのに仰々しく講堂を占拠した。「狂言の可能性あり」と予防線を張りつつ報道協定の締結まで要請してきた。長官の視察を潰せる。そう考えた。C子を騒動師に見立て、偶然起きた狂言誘拐に便乗して騒ぎを拡大させた。

三上は煙草をくわえた。火を点けようとした手が止まった。

——それだけか？

これは本当に偶然の産物なのか。

話が出来過ぎているからそう思う。なぜ「今日」だったのか。長官が刑事部長の首を取りに来る。その前日に都合よく事件が起きた。地方では十年に一度あるかどうかの身代金目的誘拐事件だ。視察の名目を当てこするかのようなロクヨン模倣犯。〈明日の昼までに金を用意しろ〉。ホシは指定されたその明日正午は小塚長官の到着予定時刻なのだ。脅迫の台詞はロクヨンのコピーであるとはいえ、しかし一連の流れすべてが偶然なのか。

C子の仕業に見せ掛けた、それとはまったく次元の異なる狂言誘拐――。

三上は赤信号で停まった。くわえていた煙草に火を点けた。

被害者一家は実在するのか。

この誘拐が狂言で、かつ刑事部の「最後の一手」だとするなら、答えはイエスでありノーでもある。「一家」は実在するだろうが、その一家は誘拐事件の「被害者」ではない。警察が本気になった時の恐ろしさを知っているからそう思う。被害者をでっち上げることなど造作ない。まさかやるまいと思うが、やる気ならやれるとわかっているので想像の線を断ち切れない。

頭が勝手にシミュレーションする。事件は誘拐だ。まずは「被害者宅」の設定が必要になる。部外者であるＮＴＴに通話記録が残るわけだから、被害者宅の電話が警察官宅や親戚宅や外郭団体の事務所の番号ではまずい。手っ取り早いのはディープな「協力者」を使うことだ。裏社会の者でなくてもいい。むしろ警察に大恩がある者、弱みを握られている者、人生そのものを支配されている者、そうした紐付きの一般人に因果を含めれば、口外される心配も裏切られる危険もない。今回の役回りを考えれば、表向き普通に生活している夫婦者が最適だ。

ギョロ目が浮かぶ。講堂で門番をしていた暴対室の芦田だ。かつて一家心中寸前まで追い詰められた旅館業者を「救った」。女好きの主人がまんまと美人局に嵌り、地廻りのヤクザに金を毟られ続けていた。若い女房は手籠めにされ、その一部始終を写真とビデオに撮られたという。内々に相談を受けた芦田が内々に組と話をつけた。夫婦から手を引かせ、その一方で恐喝や婦女暴行などの犯罪行為は「なかったこと」にした。三月後、下部の組事務所から二丁のチャカが出て芦田は本部長表彰を受けた。平穏が戻った。旅館には芦田専用の特別室があり、その部屋の金庫には若い女房の写真とビデオが眠っている。そんな後日談まで聞こえてきた。

この夫婦が特別なわけではない。重大な犯歴を隠していたり、借金から逃げていたり、他人に秘密を知られたら社会生活が困難になる夫婦者は幾らもいる。警察官、とりわけ刑事は勤続年数に比例して「協力者」が増えていく。人に秘密がなければ事件の多くは起きないからだ。「両親」は簡単に調達できる。あとは――。

三上は煙草を消して車を発進させた。前方が詰まっていたので、左に車線を変えてトラックの前に割り込んだ。

あとはそう、協力者夫婦の間に娘がいればいい。息子でも一向に構わないし、極端な話、子供などいなくとも夫婦で携帯を三台所有していれば事足りる。一台を「C子使用の携帯」と決める。それを使って刑事が自宅に脅迫電話を掛ける。現職が直接手を下すリスクを避けたければ、元刑事か別の協力者を犯人役に据えればいい。

こうも考えられる。もし「家に寄りつかないC子」が実在し、自分の両親が協力者であることを知らないとするなら、この誘拐事件のシナリオは彼女の「所在不明」を利用して書かれたということだ。そのシナリオに沿えば、一昨日夜に家を出たC子はどこかで携帯を「なくした」。バッグに入れていようが肌身離さず持っていようが、人は油断する生き物だし、動物より深く眠る。あらゆる盗みの手口に通じている盗犯刑事に狙われれば一溜まりもない。C子は交番に遺失物届を出したかもしれない。それは盗難届の可能性もあるが、いずれにせよ特捜本部が情報を知ろうとしない限り、C子は「犯人による拘束状態」のままだ。想像の域はとっくに超えていた。もはや妄想の類とわかっていながら、しかし一笑に付せない。

匿名だからだ。

匿名の世界が広がる壁の向こうでは、どれほど奇天烈（きてれつ）な作り話も命を得られる。誰が誰かは意味を持たないので誰もが大手を振って歩ける。記者たちが被害妄想的に匿名の闇を恐れるのもわかる気がしてきた。物語を紡ぐうえで匿名は万能の神であり、無限の選択肢を許容するその構造は妄想世界と瓜二つだからだ。

三上は習慣でアクセルを緩めた。

『喫茶あおい』の看板が目の端を掠める。ロクヨン追跡劇のスタート地点。狂言と無縁の本ボシがいて、本気でロクヨンを再現しようとするなら、店内は明日、十四年ぶりに捜査員のカップルで埋まる。

刑事部がホシなら店は閑古鳥だ。事件は身代金受け渡しの段階まで進展しない。長官の到着予定時刻、明日正午まで誘拐を引っ張れば確実に視察を潰せるからだ。いや、おそらく今日中に決着がつく。視察中止の決定がD県警に伝達された時点で、急転直下、事件は解決に向かう。

三上は車の速度を上げた。三時三十五分。思ったより時間が掛かっている。

目的を果たした特捜本部は「後始末」に入る。散々煽って利用したマスコミを、今度はとことん拍子抜けさせて沈静化を図る。まず「C子を発見保護した。自作自演だった」と発表する。事前に匂わせておいた「狂言の可能性」がここで効く。会見では、馬鹿馬鹿しいと呆れさせるネタをばらまく。共犯者も背後関係もない。ただ親を困らせたかっただけ。ネットで見つけた昔の事件を「まんまパクった」。ヘリウム缶はパーティーのビンゴゲームで当てた。ごめんなさい、すっごく反省してます——。

C子が未成年者であることを楯に被害者一家の匿名は堅持される。まともなストレートニュースにはなりようがない。D県で誘拐騒ぎがあり、いっとき警察と報道陣が振り回された。そんな小話風の記事が、ふて腐れ気味のペンで綴られる。極に達した興奮もどこへやら、追跡取材の意欲も萎える。たとえ追跡しようにも手掛かりは少ない。「玄武市内」「自営業の父」「私立高校二年生」「十七歳」。役所や学校にも守秘義務があるから壁として機能するし、一家を高飛びさせてしまう手もある。もとより彼らにはフィクションの神がついている。家族の年齢や就学状況が発表通りである保証はないし、そもそもC子という娘が実在するかどうかもわからないのだ。

〈あなたたちには関係のないことです。一生、知らなくていいんです〉

そうなる。世間はもちろんのこと、じきにマスコミにとっても「知らなくていい」ことになる。

誘拐が選ばれた。事件は狂言誘拐であらねばならなかった。そんな気がしてくる。決着を見るまで巷には一切情報が流れない。庁内では凄まじい風が吹き荒れているが、所詮はコップの中の嵐だ。誰も死なず、誰も傷ついていない。狂言がオチなら世間を騒がせることなく事を収束できる。長官肝煎りの視察を一蹴する威力を持ちながら後腐れがない。そんなオールマイティーな事件は狂言誘拐をおいて他にない。すぐさま刑事部は総仕上げに取り掛かる。本庁が暴風雨に襲われる。この狂言誘拐がD県警刑事部の「最後の一手」だと知らされた時の驚愕たるやない。

そう、知らせるのだ。

事後も本庁を欺き続けることは、核開発に成功した事実を敵対する国に隠すに等しい。「召し上げ」の計画そのものを断念させねば意味がないのだ。本庁が二度と「ロクヨン視察」を言い出せぬよう、刑事部は何らかの形で「自白」をする。血の滴る生首を差し出し、裁定を迫るということだ。本庁はどうするか。黙って受け取り地中深くに埋めるか。あるいは生首の代わりに荒木田の首を河原に晒すか。

三上は目線を上げた。

遠くにG署のてっぺんが見えていた。日の丸がはためいている。四時二分。曇天のせいか辺りはもう薄暗い。

口の中で呟いた。パンパンに膨らんだ妄想の風船を松岡なら一刺しで消せる。言わずもがな外道捜査とは無縁の男だ。そのフレーズ自体、元を正せば彼から吹き込まれたものなのだ。俺たちは神の手を預かってるんだ、水が汚いからといって手を汚していいわけじゃない、どれだけ手柄に飢えていようが留置場が空っぽだろうが外道捜査だけはするな——。

——参事官が針だ。

そういうことだ。捜査の前線基地であるG署に松岡がいれば、そこに「仕事の顔」があれば一瞬にして「刑事部の狂言」は消せる。

いる。いてほしいと思う。

実名を引き出せるか否かも松岡の芯の部分に懸かっている。それゆえ勝機はあるのだ。「C子の狂言」と断じる確証を握っているにせよそうでないにせよ、自分のケツは自分で拭けというのが松岡の持論だ。未成年だからといって甘やかしはしない。三上が理と義を持って膝を詰めれば実名を明かす可能性はあるし、また独断でそうできる立場にある。

三上は煙草に火を点けた。

同じ轍は踏むまい。正面切って刑事課に乗り込めば講堂の二の舞だ。どうすれば松岡と二人きりになれるか。誘拐事件のさなか、捜査指揮官と一対一で向き合う場面をつくる。実はそれが、実名を引き出すより難しいことなのかもしれなかった。

三上は前方を睨んだ。署庁舎はすぐそこなのに一向に車列が動かない。四時八分。いや、舌打ちとともに九分になった。

諏訪の顔が浮かんだ。

印象ではなく、目鼻立ちの鮮明な部下の顔が浮かんだのは初めてのことに思えた。

――待ってろ。

長いままの煙草を消した。ヘッドライトを点け、それを上向きにした。手荒くハンドルを切り、反対車線に飛び出し、アクセルを全開にして渋滞車両をごぼう抜きにした。

実名の重み。

広報室のためばかりではなかった。疑心を餌に無限に増殖する、「匿名」という名の怪物を野放しにはできない。

65

聴覚が鋭敏になっている。

水滴の音がする。規則正しく、数秒おきに洗面台の排水口を打っている。

G署四階のトイレ。奥の個室で三上は息を潜めていた。角度が悪く、隙間から人影を見ることはできない。音が頼りだ。靴音。溜め息。咳払い。鼻歌。連れ立って入ってくる足音と話し声。

二課の刑事時代、よくこの手で産経の記者に捕まった。どうやって人定しているのか訊くと笑い、内緒です、と。教えてくれたのは自分の異動が決まって挨拶に寄った時だった。三上さんは蛇口を全開にして手を洗うから――。

松岡は必ず顔を洗う。そうする者は多いが、彼にはもう一つ癖がある。蛇口を閉じ、そして一閃、傘の滴を払うかのように手の水を切る。ヒュッ。所轄で一緒だった頃、何度も耳にしたあの音を三上は待っていた。

腕時計を見た。四時五十五分。潜入して三十分が経った。寒い。館内の暖房はトイレの隅までは十分に行き渡らない。背広の襟を立て、手の甲を交互にさすって凌ぐ。

携帯を開いた。着信はない。マナーモードでは振動音が響くのでドライブモードにしてある。Ｇ署に着いてすぐ、車内から広報室に電話を入れた。しばらく連絡が取れなくなることを知らせておかねばならなかった。長いコールのあと電話にでたのは諏訪だった。依然、怒号の嵐の真っ只中だった。三上は早口で用件を伝えた後、一点だけ問うた。

〈視察中止の連絡はないか〉

〈それはない〉

電話の相手を記者に気取られぬよう、諏訪は終始ぞんざいな口をきいた。そして最後にこう言った。

〈とにかく、できるだけ早く部品を持ってきてくれ〉

音がした。

三上は耳を澄ました。廊下を歩く靴音。早足だ。近づいてくる。トイレの入口の前……。通過した。小刻みな靴音に変わった。階段を下りて行ったのだ。

この三十分でトイレに入ってきたのは五人だけだ。しかもここ十五分ほどはゼロ。刑事課か、その奥の会議室で捜査会議が始まった。三上はそう読んでいた。

松岡の顔を見るまでもなく、妄想は霞んでいた。署庁舎裏手の職員用駐車場に車を乗り入れた途端、頭が吹っ切れた。各地から参集したのだろう、見る者が見ればそれとわかるセダンタイプの捜査車両が所狭しと並んでいた。本部強行犯係の車も目にしただけで四台あった。軽自動車やコンパクトカーは一台もない。職員の通勤用の車はすべて他の場所に移動させられたということだ。

長年刑事として目の当たりにしてきた「本物」の光景がそこにあった。同時にそれは大所帯の保秘の難しさを想起させもした。もし本件が荒木田主導の「刑事部の狂言」だとするなら、その事実は本庁に生首を差し出す瞬間まで秘匿せねばならないし、それを可能にするには一握りの捜査幹部で情報を囲い込むしかない。ここに集結しているすべての刑事を欺くということだ。被害者一家の名前を教えずに誘拐事件捜査に当たるよう命じた。あるいは名前は明かし、だが狂言であることは告げずに捜査指揮を執っている。どちらも禁じ手だ。到底うまくいくとは思えないし、リスクも大きい。刑事はペテンや罠に敏感だ。陣内に生じた不信感や怒りは自家中毒症を引き起こし、刑事部を守るための計略が逆に部内を崩壊させかねない。

ならば全捜査員に狂言を周知させるか。できまい。少人数ならともかく、大所帯でそれをやるのは無謀と言うほかない。荒木田だってわかっているはずだ。刑事は個々人がバイブルでありルールブックなのだ。「召し上げ」の情報が末端にまで伝わり、本庁憎しで部内が一つにまとまっているとはいえ、皆が皆、外道捜査に手を染めたりするものか。降りる刑事が続出する。保秘は破られる。幸田のような潔癖な刑事はいつの時代にも存在するのだ。

要するに、今、現実に刑事部の大部隊が整然と動いていることこそが――。

三上は目玉を動かした。

靴音がした。

今度は耳を澄ます必要がなかった。大勢だ。会議が終わったのだ。一斉にこちらに向かってくる。バン。扉が開く音。三上は思わず首を竦めた。二人。いや後からもう一人入ってきた。

「ネクタイは外したほうがいいな」

「ですね」

どちらも聞き覚えのない声だった。用を足している。廊下の足音はばらけながら階段を下りていく。

洗面台の蛇口が開かれた。手を洗っている。水の音が二重になった。あとの一人はどうした？　水の音がやんだ。複数の靴音が出口に向かう。「じゃ」。残りの一人に声を掛けたのか。返事はなかった。目礼を返したのなら「上の者」だ。靴音がゆっくり移動した。再び蛇口が開かれた。手を洗う音。そして……顔を洗っている。松岡なのか。蛇口が閉じられた。三上は耳に全神経を集中させた。指は内鍵に触れていた。

バン。別の誰かが入ってきた。「あ、どうも」。入ってきた男が発したように聞こえた。三上は動けなかった。「水を切る音」は聞かなかった。ドアの音に消されたのかもしれないが、いずれにせよ個室の外には二人いるから出て行けない。

靴音が廊下に消え、ほどなくもう一人も出て行った。

それからが長かった。

六時……。六時半……。七時……。その間、どれだけの回数時計を見たろう。携帯の着信はない。諏訪はどうしたか。何とか踏み止まっているか。蔵前と美雲は事を運べているか。仮協定は守られているか。赤間と石井が何も言ってこないのはなぜなのか。

今、一人出て行った。出入りは頻繁にある。だが「松岡の音」はいまだ耳にしていない。聞き逃したのか。それとも松岡はここにいないのか。迷いが焦りを増幅させる。体は冷え切っていた。便座の蓋に腰掛け、時折立ち上がって手足を動かす。昔散々やった無茶な張り込みに比べれば何でもないが、いつ個室のドアをノックされるかもわからないので人が入ってくるたび鼓動が速まる。

七時十一分。時間を確認した直後に入口のドアが開いた。コッ、コッ、コッ。靴音が響く。速くも遅くもない、落ち着きを感じさせる足取り。三上は目を見開いた。歩き方を覚えていたわけではない。歩調や靴音など意識したことがなかった。だが——。

松岡だ。そう直感した。

用を足した。靴音が移動する。蛇口を開いた。手を洗い、そして顔を洗っている。蛇口が閉じられた。水音がやんだ。三上はドアの隙間に耳を押し当てていた。

ヒュッ。

三上はそろりと個室を出た。最初に肩口が見えた。腕の先は、振り下ろした手刀のままだった。

「参事官——」

この男はいったいどんな時に驚いた顔をするのか。振り向いた松岡は普通に三上を見つめ、普通に「おう」と発し、それから右手の包帯を一瞥した。

ともかく、いた。捜査の前線基地に「陰の刑事部長」の姿があった。

「無礼を承知でお待ちしていました。お話があります」

三上は歩み寄った。冷え切った膝がかくかくした。

「どうした。ブン屋の真似か」

「他にお会いできる方法が思い浮かびませんでした」

松岡はスラックスのポケットからハンカチを取り出し、濡れた顔を拭った。

「わかってると思うが忙しい。早めに済ませろ」

三上は一つ頷き、言った。

「被害者家族の実名をお教え下さい」

「言えない」

即答された。が、突き放すような口調ではなかった。

「ご存じのはず。誘拐が匿名ではマスコミを制御できません。各社とも報道協定を結ばないと言っています」

「それが理由か」

「えっ？」

「ここに来た理由だ」

「そうです」

「魂まで売ったつもりはない。お前の台詞だ」

松岡の目に厳しさがあった。捜査一課の部屋でのことを言っている。刑事部か、警務部か、あの時は立場のみに囚われていた。

「視察の目的は聞いたな」

「荒木田部長から」

「それでも警務のために働く。尽くす」

「警務のためでも本庁のためでもありません。広報官がなすべき職務。そうご理解下さい」

「ほう」

「信じていただけないのはわかります。ですが信じていただくしかありません。これは広報官の職務です。マスコミに報道協定を結ばせ、混乱を収拾するのが喫緊の要事。実名を聞き出すまでは戻れません」

松岡は首を傾げた。

「そんなに大層なことか」

「えっ?」

「それはトイレに張り込んでまでやらねばならない仕事なのか、と訊いてるんだ」

三上は大きく息を吸い込んだ。

「刑事から見れば馬鹿らしい仕事かもしれません。警察本来の仕事とは無縁。私もそう思っていました。ホシを挙げるのが治安。娑婆は猟場。しかし今は違う。警察職員二十六万人、それぞれに持ち場があります。刑事など一握り。大半は光の当たらない縁の下の仕事です。神の手は持っていない。それでも誇りは持っている。一人ひとりが日々矜持をもって職務を果たさねば、こんなにも巨大な組織が回っていくはずがない。広報室には広報室の矜持があります。刑事からはマスコミと通じていると揶揄されますが、恥じてはいません。部内の顔色を窺い、外と通じる窓を閉じることこそ、広報室の恥」

松岡が腕を組んだ。話を、いや三上の真(まこと)を吟味している。

「私は魂は売っていない。しかし、もはや刑事に未練もありません。刑事部も警務部もない。ただ自分に託された職務を――」

突然ドアが開いた。刑事ヅラの男が入ってきた。三上は顔を背けた。万事休す。そう思った瞬間、松岡が首を回して男に言った。

「すまん。下で済ませてくれ」

「あ、はい」

男は驚いた顔のまま敬礼し、そそくさと立ち去った。

三上は目に謝意を込めた。そして改めて気を込めた。

「広報室は言わば半官半民。なので刑事部にも物申さねばなりません。誘拐にはルールがある。警察が守るべきこと、マスコミが守らねばならないこと。そのルールを双方に遵守させるのが広報室の役割――どうか実名を明かして下さい」

松岡が腕組みを解いた。両眼は厳しいままだった。

「それでトイレか」

三上は深く頷いた。その瞬間、胸を吹き抜けるものがあった。

「いえ――それだけではありません。たった今、本部で奮闘中の部下を救いたく」

松岡は虚空を見つめた。しばらくそうしていた。頭の中で多くの思考が交錯しているのが見て取れた。

突然だった。松岡がくるりと背中を向けた。そしてポケットに両手を突っ込んだ。

独り言のポーズ――。

電撃に貫かれた。失礼。口の中で言って三上は手帳を摑み出した。

「メサキマサト」

抑えた声がした。

「目薬の目に、長崎の崎。正しい人と書いて正人。四十九歳」

目崎正人――。

「スポーツ用品店経営。住所、玄武市大田町二丁目二四六番地」

懸命にペンを走らせた。ひどい字になった。次に備えた。だが――。

三上はハッとして目を上げた。松岡がこちらに向き直っていた。手もポケットにない。

どうした？　妻B子は？　何より誘拐の被害者であるC子の名前は？

「俺が言えるのはここまでだ」

「しかし、これでは――」

「聞こえなかったか」

ドスの利いた声だった。だが、ここで引くわけにはいかない。

「ご再考願います。C子の名前なしに協定は結べません」

松岡は黙り込んだ。

「協定が流れてしまえば、何百人もの記者カメラマンが暴走します。捜査の妨げにもなります」

「……」

「C子の狂言。その可能性があることは本部で聞きました。マスコミに名前を伝えますが、同時に決して口外しないよう太い釘を刺します。もとより彼らもわかっています。未成年者の名前は書きも喋りもしません」

「言えん」

「なぜです」

「人間、言えることと言えないことがある」

――人間？

妙な言い方だった。苦し紛れの言葉にも聞こえた。疑心が鎌首を擡げた。もはや「刑事部の狂言」は頭になかったが、しかし「便乗」の疑いはいまだ晴れていない。C子の狂言と断定していながらそれを隠し、本物の誘拐事件として大掛かりな捜査を立ち上げ、以て視察を中止に追い込む――。

訊かねばならない。兄とも慕ったD県警きっての刑事に。

「狂言の確証を得ているから名前を言えない――そういうことですか」

松岡は答えなかった。答えられないのか。

気が昂った。

「本庁に刑事部長を奪われる。私も忸怩たる思いがあります。しかし、本件がもし狂言に乗じたものであるなら、事情はどうあれ、まさしく外道捜査」

「外道に正道を説けるのは外道。そういう言葉もある」

耳を疑った。その言葉を額面通りに受け取れというのか。

松岡はふっと笑った。

「そんな顔をするな。狂言の可能性はある。だが確証を抱いているわけじゃない。今、人数を割いて裏取りをしているところだ」

「ならば――」

「くどい」

ぎらりと目が光った。

「後はお前らの仕事だ。広報室の矜持とやらを総動員してブン屋を仕切って見せろ」

三上はたじろいだ。松岡の目に刺され、正視できずに胸元に視線を落とした。

後はお前らの仕事――言葉にも刺された。正気に引き戻された気がした。そうとも、松岡は十分に応えてくれた。収穫があった。目崎正人の名を聞き出した。住所もわかった。妻と娘の名前はこちらで割ればいい。そうしろと松岡が言ったとは思えなかったが踏ん切りがついた。腕時計を見た。午後八時十分。急げ。今はただ、一刻も早く本部に戻ることが何にも勝る仕事だ。

三上は顔を上げて松岡を見た。踵を揃えて頭を下げた。

「ありがとうございました。帰ります」

「待て。こっちの頼みも一つ聞け」

三上は仰天した。こっちの頼み？

「明日一日、美那子さんを貸してくれ」

さらに仰天した。

「婦警の数が足らん。決まりきったショートカット以外の女も欲しい」

明日のアベック捜査要員――。

三上は答えに窮した。確かに美那子なら婦警にも元婦警にも見られまい。アベック捜査も前にやっている。『喫茶あおい』で、駆け込んでくる雨宮芳男の姿を目の当たりにした。その経験を買っての指名でもあるのだろう。何とか松岡の要望に応えたい。もちろん捜査にも協力したい。だが自分のことではない。今の美那子には無理だ。そんな役を振り当てるのは酷だ。

断る言葉を探した。と、松岡が言った。

「家から出ないんだと？」

心にすっと手を差し入れられた気がした。そうか。夫人から聞いたのか。村串みずきと電話で話して知ったのだ。

「外の空気を吸ったほうがいい。電話を待つ気持ちはわかるが、人助けってことなら自分を納得させる理由になるんじゃないのか」

自然と首が垂れた。言葉が胸に滲みた。美那子の顔がまざまざと浮かんだ。誰かのためにではない、誰かのために――。

「無理は言わん。明日朝七時。本部の講堂に七尾がいる」

三上は唇を嚙み締めた。

刑事に未練はありません。さっきの言葉は取り消せない。取り消すつもりもない。それでも未練がましく思った。

この男の下で、もう一度働きたい——。

66

ハリケーンはどこに移動したのか。

広報室には爪痕が残されていた。デスクやソファは壁際に押し込まれ、椅子は転がり、床には無数の紙切れが散乱していた。

諏訪だけいた。別人に見えた。目の血走りは尋常でなかった。眉は吊り上がり、怒髪天を衝くとばかり短髪が逆立っていた。そんなパーツの変化さえ些細なことに思えた。面魂（つらだましい）を感じた。眠っていたすべての資質を呼び覚まされた顔だった。何かを削ぎ落とされたのではなく、何かをもぎ取った顔に見えた。

「お疲れ様でした」

声はひどかった。選挙戦を戦い終えた候補者のそれだった。

「そっちこそな」

「父親の名前、効きました。あれで潮目が変わりました」

G署の駐車場から一報を入れた。今から五十分ほど前のことだ。

「本協定の見通しはどうだ」

「今さっき、各社間で電話協議に入りました。時間は掛かるでしょうが、今日中にはどうにかなりそうです」

「本当か」

少なからず驚いて聞き返した。

「父親の実名だけで協定を呑むっていうのか」

「C子の名前も割れました。一社残らず独自取材で入手済みです」

なるほど、そういうことか。

C子の名前を明かせ。記者たちはここと講堂の特捜本部を攻め続けていたという。警務部長室にも本部長室にも押し掛けたが、どこからも被害者家族の名前を引き出せなかった。憤激と焦燥のピークが何時間も続く中、各社は互いの影に怯えて疑心暗鬼の沼に嵌った。仮協定が発効しているとはいえ、所詮は「仮」だ。他社のフライングを疑った。取材に動いていないのは自分の社だけではないのか。他の社は既に名前を突き止めたかもしれない。極度の不安に駆られてパニック寸前になっていた。

そこへ「目崎正人」の情報がもたらされた。記者たちは俄然色めき立った。三上と同じことを考えた。世帯主の名前、住所、職業から妻子の名前を割りにかかった。仮協定中、本協定中にかかわらず、被害者家族の周辺取材をするのは明白な協定違反だ。諏訪は抗議したが、だったらそっちが名前を出せと猛反撃を食らった。「協定破りをした社は即刻クラブ除名!」。そう叫んでいた社もあったにはあったが結局は呑み込まれた。「被害者氏名を得ることは周辺取材に当たらない」「電話取材ならば構わない」「取材していいのは玄武市役所と商工会だけ」。場当たり的、泥縄式にルールが作られ、あれよあれよという間に全社が妻子の名前を獲得した。そこから事態は急展開した。断固拒否の構えだった本協定締結に向けての協議が、各社の本社レベルで始まった。特捜本部がいまだ被害者C子の実名を明かしていないにもかかわらず、あれほど執着していた匿名問題に目を瞑り、警察との協調路線に舵を切ったのだ。

――こっちと同じか。

東京の考え、ということだろう。詰まるところ競争原理が働いた。取材の縛りを何より嫌うマスコミが、同業他社の抜け駆けを恐れるあまり、より強い縛りを求めたということだ。

「名前です」

諏訪が用紙を差し出した。記者に逆取材して得た実名をG署の警務課員にぶつけ、裏を取らせたのだという。

目崎睦子(むつこ)(42)
歌澄(かすみ)(17)
早紀(さき)(11)

かすみ――口の中で読んだ。響きが、あゆみに似ている。

目崎正人。睦子。歌澄。早紀。名前が揃ってみれば、それは紛れもない「家族」だった。新たな感慨が湧いた。この一件が歌澄の狂言だったらどれほどいいか。目崎夫妻はさぞや娘の身を案じているだろう。

三上は頭を振った。

「二人は？　会見場のほうはどうなってる」

「蔵前がどうにか形にしました。そのまま会見場の番をしています。警務課と秘書課からの応援が十人。美雲は地下駐車場で東京からの車を捌いています。そっちにも厚生課や能率管理課から人が出ています」

そうとも、応援なしには回っていかない。講堂に七尾がいる。松岡はそう言った。警務課の婦警担当係長を刑事部が招集したのだ。実務の要請が部の壁を壊している。遅ればせながら「本物の誘拐」を迎え撃つ全庁態勢が整いつつある。

二渡はどうしたか。今どこにいて何をしているのか。想像がつかなかった。誘拐の応援に回ったのか。それともまだ視察云々のフィールドに留まっているのか。

「二渡を見たか」

「調査官ですか？　いえ、見てません」

「会見場には？」

「いれば蔵前が言うと思いますが」

「そうか……」

「探しましょうか」

「いや、必要ない」

自分の台詞で頭が切り替わった。

「で、会見場にはもうかなり来てるのか」

「東京から百人以上押し掛けてきてます。まだまだ来るでしょうが」

「ウチの記者たちは？」

「ウチ？」

諏訪が笑った。最初クスッと笑い、それを噛み殺せずに大きな口を開けてハハハッと派手に笑った。

張り詰めていたものが溶け出していくのが見ていてわかった。ふと、父の戦友の大袈裟すぎる笑い声を思い出した。そうか。笑うことを忘れていたのか。

三上も苦笑した。

「確かにな。ウチの記者たち、はない」

「あ、すみません、つい……」

諏訪はごにょごにょ言いながら両手で顔を直した。

「兵隊はみんな会見場に行きました。キャップクラスは講堂に張り付いていますが、締め出されて中には入れません。そのうち会見場に移動すると思います」

「会見スケジュールはどうなってる」

諏訪はデスクに目を落とし、重なり合ったメモ書きを指で選り分けた。

「えーと、報道協定が締結され次第、当面二時間おき。会見の合間に事件に動きがあった場合は、その都度ペーパーの投げ込み。脅迫電話の架電など重大事案の際には即刻イレギュラーの会見。仮協定中も然り――です」

「二時間おきの会見は無理だろう」

「当面です。初日ですので仕方ないかと」

「クラブ側が言い張ってるのか」

「ええ。目崎歌澄を匿名にしているのだから事件と捜査の説明はとことんやれ、と」

「とことんやったら二時間じゃ終わらない。朝までぶっ通しの会見になっちまうぞ。捜査指揮官が軟禁状態なんて洒落にもならん」

「それなんですが……」

諏訪の表情が曇った。

「会見は主として落合捜査二課長が行う。刑事部がそう言ってきています」

「馬鹿言え」

思わず口走った。誘拐事件の会見に臨むのは刑事部長か捜査一課長クラスと相場が決まっている。今回は松岡が前線に行ってしまっているのだから、荒木田が務めるのが筋だ。格下の、それも畑違いの二課長をマスコミの前に立たせてどうする。ましてや落合は現場経験のないキャリア組の若造だ。誘拐事件の質疑応答などできるわけがない。

それが狙いか。スカスカのペーパー一枚持たせて落合を会見場に送り出す。赤間警務部長と同じやり口だ。何も知らなければ何も答えられない——。

「会見にならんぞ」

何百人もの記者が怒り狂う。それを百も承知で荒木田は落合を出してきた。マスコミに知られてはまずいことがある。つつかれるとボロが出る危険があるから木偶人形を使う。だが、果たしてそうか。「刑事部の狂言」は消えた。娘の狂言と断じたうえで便乗している疑いも松岡が明確に否定した。三上の知る限り、追及されて困る急所は本件にはない。松岡すら知らず、荒木田だけが握っている秘匿情報があるとでもいうのか。

それとも——。

念には念をということか。視察中止の決定はまだ下されていない。報道協定が締結されれば、ひとまず騒ぎは落ち着く。本庁に「不穏」のメッセージを送り続けていたい荒木田が、騒動師の一人として落合をカウントしている可能性がないとは言えない。

それとも……。

三上はぐるり脳内を見渡した。

何もなかった。神経に障る疑念の種は尽きていた。荒木田に対してというより、刑事部の対応に「作為」が見出せない。あるのはもやもやだけだ。何がどうとは説明のできない違和感が何度目かの「それとも」を三上に呟かせた。

根拠も具体性もないのだからいちゃもんの類だ。広報に対する姿勢はともかく、刑事部の事件対応は至極まともだと認めざるをえない。目崎歌澄の狂言を念頭に置きつつ、さりとて油断も手抜きもなく、前線のＧ署に捜査一課長を送り込み、強行事件に精通した刑事を集結させ、婦警に見えない婦警を配置する準備を進め、他のセクションとの連携にも余念がない。それでも、よし、と腰を上げられない。明日は身代金の受け渡しだ。事件も捜査も大きく動く。なのに気持ちが高揚しないのだ。何かおかしい。三本脚の椅子に腰掛けているような居心地の悪さを覚える。

もはや刑事のカンなどとは言うまい。広報の頭が新たな視点を呼び込んだ感覚もなかった。だがしきりに思うのだ。まだ何か裏がある、と。

「ですから――」

諏訪は電話に出ていた。相手は週刊誌かミニコミ誌らしかった。記者クラブに加盟していなければ会見には出られません。繰り返しそう突っぱねている。

もう情報が漏れている。

三上は携帯を取り出し、蔵前に掛けた。すぐに繋がった。

〈あ、どうも、お疲れ様でした〉

思い掛けず元気な声だった。

「そっちもな――入りはどうだ？」

〈えー、二百人は超えています〉

「トラブルはないか」

〈場所の取り合いで少し。大したことはありません〉

「集まってる連中に伝えろ。外に情報が漏れている、細心の注意を払ってくれ、と。ナマの人の出入りも厳重にチェックしろ。出前なんか絶対に取らせるな」

〈わかりました。アナウンスします〉

三上は壁の時計を見た。もう九時半を回っていた。

「頼んだぞ。俺もすぐそっちに行く」

通話を切り、美雲に掛け直そうとした時、諏訪の電話が終わった。三上の話し声が耳に入っていたらしい。

「出前で思い出しました。行く前に食べてって下さい」

給湯スペースの棚の上、ラップの掛かったチャーハンの器が置いてあった。水滴でラップがすっかり曇り、本当のところ中身が何かわからなかった。美雲が注文したという。あの嵐のさなか、室員の夕飯に気が回ったのなら心配ない。美雲はやるべきことをやっている。

県庁の西庁舎までは地下道を歩いて五分。走れば二分。三上は半分と決めてチャーハンに手をつけた。冷たく、ひどく水っぽくもあったが胃袋は喜んだ。

「二階には顔を出しますか」

「後にする」

「かなり荒らされましたよ。一時は赤間部長も吊るし上げを食らって」

「視察のことは何か言ってきたか」

「まだですが、来られませんよね、これじゃあ」

「だな」

「しかし、すごいタイミングでしたね」

言いながら諏訪はデスクに手を伸ばした。また電話が鳴り始めていた。

すごいタイミングで誘拐事件が起きた。自然な感想だろう。含みのある台詞ではなかったが、チャーハンを掻き込むれんげが一瞬止まった。ロクヨンの視察前日にロクヨンの模倣事件が起きた。やはりそれがもやもやの発生源か。

「広報官――」

諏訪は送話口を押さえていた。

「石井課長からです。官房から連絡があり、明日の長官視察は取り止めになった、と」

67

二渡のことを考えながら階段を上がった。

入庁以来、初めての職務未遂だろう。事件という不可抗力に負けた。いや、おそらく既に負けていた。「幸田メモ」の脅しは看板倒れに終わった。柄にもなく派手に動き回ってみせたが、それは刑事部を無用に刺激しただけのことで、さしたる成果を上げられぬままこっそり戦線離脱した。そんな気がする。いずれにせよ、あの目から解放された。

背後から斬りつけられる心配をせずに仕事に集中できる。

警務部長室は薄暗かった。天井の蛍光灯が消され、カーテンもソファも絨毯も壁付灯の淡いオレンジ色に染まっていた。

「ここはもう帰ったことになってるからね」

開口一番、石井が言った。記者に相当やられた。灯のせいもあろうが、顔には皺の数だけ疲労の影が落ちていた。

赤間は——靴を履いたままソファに寝そべっていた。だらしなく伸びた手足。虚ろな目。三上に関心を示さない。それはこちらも同じだった。

「延期、ではないんですね」

三上は石井に尋ねた。

「だから、取り止めだよ。中止ってことだけど、中止とは言っていなかった」

落胆したのか。胸を撫で下ろしたのか。どちらの感情もありそうな口ぶりだった。思い返せば、昼間、誘拐事件が起きたと告げた時もそうだった。それじゃ、長官が来られないじゃないか——。

「報道協定は大丈夫なの」

「どうにか仕上がりそうです」

「だったらいいけど、とにかく記者たちには参ったよ。こっちに被害者の名前を明かせと言われてもなあ。刑事部とやり合ってくれと言ったんだけど、なにしろすごい剣幕で、もう散々怒鳴られたよ――じゃあ、各社に連絡頼むよ」

「わかりました。視察は中止、と伝えます」

三上はすでに腰を上げていた。寝そべったままの赤間に黙礼し、ドアに向かった。背中で声がした。

「これは刑事部の仕業ですか」

三上は振り向いた。赤間はぼんやり天井を見つめていた。

寒々とした風が胸を吹き抜けた。

今はいいではないか、東京のことなど。少女が誘拐された。自分の娘が日々何事もなく暮らせていることに思いが向かないか。天下国家がどうした。それは誰かの故郷の集合体だ。赤間にも故郷があるだろう。そこにも警察官がいる。多くの仲間が町を村を守っている。誇れないか。自分もその一員だと胸を張れないか。ちっぽけな野望が郷里に何をもたらす。夢が破れたからといって何を嘆く。故郷が恙(つつが)なく、平和で安全ならばそれでいいではないか。

これは刑事部の仕業ですか――。

「違います」

三上は答えた。

「外に蔓延(はびこ)る鬼畜の仕業です」

68

そこはまさしく「東京」だった。

午後十時。三上は西庁舎六階の会見場に足を踏み入れた。まずもって廊下とは体感温度が違った。県庁で一番広い部屋が人いきれに満ちていた。夥しい数の長机と椅子。ずらりと並んだテレビカメラ。床を走るコードに足を取られた。誰かの肩や肘やバッグに触れずには通路を歩けない。そこかしこで交わされる会話が重なり合い、混じり合い、低周波の耳障りな雑音となって部屋全体に籠もっている。

正面奥の演壇に『広報』の腕章を巻いた蔵前の姿が見えた。そこまで辿り着くのに数分掛かった。会見用の長机が一つ。その中央にテレビとラジオのマイクが束になってセッティングされていた。

「明日の長官視察はナシだ」

頭から飛んでしまっていたのだろう、一瞬、蔵前の瞳が焦点を失った。

「あ……そうですか。中止ですね」

「こっちの記者たちに知らせてくれ。直接が無理なら携帯を使え」

「こっちの……？」

「ウチの記者たちだ」

「あ、はい。わかりました」

居場所の見当がついているのか、蔵前は演壇を下りて人混みに分け入った。

三上は改めて会見場を見渡した。これほど多くの報道関係者と向き合うのは最初で最後だろう。演壇のすぐ下に大勢のカメラマンが陣取っている。皆ラフな格好で床に直に座り込み、たむろしているという形容がぴったりだ。そのカメラスペースの後方に記者たちが控えている。山脈のように連なる長机の列にびっしりと顔が並んでいる。険しい顔ばかりではない。怪訝そうな顔。白けた顔。不安そうな顔。期待感に染まった顔。挑むような目。何か言いたくてたまらなそうな口元。ベテラン風の黒縁眼鏡は余裕の腕組みだ。ロングコートにマフラーの伊達男はテレビ関係者か。あくびをしている者。大声で携帯を掛けている者。周りを笑わせている者。長期戦に備えてか、リュックや寝袋、果ては簡易テントまで持ち込んでいる取材クルーもある。女も多い。青筋立てて若い男に指示を与えている者。再会を喜んで黄色い声を上げている者。レポーターとおぼしき丸顔はコンパクトで化粧を直している。総じて我が物顔だ。全国各地の大事件を飛び回ってきた自信だか驕りだかが寄り集まり、厚顔を厚顔とも思わぬふてぶてしい空気を醸成している。

「ウチの記者たち」は埋没していた。蔵前の背中を目で追っていなければ探すのに苦労したろう。東洋の手嶋がいた。ダウンジャケットを着込んだオールバックの中年男に名刺を差し出している。本社のスター記者か何かか。手嶋は愛想笑いを浮かべている。毎日の宇津木がいた。思い詰めたような顔だ。綻(ほころ)んだ。蔵前が声を掛けたからだ。朝日の高木まどかがいた。ぽつねんとしている。周囲は社の人間たちのようだが会話に入れずにいる。読売の笠井、そしてタイムスの山科。居心地が悪そうだ。事件発生地を預かる記者だというのに表情に覇気がない。だから目立たない。少し目を離すと見知らぬ顔の群れに紛れてしまう。

そういうことだ。名前も社名も所属も何一つ知れないゲストが、圧倒的多数をもってこの場を支配している。どんな性格で、どんな立場で、過去にどんな仕事や発言をしてきたかもわからない余所者を相手に誘拐事件の会見を行うのだ。「事件トンビ」である彼らにとって、事件がどこで起こったかは重要ではない。十把一絡げに田舎の県警、田舎の広報、そうとしかこちらを見ていまい。ただの記号だ。まともに知り合う気などないし、そうする必要性を感じていない。良く言えば一期一会。悪く言うなら旅の恥は掻き捨て。後腐れのないゲストの立場を存分に生かし、遠慮も容赦もなくとことん暴れまくる。そんなドライで薄情な空気がひしひしと伝わってくる。

これがマスコミか、と思う。「ウチの記者たち」との近すぎる距離に苦しんだ。互いの言葉を縛り合う濃密な関係に汲々としてきた。そうした日々が愛おしく感じられるほどに、会見場は東京一色に塗り潰されていた。

この場に落合二課長を立たせる。会見の度に、私は木偶の坊ですと言わせる。広報官として想像したくない光景だった。いったいどんな修羅場が待ち受けているのか——。美雲の姿が目に入った。部屋の入口付近、制服を着用しているので遠目にもわかった。

向こうも三上に気づいた。高く手を上げ、振った。雑踏に恋人の顔を見つけた時のような姿だった。あんなに嬉しそうな美雲を見たのは初めてだった。全社に誘拐事件のルールを守らせた。報道車両を残らず地下駐車場に呼び込んだ。彼女も笑うことを忘れていたに違いない。こっちに向かおうとして、だが来られなかった。広報の腕章を見た記者たちに捕まった。腕章だけでなく彼女の容姿が人垣を作らせた。三上は美雲の携帯を鳴らした。慌てて出るのが見えた。

「ご苦労――よくやった」

声よりも先に顔が輝いた。

〈お疲れ様でした！〉

「お前は食ったのか」

〈えっ？〉

「チャーハンだ」

〈あ！　私は、その、ダイエット中ですので……〉

「一つ仕事を片付けて何か食え」

〈はい、何でしょう？〉

「蔵前を手伝ってくれ。長官視察が中止になった。各社に連絡中だ」

〈わかりました。主任は今どこですか〉

「部屋の中程、右よりの通路付近にいる。携帯を呼べ」

美雲が携帯を掛け直している。蔵前が反応した。耳に携帯を当てるのを見届けて三上は降壇した。美雲がくれた唇の笑みは引いていた。視察中止。伝えねばならない相手は記者だけではなかった。

〈長官といえば警察のトップです。新聞は大きく記事にしてくれると思います。テレビもニュースで流し、多くの人が目にします〉

部屋の隅に向かって歩いた。衝立で囲んだささやかな行政区域が設えられていた。『D県警察本部　関係者以外立入禁止』。中にパイプ椅子が五脚。誰もいなかった。

〈事件の情報が新たに掘り起こされる可能性もあると思います〉

約束――いっときはそう思った。雨宮にとって重要なこと。その想像は想像のまま胸を漂っている。

三上は握っていた携帯を開き、雨宮芳男の自宅に掛けた。腕時計を見た。午後十時二十分――。

なかなか出ない。コールは十回を超えた。もう床に就いたのか。さりとて明日の朝でいいという話ではない。十二回……十三回……。コールの度に胸が痛んだ。

先方の受話器が上がった。が、続く声はなかった。耳にしじまが広がった。

三上は言葉を押し出した。

「夜分申し訳ございません。雨宮さんのお宅でいらっしゃいますか」

〈……雨宮です〉

静かな声だった。

「県警の三上です。先日お伺いした」

〈わかります。何でしょう〉

「端的に申し上げます――当方が明日予定していた長官の視察ですが、諸般の事情により中止になりました。ご報告が遅くなり、大変申し訳ございません」

長い間ができた。それは本当に長かった。

〈では……〉

声が戻った。

〈誰もいらっしゃらないんですね〉

散髪した白髪が目に浮かんだ。落胆したのか。やはり些かなりとも長官視察の報道に期待する気持ちがあったか。

約束――雨宮にとってはそうだったのかもしれない。

三上は頭を垂れた。

「お詫びの言葉もございません。こちらの急なお願いを聞き届けて下さり、訪問のご承諾をいただいておきながら、こんなことになってしまい……」

また無言の間が広がった。

なぜ中止になったのか？　そう問われているようで居たたまれなかった。

〈……わかりました〉

頭をさらに垂れてその声を聞いた。が――。

〈大丈夫ですか〉

えっ？

〈あなたは大丈夫ですか〉

ハッとした。そうだった。雨宮翔子の仏前で醜態を――。

「その節は……大変お見苦しいところを……」

〈悪いことばかりじゃありませんよ。きっといいことだってあります〉

優しい声だった。初めて雨宮の本当の声を聞いた気がした。娘を亡くし、犯人も捕まらず、どうしたらそんな声が出せるのか。

もう一度詫びの言葉を口にして電話を切った。限界だった。目頭を強く押さえていた。これ以上雨宮と話をしたら、あの時のように涙が溢れ出そうだった。

三上は深呼吸をした。胸を二度三度と拳で叩いた。もう一本、電話をしなければならなかった。咳払いを繰り返した。発声を何度も確かめた。

〈どうしたの、その声〉

美那子の耳は騙せなかった。

「いや、どうもしない」

〈大変？〉

口癖がいつもよりずしりと胸に響いた。

「ん。今夜は帰れない。戸締まりをきちんとして休んでくれ。それと——」

言おう。三上は腹に力を込めた。

「松岡参事官にお前を貸してくれと言われた。捜査の応援だ」

〈私に……？　何の捜査？〉

「誘拐だ」

自然と声が窄まった。

「明日やるアベック捜査の要員を欲しがってる」

美那子が息を呑んだのがわかった。

「無理ならいいと言ってる。お前の気持ち次第だ」

〈誰が……どんな人が誘拐されたの？〉

「十七歳の女子高生だ」

〈……………〉

「断っていい。一向に構わないんだ。参事官もそう言っていた。だがもし——」

人助けのために。松岡の言葉を伝えたい衝動に駆られた。いや、雨宮の言葉か。悪いことばかりじゃありませんよ。きっといいことだってあります——。

「美那子」

〈……………〉

「美那子？」

〈行きます、私〉

三上は天を仰いだ。決意の顔が目に見えるようだった。言わせてしまった。だがそれでいい。何かがほんの少し前に進んだ気がした。だから電話を切ってすぐに着信があった時、落胆が先んじてディスプレイも見ずに出た。やっぱり無理か――。

〈二渡だ〉

この瞬間を狙って掛けてきた。そんな思いが胸に突き刺さった。

「何の用だ」

〈手伝えることはないか〉

言葉を返せず、次の台詞を待った。

〈事件は聞いた。俺に手伝えることがあれば言え〉

「ない」

答えてから頭が急回転を始めた。

「暇になったからか」

〈特段、暇じゃない〉

「そうか？」

心のどこかが発火した。

「思い通りには行かなかったようだな」

〈ん？〉

「認めろ。お前は何もできなかった。何もだ」

やり込めたつもりが、平然とした答えが返ってきた。

〈確かに誤算はあった〉

誤算？　たまたま誘拐事件が起きて長官視察が潰れた。それを誤算と言って退けるのか。

「あんまり自惚れるなよ。誤算が聞いて呆れる。偶然まで計算に盛り込めると思うな」

〈結果オーライだ〉

何だと？

衝立の端から急ぎの顔が覗いた。諏訪だった。すぐ終わるの手を向けておいて、携帯に吹き込んだ。

「お前に用はない。いいから部室の掃除でもしてろ」

携帯を畳んだ途端、諏訪が発した。

「本協定が締結されました。十一時ジャストから初発の会見です」

69

長い夜が始まった。

会見場の扉が閉じられた。外に灯が漏れぬよう窓には暗幕が引かれた。総勢二百六十九人。警務課が入場をチェックした報道陣の数だ。

三上は落合とともに壇上に立っていた。

テスト──テスト──テスト。ワイヤレスマイクの声は若干割れたが、入口付近に立たせておいた蔵前はスッと手を上げた。ＯＫだ。後ろまで聞こえている。

「Ｄ県警広報官の三上です」

言った途端に目をやられた。最前列に陣取ったカメラマンの一団が、こちらもテストとばかり一斉にストロボを焚いたからだった。

三上は大きく息を吸った。

「十二月十一日午後十一時。それでは報道協定に基づき、玄武市内における身代金目的誘拐容疑事件に関する記者会見を始めます。こちらは会見を担当する捜査第二課長の落合警視です。協定中の会見が円滑に進行するよう、皆さんのご協力をお願い致します」

おい！　カメラマンのすぐ後ろの列で声が上がった。なんで二課長なんだ！　まずは刑事部長を出せ！

口髭を生やした四十代半ばの男。初見の記者だが、すぐ横に秋川の姿がある。さっき手嶋と話していたオールバックもいるから、そこいら一帯が東洋のシマだ。

構わず始めて。三上は落合に耳打ちした。こくりと頷き、二十七歳のキャリア警視は長机の中央に腰掛けた。七三分けの髪。広い額に理知的な目元。誠実そうに見える。それが唯一の好材料であり生命線と言えた。三上は落合の全身が小刻みに震えているのに気づいていた。二課次席の糸川に言わせると、プレッシャーにからきし弱いパニック屋――。

「落合です。よろしくお願い致します」

やや上擦った声だった。場内にバラバラッと音がした。大勢の人間が同じ行動をとると、ノートを開く音でさえ迫力を持つ。

落合が手元の資料に目を落とした。

「事件概要については、既にお配りしてあるレジュメをご参照下さい。現時点で事件及び捜査に進展はありません。初動捜査態勢は約六百名。被害者宅には五～七名の捜査員が入っており、鋭意捜査中であります」

落合が目線を上げた。話は終わった顔だった。

会場は静まり返った。まさかそれだけじゃないよな？　全員の目がそう言っていた。演壇の端に控えていた三上は慌てて落合の背後に回った。まずは事件概要を肉付けして説明しろ。そう助言するつもりだったが間に合わなかった。

「以上です」

落合が立ち上がった。

「次回会見は午前一時に行います」

ふざけるな！　聞き取れたのはそれだけだった。地鳴りかと思った。会見場全体が揺れ、大音響が演壇に襲い掛かってきた。それは皮膚に痛みを感じるほどに強く、鋭く、待っても待っても収まらなかった。

落合は椅子に座っていた。腰を抜かしてそうなった。顔面蒼白。きっと頭の中も真っ白だ。三上は耳打ちした。反応がないので耳元で怒鳴った。事件概要を詳しくやれ！　震える指が事件概要のレジュメを捲った。覗き込んだ三上は驚愕した。何の書き込みもなされていない。諏訪が作成したままの、真っさらなレジュメだった。荒木田刑事部長は本当にやった。肉付け情報ゼロ。まさしく落合は木偶人形だった。

三上はワイヤレスマイクを握った。だが言葉が出てこない。何か言えば藪蛇になる。何を言っても火に油を注ぐ。今はただ、砂嵐のごとき怒号と罵声に身を晒すことが唯一の仕事に思えた。

と、挙手が目に入った。東洋のシマ。秋川の手だった。糾弾の手ではない。差し伸べた手。そう見えた。マイクを——そう聞こえた。

三上は直感に従って演壇を駆け降りた。カメラマンの間をすり抜け、バトンを渡すように秋川にマイクを差し出した。目が合った。異様な光を宿した目だった。受け取ったマイクをぐっと握り、三上に背中を向けた。燃え立つ報道陣に向き合ったのだ。

「D県警記者クラブ幹事社、東洋新聞の秋川です！」

秋川は三度、同じ言葉を繰り返した。それでようやく騒ぎが下火になった。

「お怒りはごもっとも！　かねてよりD県警の広報姿勢には重大な問題があり、ことあるごとに当記者クラブが是正を求めているところであります！」

背筋に冷たいものが走った。さらに煽る気か。助け船を出す。そんな心理は少しも働いていないのか。

「今回の会見においても二課長を充てるなど、まったくもって言語道断！　当クラブは即刻抗議し、刑事部長、あるいは一課長の会見を実現させます！」

興奮の極みだ。日頃はちらりとしか見せない自意識の強さが剝き出しになった感があった。

「しかし！　初回の会見がこのまま流れてしまってはあまりに不毛！　貴重な時間の浪費です。そこで幹事社として提案します。ここは一旦騒ぎを収め、質疑応答に切り替える。事件の基礎情報の上積みを図る。各社、いかがですか！」

声が壁に反響した。一拍置いて、秋川の両隣にいた口髭とオールバックが、まあ後輩の頑張りに免じての顔で手を叩き始めた。釣られるように場内に疎らな拍手が起こった。

「では！」

秋川がこっちに向き直った。壇上の落合を上目遣いで見据えた。酸欠状態に陥ったような、鬼気迫る顔だった。自意識とも助け船の心理とも異なる、それは地元記者クラブの意地に見えた。だがまずい。秋川の内面がどうあれ、このまま質疑応答に持ち込まれたら――。

「二課長！　まず幹事社として幾つか質問をさせていただきます。以降は会場にマイクを回します。よろしいですね」

割って入ろうにも制止する理由がない。三上は動けなかった。

秋川の腹は大きく波打っていた。

「今回の事件の捉え方からお願いします。特捜本部は十四年前の翔子ちゃん事件との関連についてどう考えていますか」

「えっ？　関連ですか？」

落合の反応はいかにも鈍かった。

「脅迫電話の文言がそっくりでしょう。狂言の可能性はさておき、二つの事件に関連があると見ているのか、ないと見ているのか、どっちです」

「それは……まだなんとも言えません」

「関連性あり、の根拠はないんですね」

「ないと思いますが、まだわかりません」

「では具体的な話で数点――」

秋川はレジュメを頭上に掲げた。

「これはあまりに大雑把で不出来だ。被害者方の資産状況、両親の職歴、両親から行った聴取内容を詳しく教えて下さい」

落合は無駄にレジュメを捲った。

「えー、それらの点についてはまだ報告が上がってきておりません」

場内がざわついた。髭とオールバックも眉を顰めている。

秋川に焦りの色があった。ちゃんと答えてくれ。そう願っているように見えた。

「その後、脅迫電話やそれに類する犯人側の動きはありませんか」

「それはありません」

「初回と二回目、脅迫電話の発信場所はどこですか」

落合はまたレジュメを見た。三上はぞっとした。「県内」。そんな惚けた答えをしようものなら地鳴りの再来だ。報告が上がっていません、で通すしかない。三上は胸の前でバツ印を作った。落合はまだ用紙を捲っている。見ろ。こっちを見るんだ――。

秋川の荒い息をマイクが拾った。

「これには『県内』とだけ書かれている。県内のどこです。ドコモで確認済みのはずでしょう」

助け船とも追い打ちとも取れる質問だった。

落合が顔を上げた。追い詰められた顔だった。

「私は承知しておりません」

だったらわかってる奴を連れてこい！　誰かの怒声を合図に会場全体が牙を剝いた。数え切れない舌鋒が熱風となって壇上に吹き上げた。誠実そうな見てくれなど何の役にも立たなかった。落合は怯えていた。

もういい！　お前も引っ込め！　秋川にも罵声が浴びせられた。隣の口髭が呆れ顔で言った。おい秋川、日頃サツにどんな教育してるんだ――。

「あと一点！」

秋川はマイクを放さなかった。首も耳も真っ赤で悲壮感に包まれていた。

「二課長！　この事件は狂言誘拐ですか！」

またしても三度、同じことを叫んだ。が、今度は鎮まらなかった。時間の無駄だ！　幹事失格だ！　お前が刑事部長を呼んでこい！

「落合さん！　重要なことです。答えて下さい。特捜本部は本当に狂言誘拐だと見ているんですか！　イエスかノーか！」

「そ、それはまだ……」

「わからないじゃ困る！　アンタは特捜本部を代表してここに来てるんだ！　答えろ！　これは目崎歌澄の狂言なのか！」

秋川の絶叫は人の域を超えた。会場の音量がミニマムに落ちた。すべての耳が回答を待った。

落合の目は宙を泳いでいた。口の中の呟きをマイクが拾った。

「メサキ、カスミ……？」

秋川の瞬きが止まった。その目が大きく見開かれた。

三上は天を仰いだ。

――なんてこった。

落合は被害者の名前すら知らなかった。「C子」。レジュメにはただそう記されていた。

協定破棄だ！　音量の針は瞬時にマキシマムに振れた。記者は総立ちだった。一人、秋川は声を失っていた。マイクを握った手をだらりと下げ、雨に打たれたように肩を窄めていた。

70

県警本部ビルに逃げ帰った。

次回会見は午前一時。それだけを伝達して本当に逃げた。三上と蔵前で落合の両脇を抱え込み、諏訪を露払いにして会見場を突っ切った。蔵前の背広のポケットが裂け、諏訪は腕章を剝ぎ取られた。落合はくしゃくしゃになった髪を撫でつけながら講堂の特捜本部に戻った。三上は入れなかった。扉の守りは四人に増強されていた。前線にいる捜査一課長は無理として、刑事部長が会見に臨む以外に事態を好転させる方法はない。だが荒木田は「捜査指揮に専念」を金科玉条に籠城を続け、三上が何度御倉を脅しても、記者たちが数に物を言わせて押し掛けても面談することすら叶わなかった。

結局、午前一時の会見も落合が登壇した。そうできたのは特捜本部から「被害家族情報」を授かっていたからだった。目崎正人の預貯金は約七百万円。五十坪の自宅敷地は親からの遺産相続で、そこに新築した家屋の二十年ローンを返済中。市内のビル一階フロアを賃借してスポーツ用品店を経営。十年ほど前までは高級外車ディーラーのセールスマンだった。目崎睦子は比較的裕福な農家の長女で職歴なし。身代金の一部は睦子の実家が工面する。目崎歌澄の高校出席日数は一学期が十三日。二学期はゼロ。九日夜十時頃、ヒョウ柄のコートを着て家を出たきり消息不明——。

冒頭の十分は場がもった。しかし手持ちの情報を読み上げてしまえば、あとはまた空っぽの落合が壇上にいるだけだった。質問には何一つまともに答えられない。それでいて目崎一家の実名は「公表できません」と言い張り、A、B子、C子の匿名呼称を頑なに使い続けた。

騒然が常態化した。一秒の空隙もなく、怒号が乱れ飛んでいた。東洋の口髭とオールバックが場の主導権を握りつつあった。なんとしても会見に刑事部長を引っ張り出したいが思いのほかガードが固い。そう見た彼らは落合を「伝書鳩」として酷使する戦法に出た。一人が質問する。回答に詰まる。その都度、落合は特捜本部に訊きに行かされた。急げ！　走れ！　言葉の礫で会見場を追われ、エレベーターで一階に下り、真っ暗な地下道を転がるように走り、階段を上り、特捜本部に入る。そして不十分な回答を持たされて会見場に舞い戻る。答えになってない！　もう一度！　またしてもエレベーターに乗り込む。三上は毎回同行した。応対する御倉に落合の窮状を訴え、荒木田の登壇を要請し、胸ぐらを摑み、ついには壁に後頭部を叩きつけて交渉相手を失った。

午前三時。恐れていた通り、休憩なしの連続会見となった。落合の往復運動はルーチンワークと化していた。まとめて質問を受け、まとめて回答したい。三上は口髭に申し入れたが聞き入れられなかった。刑事部長を引きずり出すための戦略だ。彼らにしてみれば消耗した落合の姿を何度も何度も特捜本部に見せつけることに意味があった。実際、落合の消耗は激しかった。目は虚ろ、足は縺れ、時にはエレベーターの中でへたへたと座り込んだ。荒木田の考えがわからなかった。ただもうキャリア憎しが高じて落合をなぶっている。見せしめにしている。そんな邪推までした。だが――。

やはりおかしい。マスコミに報道協定の締結を要請しておきながら、こうまで情報を出し渋るのはなぜか。何か隠している。何かを隠す必要に迫られている。三上でなくともそう思う。会見場には疑心が漂い始めていた。質問をはぐらかしているのは時間稼ぎのためではないのか。ブラインドの向こうで捜査は大きく進展している。あるいは失策を繰り返している。まんまと報道協定を利用された。いや、悪用乱用の類だ。各社の精鋭部隊を一カ所に閉じこめておいて好き勝手に捜査を行う。もしそうなら前代未聞の裏切り行為ではないか、と。

午前四時半を回っても一時からの会見が続いていた。落合が席を外すたび、会場のあちこちで「協定を破棄すべきだ！」の強硬意見が噴き上がった。それが賛同のうねりに発展しないでいるのは、実際に破棄した場合の混乱を恐れる頭がまだ多くの記者に残っていたからだった。これだけ大勢が一斉にフリー取材に走ったらどうなるか。警察の報道対応がよかろうと悪かろうと誘拐事件そのものの性質が変わるわけではないし、本件が目崎歌澄の狂言である保証もまた、ない。警察の情報サポートなしに闇雲に動き回り、それが元で女子高生の命が奪われることにでもなったら、と脳内で赤信号が点滅する。警察を揺さぶるカードとしては切り札に近いが、しかし現実に協定を破棄するのは難しい。ならば警察に足元を見られぬよう最初から声高に叫ばないほうがいい。ジレンマだ。記者たちは進退両難に陥り、それがまた新たな苛立ちとなって一触即発の暴力的な気配を形成していた。

午前五時もただの通過点になった。落合は限界に近かった。極度の疲労が眠気を呼び込み、頭が朦朧としているようだった。美雲が用意した蒸しタオルも栄養ドリンクも効き目がなかった。特捜本部に向かう時には諏訪か蔵前が肩を貸した。戻ってきても大抵は手ぶら同然で、ために艦砲射撃のごとき罵声をひたすら浴び続けた。それでも口髭とオールバックは容赦なく「伝書鳩」を飛ばした。あと一押しだ。そろそろ潰れる。そんな会話が耳に入った。秋川の姿はずっと見ていない。彼がいてくれたら。三上は心底そう思った。

状況はどん詰まりだった。出口が見えなかった。D県警は協定中の義務を果たしていない。非は明らかにこちらにある。記者たちが刑事部長の会見を要求するのは当然と頭ではわかっている。それでも夢遊病者のような落合の姿は見るに堪えなかった。腸(はらわた)は煮えくり返っていた。報道陣に対してというより、己の無力さが腹立たしくてならなかった。広報室は機能不全に陥っていた。荒木田を説得するどころか会うことすらままならず、落合のサポートに至っては酔っ払いを介抱するレベルだ。

諏訪の口数はめっきり減った。疲労困憊ばかりが原因ではない。東京のマスコミに、その桁違いのスケールに呑まれた。太刀打ちできない。そんなカルチャーショックが広報マンの自負心を打ちのめしている。蔵前は感情が鈍麻したかのようだ。軟体動物的なツノだかヤリだかは引っ込めて、ただのつまらない事務屋の殻に戻ってしまっている。美雲は視野狭窄だ。広報の職務全般に頭が回らず、ただもう本気で落合の体を心配していた。特捜本部を往復するたび、手のひらにボールペンで「正の字」を書いていた。危険です。このまま続けたら倒れてしまいます――。

五時四十分。落合と諏訪の背中を見送った三上はトイレに寄った。窓の外はまだ真っ暗だった。どっと疲れを感じた。無力感がそうさせる。美那子はどうしたろうか。雨宮芳男は……。あゆみは……。俺は何一つ、まともにできていない……。

廊下に出た途端、首筋が張った。薄暗いエレベーターの扉の付近、待ち伏せするかのように人影が重なっていた。十人。いや二十人はいる。

近づいてわかった。牛山、宇津木、須藤、釜田、袰岩、梁瀬、笠井、山科、手嶋、角池、高木、掛井、木曾、林葉、富野（とみの）、浪江……。皆、こちらを睨みつけていた。秋川もいた。一団から少し離れた壁に力なく凭れ掛かっていた。

「D県警はどうしちまったんです」

牛山が口火を切った。苛立ちを隠そうともしない。どうにかなんないんですか。ちゃんとやって下さいよ。他の記者たちも口々に言った。

三上は、ああ、とだけ答えた。一団を割って歩き出した。胸に失望感が広がる。そうか。お前たちまで責めるのか。

山科が吐き出した。手嶋は拳を握り締めていた。

「たまんないよ！」

「悔しいですよ、やられっぱなしで」

三上は足を止めた。悔しい？　本社の連中に舵を握られたからか。俺に言ってどうする。いそいそと名刺を出していたではないか。やられっぱなし？　それはこっちの台詞だろう。なぜお前らが――。

「D県警が無能呼ばわりされるのは堪えられません。こんなのたまりません」

高木まどかだった。三上はハッとした。彼女の目がうっすら濡れていたからだ。

そうか。

ただの旅人ではないのだ。三上にも覚えがある。脇役に追いやられた自分たちのことを嘆いているのではないのだ。三上にも覚えがある。初めての勤務地は特別だ。親の庇護を離れて自活する。仕事を覚え、道を覚え、店を覚え、住み、食べ、眠り、悩み、己の両足で大地を踏みしめる。本当の自分が生まれた場所なのだ。故郷以上に故郷なのだ。その地が蹂躙(じゅうりん)された。それが悔しくて悲しくてならないのだ。

三上は何も言わずに歩き出した。「ウチの記者たち」の思いに応えうる言葉を持っていなかった。胸は熱かった。そのことだけは秋川に伝えておきたかった。

下を向いていた。憔悴しきっていた。果敢にマイクを握って自爆した。最大の舞台で最高のパフォーマンスを見せようとした。地元幹事の意地と責任感もあった。そしてきっと、助け船の情も胸に秘めていた。

足は止めずに秋川の肩を握った。

お前は勇ましかった。次は俺の番だ――。

71

転機は突然訪れた。

落合が息を吹き返した。六時半だった。会見場に戻った姿は、特捜本部に向かった時とは明らかに違っていた。表情が幾分明るい。足の運びは心許ないが、諏訪の手を借りることなく登壇し、椅子に腰掛けるや胸を張って会場を見渡した。いい情報を持たされた。いや、それ以上だ。被害者が死んでいたらあんな顔はできない。目崎歌澄がひょっこり元気な姿を現した。あるいは犯人が捕まった。もしそうなら即刻、協定解除だ。暗幕に覆われたこの異空間は瞬時に消えてなくなる。

三上はカメラマン溜まりの横にいた。部下に目配せをした。諏訪が小さく頷いた。蔵前と美雲は歩み寄ってきた。そわそわしている。終わってほしい。どの顔にも願望が滲み出ていた。

報道陣も落合の変化に気づいてざわめいた。緊張感と期待感が交錯する中、一言一句聞き逃すまいと多くの記者が机に身を乗り出した。テレビ用のライトが一斉に点灯し、カメラマンが肩をぶつけ合いながらシャッターを切り始めた。口髭がマイクを握った。

他の記者たちとは様子が違う。落胆とは言わないまでも、落合の復活を喜んではいない顔だった。

「じゃあ、まず宿題の回答を伺います。無言電話は何回で、いつで、何秒ぐらいで、背景音はあったのか、なかったのか」

「それはまだわかりません」

落合が笑みを浮かべて答えたので、口髭の顔色も変わった。

「事態急変ですか？　目崎歌澄の保護？　犯人の身柄確保？」

誰もが息を呑んだ。

「ああ、違います、違います。C子も犯人もまだ確保していません」

「だったら何です」

口髭が凄んだ。が、落合の笑みは引かなかった。

「これまで何度も質問のあった脅迫電話の件ですよ。やっと発信場所がわかりました。玄武市内からです。二度ともそうでした」

それは重要な情報には違いなかった。だが間が悪かった。期待値が高かったぶん、落合が気を持たせたぶん、取るに足らない情報として耳に届いた。会場にいるすべての記者が大きく息を吸った、そんな一瞬があった。このピンボケ野郎に何と言ってやろうか。

口髭は心得ていた。

「玄武市内のどこです」

「えっ……?」

「半径三キロまで絞れるはずだろ?　あんた、まだわからないのか。我々が知りたいのは具体的かつ正確な情報だ」

あ、と発したきり落合は絶句した。

「やり直し!」

隣のオールバックが声を上げた。生徒にでも命じるような口調だった。一斉に火の手が上がった。期待外れの反動が罵声をさらに尖らせた。ガキの使いか!　いい加減に学習しやがれ!　お前は生きてる価値なし!

落合は虚空を見つめていた。表情がなかった。顔の筋肉がすべて弛緩してしまって、それは死人の顔を彷彿とさせた。やっとの思いで発信場所のネタを引き出した。記者を納得させられる情報を下さいと縋った。おそらく荒木田に泣きついた。皆に褒められる。そんな仄かな期待を胸に戻ってきた。

だが——。

「もたもたするな!　早く行け!　会見に相応しい情報を持ってこい!」

落合は席を立たなかった。静止画像のように見えたその体が、ゆらりと前傾した。ごっ。額が机を打った。そのまま両肘を大きく開いて机に突っ伏した。

ごめんなさい——そう見えた。

「救急車を!」

叫んだのは美雲だった。が、口髭が倍の強さで怒鳴った。

「甘ったれるな！　これしきのことで逃げ出せると思うな！」

美雲は口髭に向かって手のひらを見せた。正の字が五つ、六つ――。

「二十九回も往復してるんです！　一睡もしないで七時間半も会見をやってるんです！」

口髭は見もしなかった。視線は壇上の落合を刺し続けていた。

「こっちだって同じだ！　東京から飛んできて一睡もせず七時間半だ。すし詰め状態で、みんなエコノミー症候群寸前だ。二十九回往復？　結構なことじゃないか、適度な運動ができて羨ましい限りだ」

隣のオールバックが肘で口髭をつついた。病院送りでＯＫだろう。そうすりゃ部長か一課長が出てくるしかなくなる――。

またカスを送り込まれたらどうするよ？　口髭は言い返して、落合に目を戻した。

「ウチに帰って寝たかったら刑事部長に頼め！　会見を代わって下さいと土下座してこい！」

壇上では諏訪と蔵前が落合に駆け寄っていた。美雲もポットとタオルを手に続いた。ぐにゃぐにゃした上体が起こされた。ゼンマイが切れた。精も根も尽き果てた。唇の端からよだれが糸を引いていた。

「おい！　しっかりしろ！　あんたキャリアの端くれだろ？　こんなところで潰れたら

将来なくなるぞ」

「もういいだろう」

三上は言った。心の深いところから言葉が出た。口髭がこっちを見た。何を言ったか聞き取れなかった顔だった。

「もういいだろう！」

三上は声を張り上げた。

「これじゃあリンチだ。もうやめろ！」

「何だと？」

口髭が早足で近づいてきた。腕を伸ばし、三上の口の前にマイクを突き出した。

「もう一度、言ってみて下さいよ」

「リンチとわかっていて人は出せん。会見は中断する」

何百もの手が机を打ち、一斉に立ち上がった。床が揺れた。しばらくは怒号の嵐が吹き荒れた。壇上の部下たちは目を見開いていた。落合も半開きの目でこちらを見つめていた。口髭は高く突き上げたマイクを左右に振っていた。俺に任せてくれ――。

やがて会場は鎮まった。いや、全員がまだ口の中で何か言っている。三上の発言如何で瞬時に鬨（とき）の声になる。

「リンチね」

口髭は挑み顔を三上に向けた。

「あなた広報官でしょう？　現状認識が間違っちゃいませんか。被害者の名前すら知らない二課長を会見責任者に据えた。弱者を差し出しておいて幹部は逃げた。それこそがリンチじゃないのか！」

医務室に連れて行け！　三上は壇上に声を掛けた。美雲がびくっと反応した。

「おい！　名ばかり広報官の鬼瓦！　ちゃんと話を聞け！」

鬼瓦。オールバックと口髭が即興で三上に渾名をつけたのは知っていた。

「会見を中断する？　協定中の義務を放棄するってことですか」

「次の会見は午前八時からやる。その間に事件に動きがあればペーパーを投げ込む」

「冗談は顔だけにしとけ！　事件の動きを何も知らない広報が、どうやったら事件が動いたことをペーパーにできるんだ」

そうだ！　巨大な声の塊が飛んできた。適当なことを言うな！　今すぐ刑事部長を連れてこい！

「警察はどこもひどいが、こんなに低レベルな広報は初めてだ」

口髭は三上を見据えて言った。綺麗な目をしていた。社会正義とやらを長年唱えていると、こんなガラス玉のような目が出来上がるのか。

早く連れて行け！　三上はまた壇上に声を飛ばした。諏訪と蔵前が肩を貸して落合を立ち上がらせている。

「それで？　次はどうするんです、鬼瓦さん」

「何がだ」

「ドクターストップが掛かったら会見は誰がやるんです」

「しかるべき代役を立てる」

「刑事部長だ。今、ここで確約しろ！」

そうだ！　そうだ！　そうだ！　サラウンドシステムのように賛同の声が場内を駆け巡った。刑事部長を出せ！　確約しろ！

三上は黙した。奥歯を嚙み締めていた。

「だんまりは困ります。我々はごくごく普通の誘拐会見を求めているだけだ。なぜ刑事部長を出せない？　D県警はいったい何を隠している？」

二人に抱えられて落合が演壇を降りた。記者で埋まったフロアを抜けていく。美雲を呼び寄せた。ここを突っ切らせるのは危険な気がした。落合は歩けるスペースを探しながら縫うように出口に向かう。靴はほとんど床を捉えていない。両脇の二人なしには一歩も歩けまい。地雷原を、傷病兵を連れて脱出する光景のようだった。

ちょっと待てよ！　会場の中ほどで尖った声が上がった。いいのかよ、帰しちまって！　部長会見の確約を取ってからだろう！　三上は舌打ちした。地雷を踏んだ。それは瞬く間に誘爆を引き起こした。行かすな！　興奮した記者たちがバラバラと席を立った。落合の行く手に立ち塞がった。右にも左にも記者が押し寄せた。確約を取れ！　刑事部長と交換だ！　落合を取り囲んだ輪が狭まった。諏訪と蔵前の顔が引き攣った。三上の背後で美雲が悲鳴を上げた。

「指一本触るな！　公妨でパクるぞ！」

三上は反響した自分の声を聞いた。口髭のマイクを奪って叫んでいた。

会場は静止した。二百六十九人の目がこちらに向いていた。

三上は目を閉じた。わーん、わーん、わーん。声とも音とも判別のつかない凄まじい振動と圧力が鼓膜を叩き続けた。マイクを奪い返された。口髭ではなく、オールバックの乱暴な手だった。

「粋がるなよ、鬼瓦！　強面で仕切れるのはド田舎のお子様クラブだけだ！」

口髭は三上を見つめていた。再びマイクを手にした。不正義を正す。ガラス玉は確信の光を放っていた。

「我々はずっと我慢してきた。未成年者の狂言の可能性があるというそっちの言い分を信じ、事情を汲み取り、匿名の茶番劇も許してきた。しかしもう我慢の限界だ」

突如として口髭は沸騰した。

「愚弄するのもたいがいにしろ！　ここの会見は会見として成立していない！　D県警は報道協定を悪用している。すべてを隠蔽しつつ裏で暴走している。こんなデタラメを見過ごせるか！　だからこの場で決を採る！」

口髭は報道陣に向けて体を開いた。

「まずこの異常事態を上級庁に訴える！　その上で刑事局のしかるべき人間を特捜本部

に据え、報道対応も含めて指揮監督させる！　異議ないか！」

「待て！」

三上は叫んだ。

「今後は普通の会見をやる。情報はすべて出す。それなら文句あるまい！」

「今さら何だ！　その普通ができないからこんなザマになったんだろうが！」

「そんなことはわかっている！　D県警は責務を果たしていない。修正の時間をくれ。長くなくていい」

「刑事部長を出すんだな？」

「一課長を出す」

三上は言った。燃え盛っていた会場の炎が一瞬にして消えた。大火に見合った選択をした。決して使用してはならない、実際には持ってもいない万能消火剤を投下した。

「次回会見は午前八時――以上」

離れるな。背後の美雲に言って歩き出した。敵陣突破の思いだった。途中からは落合の背中を押して歩いた。消火剤は効いている。だが燻る煙の量は尋常ではなかった。

廊下に出た。エレベーターの扉まで歩いた。それでもまだ刺すような視線を背中に感じていた。

「……ありがとうございました」

落合が溜め息とともに言った。その肩を握った。秋川のそれとよく似た骨の細い肩だった。

五人でエレベーターに乗り込んだ。扉が閉まるのを待って諏訪に言った。

「俺はもう一度、G署に行く」

諏訪は俯いていた。ここにいる誰もがわかっていた。現地で捜査指揮を執る松岡を連れ帰ることなど不可能——。

「何もしないわけにはいかない。参事官の会見は無理でも捜査情報は送れるかもしれん」

諏訪は顔を上げなかった。気持ちは痛いほどわかる。「一課長を出す」。あの言葉は打ち消せない。だが松岡は来ない。その責めを負うべき三上もいない。広報マンとして自信を喪失した今の諏訪にとって、立ち向かう術のない酷な現実が待っている。だが——。

「何もしないわけにはいかない」

もう一度口にした。己に言い聞かせた。

「行って下さい」

言ったのは落合だった。

「僕は……まだやれます。なんとか粘ってみますから」

また肩を握った。力を込めてそうした。言葉は掛けなかった。傍らにいる諏訪を追い詰めたくなかった。

三上は決断を迫られた。諏訪の横顔を見据えた。

「要りません——人事権者に弱みを見せたら、先々、広報官の目がなくなりますから」

ドアが自然に閉まった。閉まりきる寸前に諏訪の指が「開」を押した。

美雲は諏訪を見つめていた。どっちでも係長に従います。そんな目をしていた。

チンと音がしてエレベーターが止まった。ドアが開いた。誰も降りなかった。蔵前と

「警務課の二渡が協力を申し出ている——呼ぶか？」

「……」

「諏訪」

72

外は光り輝いていた。

駐車場に向かう間、三上はしばし解放感に浸った。朝日を存分に浴び、深呼吸し、手足を思い切り伸ばした。煙草を吸った。温かい缶コーヒーを飲んだ。そして乾杯のグラスのように、暗幕の引かれた六階の窓に向かって缶を掲げた。覚悟を決めてそうした。外で味わうすべての享楽は、残してきた者たちへの負い目となり、己を叩く鞭になる。見殺しにはできない。見殺しにはしない——。

諏訪の顔が頭から離れなかった。どんなふうに笑っていたかも思い出せないほどに暗澹としていた。それでも精一杯、カブいて見せた。人事権者に弱みを見せたら広報官になれなくなる。己を叱咤し、発奮させていた。会見場に、歪な正義と特権意識でパンパ

ンに膨れたあの異空間に、再び戻るために必要な儀式だった。

――笑うさ、また。

三上は車に乗り込んで時計を見た。七時二十二分。一周だけ。そう決めて駐車場の中を徐行した。美那子の軽乗用車を探していた。アベック捜査要員の集合は七時。行くと決めたのならもう来ている。アクセルを強く踏み込んで駐車場を出た。車は見つからなかった。他に幾つも駐車場はある。きっと来ている。美那子もこの輝く光の中にいる。

県道はかなりの交通量があった。

無茶な運転はしなかった。午前八時の会見は捨てていた。十時の会見も無理やり頭から追い出した。勝負すべきは正午の会見からだ。身代金を用意する期限とされたのがその正午。事件は一気に動き出す。捜査にどこまで追随できるか。現在進行形の生々しい情報をどれだけ摑み、会見場に供給できるか。広報室の職務の成否はその一点に懸かっている。外に出てみてわかった。やるべきことがはっきりと見えた。

会見場に身を置いていれば、今この瞬間瞬間が正念場と思う。日を跨いで八時間余り、三上も百メートル走を駆け抜ける思いで報道陣と対峙してきた。だが実はまだ何も始まっていない。落合の二十九往復も三人の懸命のサポートも何もかも、事件が本番を迎える前のウォーミングアップに過ぎなかった。これからだ。報道陣が本気で仕事をするのも、本当に牙を剝くのも、事件が動き出してからなのだ。

しかし、だからといって本番前の時間が静かに過ぎていくわけではない。

〈僕は……まだやれます〉

落合はあとどれぐらい保つか。八時の会見。そして十時の会見。三上が報道陣に確約した一課長は来ない。正午までの四時間、落合はどれほどの責め苦を負うことになるか。

〈なんとか粘ってみますから〉

乗り切れまい。思った刹那、胸が締めつけられた。プレッシャーにからきし弱いパニック屋――いつも傍にいる糸川の人物評が的外れとは思わないが、しかし三上にとって、もはや見殺しにできない仲間の一人だった。

覆面車両と擦れ違った。遅くも速くもなく、シルバーメタリックのボディは一般車両に溶け込んでいた。

三上は煙草をくわえて火を点けた。

〈一課長を出す〉

不可能を口にした。不可能だとはっきりわかっているのだから、自分の言葉に拘泥して自縄自縛（じじょうじばく）の囚人になってはならない。しかし、二百六十九人の面前で交わした約束を反故にしたとあらば、彼らは本気で本庁の介入を求めてくるだろう。阻止する方法は一つ、一課長の会見と同等の情報を会見場にもたらすことだ。

刑事部は何かを隠している。付け入る隙があるとすればそこだ。特捜本部にいる荒木田。前線の松岡。保秘に関して双方に温度差があるからだ。松岡は記者に伝達されると知りつつ目崎正人の名を明かしたが、荒木田はいまだに「A」を崩さない。とっくに割られている睦子と歌澄も「B子」と「C子」のままだ。松岡も妻子の名を口にすることを拒んだが、それは隠したというより彼の信念だか配慮だかが関係していそうだった。言うなれば、荒木田は何かを隠すためにすべてを隠している。松岡は隠すべきことだけを隠している。その違いは大きい。隠すべきことを除けば、松岡は情報を外に出せるということだ。もとより報道協定を無視していいと考えている男ではないし、トイレでの一件で三上の考えと今の立場は理解してくれている。こっちが「隠すべきこと」に執着しなければうまくいく。そこを避けて通るのは口惜しいが、会見場の惨状を思えばもはやそんなことは言ってられない。松岡から出せる情報をすべて引き出すのだ。さすれば「一課長の会見と同等の情報」を供給できる。もし仮に松岡の会見が実現したとしても、どのみち「隠すべきこと」は隠すのだ。目崎正人の名前は明かしても、記者がいくら攻め立てたところで睦子と歌澄の名は決して口にすまい。曰く。人間、言えることと言えないことがある——。

ふと、三上は疑問とも不安ともつかぬ思いに捕らわれた。

たったそれだけか？　他にはないのか？　被害者一家の名前。刑事部が「隠すべきこと」としている、それがすべてなのか。

違うだろう。そんなちっぽけなもののはずがない。事件だか捜査だかの根幹に関わる「何か」を隠している。荒木田が全マスコミを敵に回しても隠しきりたい、喩えるなら「幸田メモ」のようなメガトン級の秘密が潜んでいる。そう思い込んでいた。今だってそう思っている。

しかし印象だけだ。根拠はない。いまだに「何か」の尻尾すら摑んでいない。ロクヨンを模倣した手口が三上の心を翻弄した。ロクヨン視察の前日にそれが起こった偶然が、叢雲（むらくも）のように負のイメージを吸い寄せて憶測の雨を脳内に降らせ続けた。しかしどれも実体がない。事実としてあるのは、捜査指揮を執る松岡が睦子と歌澄の名前を言わなかった、それだけだ。

歌澄はいい。型通り説明がつく。彼女は狂言誘拐の疑いが掛かった未成年者だ。年齢に関係なく犯罪行為に容赦のない松岡といえども、あの場面で名前を口にしなかったことが、とりわけ不自然とは言えない。

だが、睦子は――。

なぜ松岡は母親の名前まで隠したのか。

女だから。弱いから。娘を誘拐された、あるいは娘に裏切られた哀れな母親だから。そんな心理が働いたのか。

釈然としなかった。違うのか。ならば何だ？　ただ単に三上の懇願に応えたのか。誰の名前も言う気はなかったが、元部下の窮状を見かねて世帯主の名前だけくれてやった。

いや。

〈人間、言えることと言えないことがある〉

目崎正人の名前は言えること。睦子と歌澄の名前は言えないこと――人として。

わからなくなった。

その言葉に何か意味があるのか。何もないのか。もし意味があるのだとすれば……。母と娘……。その組み合わせは三上の心に悪い想像ばかりを押しつけてくる。

また覆面車両と擦れ違った。既に全県配備が敷かれている。数時間後には身代金受け渡しの追跡劇が始まる。白昼の大捕物。そうなるかもしれない。

視界に『喫茶あおい』の看板が入っていた。モーニングサービスをやるからもう店を開けている。またここが起点になるのか。窓に美那子の顔を探した。今度もこの店だろうか。十四年前と同じ席に座るのか。

急に恐ろしくなった。黒々とした、底の見えない渦に美那子を投げ込んでしまった気がした。

根拠はないが何かが起こる。根拠がないからこそ、恐怖は恐怖たり得る。

〈外道に正道を説けるのは外道。そういう言葉もある〉

今になって、松岡の台詞が不気味に蘇った。そんな言葉は聞いたことがない。あれは松岡の言葉、松岡の思いではなかったか。ならば隠喩だ、おそらくはそう、「隠すべきこと」の。

鳥影がフロントガラスを過った。

青信号で車を急発進させた。ただ広報室のためでなく、三上は一刻も早く松岡の瞳を覗き込みたい衝動に駆られていた。

73

風が強まった。

視界の先に、清涼飲料水メーカーのロゴをあしらった四トントラックが駐まっている。三年前までは煙草メーカーのロゴ。その前は確か加工食品メーカーのロゴだった。ロクヨンの翌年、焼け太り的な予算がついて購入した特殊捜査指揮車。だがそれから十三年、この「電脳車」が出動したという話は耳にしたことがなかった。

三上は自分の車の中にいた。G署から五百メートルほど離れた自動車教習所の駐車場。指揮車を見つけるのに市内を三周した。運転席に刑事の頭。助手席の窓からも肘の先が覗いている。おそらく銀色に輝くロングボディの「荷室」にも数人乗り込んでいる。エンジンは掛かっていないが、車体下部に搭載した大型バッテリーでエアコンから電装品、電子機器まですべて賄える仕様だ。

午前十時五分。もう会見が始まっている。いや、おそらく八時からの会見が延々と続いているのだろう。考えても詮ない。松岡を待つ。普通の一課長なら特捜本部にどっかり腰を据えて指揮を執るところだろうが、生粋の「狩人」である松岡はそうしない。目の前に武器があれば必ず手に取る。指揮車があるなら乗る。だから今は両眼を開き続けていることが仕事だ。二十八時間寝ていない。眠気は微塵も感じないが、こういう時が危ないのだと過去の張り込み経験が警告を発する。突然すとんと落ちる。落ちたが最後、ホシに頭を小突かれようとも目が覚めない。松岡が指揮車に乗り込むのは十時半。遅くとも十一時。それまで落ちるわけにはいかない。

三上は煙草に火を点け、視界に指揮車を残しながら携帯を開いた。辞めた望月(もちづき)に掛けた。繋がらない。まだドライブモードのままだ。そもそも三上の運転中に望月から着信があった。ここに駐めてすぐ掛け直したのだが、花の配達にでも出掛けたのか、立場が逆転してしまった。

二渡がまた来たぜ。そんな電話を想像していた。もはや気持ちは波立たない。一応潰しておきたい電話。ただそれだけだった。長官視察のフィールドは消滅した。今はただ、見渡す限り誘拐事件のフィールドが広がっている。

三上は灰皿に煙草を押しつけた。

〈警務課の二渡が協力を申し出ている――呼ぶか?〉

諏訪を試したわけではなかった。あの場面、本気で助っ人の必要性を感じていた。二渡だったら会見場でどう振る舞い、どう乗り切ろうとするか。そんなことを思ったのもここで望月の着信を見たからで、あのエレベーターの中では違った。諏訪や落合の窮地を救える男。真っ先に浮かんだのが二渡の名前だった。

パン、パン。三上は自分の両頬を叩いた。目に入ったデジタル時計の数字に驚いたからだった。十時二十五分。腕時計も同じだ。時間が飛んだ気がした。瞬きをするたび眠っていた。そんな恐怖が込み上げた。ハンドルの上に身を乗り出して指揮車を見た。大丈夫だ。同じ場所にある。何の変化もない。息を吐きながらシートに背中を戻した、その時だった。

来た。

教習所の前の通りから、四ドアセダンが三台連なって入ってきた。先頭の車の後部座席に松岡の横顔が覗いた。車はそのまま指揮車の陰に回り込み、耳障りなブレーキ音を立てた。

三上はもう車を降りて駆けだしていた。三台目の車から降り立った刑事が足音に振り向いた。会沢（あいざわ）。向こうは気づかずスーツの裾を手でバッと跳ね上げた。チャカサックが一瞬見えた。まさか抜くのか。三上はホールドアップし、だが足は完全には止めなかった。それが特殊犯時代の上司だと気づいた会沢は、顔を緩めるわけでもなく、あとから車を降りた刑事に一声掛けた。邪魔が入ったぞ――。

三上はやや遠巻きに歩いて指揮車の前方から回り込んだ。全員を目にするよりも早く彼らの視線を感じた。七、八、九……。松岡を囲うように九人の刑事が立っていた。皆、胸や腰回りに拳銃を吞んでいる。名のある刑事ばかりだ。中でも強行犯捜査一係の緒方（おがた）。そして特殊犯捜査係の峰岸（みねぎし）。ともに班長の職が長いこの二人が、両雄、双璧として次代の刑事部を担う。こっちの立場を炙り出すような強いオーラを全身から発し、しかし意外にもその二人だけが礼を失さぬ黙礼で三上を迎えた。

松岡は今日も驚かなかった。昨夜G署のトイレで会ったばかりだというのに、一旅終えて再会したような懐かしさを覚えた。外道の目ではなかった。覗き込むまでもなく「事件着手の目」をしていた。普段より少し細くした、どこか眩しげな目だ。それがこぞという場面になると、金剛力士像のごとく太い眉ごとカッと見開く。

「よう、いつからストーカーになった」

わざとだろう、松岡の放った軽いジャブが刑事たちの緊張と警戒をワンランク落とさせた。三上だけは違った。気持ちを奮い立たせていた。缶コーヒーを掲げた、六階の黒い窓がはっきり見えていた。

「広報官の職務として指揮車に同乗させて下さい」

九人の刑事が同時に目を剝いた。その精鋭たちがこの場にいたから、泣き落としに取られかねない前置きをすべて省いた。今後のこともある。我こそは刑事の彼らの前で卑屈な態度をとり、三上個人はともかく、広報官職を安く見られるわけにはいかなかった。時間もない。おそらく松岡にない。すぐに指揮車に乗り込み出動する。だから一発勝負に出た。

松岡が口を開いた。

「礼を言う。朝、七尾から連絡があった」

「えっ？」

「聞いてないのか？　美那子さんだ。来てくれたそうだ」

「あ……」

そうか。行ったのか。

「いいだろう。乗れ」

えっ？

「ブン屋が荒れると現場が荒れる。たらふくネタを食わせて昼寝でもさせとけ」

刑事たちは仰天した。三上が一番驚いていた。既に第二案が喉元にあった。指揮車が無理なら追尾班か邀撃班の車両に同乗させてほしい――。

「参事官――」

緒方が何か言い掛け、だが何も言わずに口を噤んだ。仕えた経験があればわかる。参事官だの一課長だの、肩書や権威が緒方を黙らせたのではない。松岡という一刻者に対する絶大な信頼と畏怖の念が短慮や感情的な台詞を呑み込ませる。いずれにせよ、松岡が「乗れ」と言った以上、もはやその決定を覆せる者はいない。

「ただし、車内で得た情報は最低二十分、胸に留め置け。捜査と報道の間には常にタイムラグが必要だ」

松岡が言った。注文をつけたのではない。指揮車の中から会見場に情報を送っていいと言ったのだ。二十分は「事務連絡に要する時間」の範疇だ。過去の誘拐事件では、三十分、一時間遅らせてマスコミに情報提供していたケースもざらだ。

「わかりました。遵守します」

「自分の仕事に励め。こっちはこっちでやる」

捜査に口出しはするな――。興奮しているのは確かだが、しかし三上の頭に「狩り」はなかった。刑事の血が騒ぐ。松岡にはそう見えたということか。

ガラランと鉄の閂が外され、ロングボディ後部の荷室ドアが開かれた。鉄棒で逆上がりを練習した後の手の臭い。そんな臭気が鼻孔をくすぐった。ルクスの低いオレンジ色のダウンライト。外観からは想像がつかないほど内部は狭く、昔映画で観た潜水艦の通路を彷彿とさせる。両サイドから機器類の置かれたデスクが迫り出し、床に固定された丸椅子が互い違いに七脚並んでいる。既に二人の男が、耳にヘッドホンを当てて着座していた。備え付けの電話機の前に毛深いずんぐりむっくり型。もう片方は華奢で小顔で髪は真ん中分けで、とても刑事には見えなかった。二台並んだパソコンの前に座っているから、ロクヨン当時の日吉浩一郎のような立場なのかもしれない。

乗車したのは松岡の他に緒方、峰岸の両班長。さらに飛び入りの三上。七脚に対して六人だがスペースに余裕はなく、椅子に腰掛けると互いの肘や膝がぶつかった。

「閉めます」

緒方が左右のドアノブを同時に引いた。内側からも開け閉めできるように改造がなされている。金属音とともにドアが閉じた。後方の景色と光が消え、内部の空気が圧縮された。一気に緊張が高まり胸苦しさを感じた。空調は効いているが窓はない。前後左右の視界は壁に埋め込まれた四台のモニター画面で賄う。

峰岸が無線のマイクを握った。

「指揮車から特捜」

〈特捜です、どうぞ〉

「感度知らせよ、どうぞ」

〈メリット5。機器異常なし、どうぞ〉

「了解――ただ今、マル参乗車、他五名、どうぞ」

〈了解〉

「以上、指揮車」

左側方のモニター画面が慌ただしかった。車のドアが次々と閉まる。外に残った刑事たちがセダンに分乗したところだった。「邀6」「邀7」「邀8」。無線テストで峰岸はそう呼んだ。あらかじめ犯人と遭遇しそうなエリアに車を潜ませて迎え撃つチームだ。ロクヨンを模倣した本件をプロファイリングするなら、配置すべきは十四年前に使われた身代金受け渡しの指定場所及びその周辺。指定場所の点と点を結ぶ沿線。そしてそう、昨日、本件の犯人が脅迫電話を掛けた携帯の発信エリア――。

はたと思い当たって三上は手帳を取り出した。

「参事官――ホシの発信場所は玄武市内のどのエリアですか」

息が掛かりそうな間合いで訊いた。

「一回目は常葉町内。二回目は須磨町と南木町に掛かるエリアだ」

「それは大摑みにどんな地域ですか」

「玄武駅を挟んで西と東だ。西側の常葉町はアーケード商店街を中心とする繁華街。飲み屋や映画館なんかもある。東側の須磨町、南木町は一歩進んで歓楽街だ。キャバクラ、風俗、ラブホテル、ゲームセンター、その他なんでもござれだ」

ざっくばらん、隠し事の疑念など吹き飛んでしまうほどに松岡の答えは明快だった。

三上は腕時計を見た。十時三十八分。メモを読み返す。常葉町。須磨町。南木町。犯人は二度とも駅周辺から脅迫電話を掛けていた。待ちに待った具体的な情報だ。落合に伝えたらどれほど喜ぶか。諏訪たちも報道陣に向かって顔を上げられる。「解禁」は十時五十八分。進めと念じて壁時計の秒針を睨みつける。ここでの二十分とはわけが違うのだ。針の筵の上では一日にも永遠にも感じられる。

欲が出た。いま訊けば十時五十八分にまとめて情報を送れる。

「金の——身代金二千万円の用意はできたんでしょうか」

緒方と峰岸の白い目を感じた。

「済んでる。番号を読み取り、スタンプも仕込んだ」

「その後、ホシからのアクションは？」

「何もない」

「ロクヨンの、当時の九つの店には捜査員を配置したのでしょうか」

「無論した」

美那子は——一瞬思ったが、いま訊くべきことではない。

「双子川の上流にも、ですか」

「釣り宿一休と琴平橋の近辺に人を張り付けてある」

そこまでだった。車体がぶるんと震えてエンジンが始動した。

「まずは自宅周辺にやれ」

松岡が言った。峰岸が頷き、中腰になって運転席に通じるスライド式の小窓を開けた。

出せ。自宅周辺だ——。

ゆっくりと車が動き出した。「指揮車、出動」。緒方が特捜本部に無線連絡を入れた。

〈了解〉。それきり無線のスピーカーは沈黙した。誘拐専用。それ以外の交信は禁じられた。

指揮車は街道に出た。四基のモニター画面が前後左右の風景を映し出す。前に聞いた話では搭載機器は毎年のように更新され、パソコンや高画質の録画再生用モニターなどが順次追加されてきた。集音マイクのレベルも格段に向上した。スイッチ操作で三百六十度カバーできる。それ以外の装備品は、脱落防止の枠で囲われた小机に携帯電話が九台。それぞれに「特捜」「G署」「自宅」「邀撃」「追尾」「街頭」「店舗」「特命」「鬼頭（きとう）」とシールが貼ってある。一つの携帯に着信が集中するのを避けるためだ。「鬼頭」は強行犯捜査二係の班長の名だ。おそらく身代金を運ぶ目崎正人の車に潜む。「特命」には首を捻った。誘拐事件の捜査は、その大半の任務が特命捜査の性格を有しているからだ。

松岡は小顔を横につかせて二台のパソコン画面を等分に見ていた。一方には玄武市内の地図、もう片方にはD市内の地図が表示され、配置した車両と人員だろう、そこかしこに赤や緑の光が点滅している。D市内のほうが圧倒的に多い。市の規模が違うとはいえ、三上は意外な気がした。被害者宅と脅迫電話の発信場所がともに玄武市内なのだから、初動対応を迫られる可能性はD市内より数段高いと考えるのが普通だ。犯人のロクヨン模倣を重視しているのだろうがギャンブルに思える。理由を訊いてみたいが、松岡はいま熟考の顔だ。

車は揺れた。足回りがへたっているのか、道路の継ぎ目や段差で下からの突き上げがきつい。

峰岸は携帯で「自宅班」とやりとりしていた。身代金受け渡しを睨んでの打ち合わせらしかった。当然のことながら、犯人は目崎歌澄の携帯の登録データから父正人の携帯番号を入手している。ロクヨンのように金の受け渡し場所を転々と変えていく気ならば、場所指定の連絡は店舗ではなく、金を運ぶ正人の携帯に直接掛けてくる可能性が高い。だからその携帯に無線装置を接続して——。

「モニター、出します」

ずんぐりが峰岸に言った。直後に自宅班からの声が車内に響いた。

〈テスト、テスト、テスト——マル父の携帯、常時接続完了、マル父の携帯、常時接続完了〉

よく聞こえる。峰岸は携帯に口を寄せて言った。自宅の加入電話にも同じ仕掛けが施されたという。入電があればこの指揮車の中で会話をモニターできる。時代は変わった。十四年前、「追1」の助手席で三上が担った無線の中継はもう必要がないのだ。

郷愁はなかった。「今」と張り合う気も起きなかった。こうしてホンモノの刑事に囲まれ、その仕事ぶりや能力が気にならないと言えば嘘になるが、しかし「狩り」に加わっている感覚はやはりない。時間と戦っている。解禁まであと六分――。

「まもなくです」

緒方が言った。モニター画面の一角を指差している。その指先は「前方」から「右側方」の画面に移動した。小さな児童公園の向こう、木造モルタルのありふれた二階屋。目崎一家の自宅――。

「わかった」

松岡が画面を凝視してから言った。

「周囲との位置関係だけ頭に留め置けばいい。県道に回ってD市内に向かえ」

緒方は頷き、今度はマイクで運転席に伝えた。

――指揮車までD市内に向かうのか。

三上は少なからず驚いた。全軍の指揮を執る「総大将」が本当に玄武市内を離れてしまっていいものか。被害者宅があり、携帯発信エリアでもある。玄武駅の西と東。とりわけ東側はキャバクラ、風俗店、ラブホテル、ゲームセンター。まさしく悪党が根城にするのに格好の――。

連想に引っ掛かりを感じた。そうとも、歓楽街を根城にするのは何も悪党ばかりではない。不良少年、不良少女だってそうだ。目崎歌澄の狂言説はどうなったのか。予期せぬ流れで自分が誘拐捜査の心臓部に入り込み、刑事たちも狂言のことはおくびにも出さないので意識の外に行っていた。だが――。

三上は壁時計を見た。あと二分半ある。松岡はパソコンの前を離れ、表情のない顔で前方のモニター画面を見つめていた。

「参事官」

「ん？　何だ」

「目崎歌澄の捜索はやっているんですか」

松岡が不快そうな顔をしたので三上は当惑した。何か気に障ったか。そうか。明かさなかった「歌澄」を三上が口にしたからか。

「狂言の線は潰れたんでしょうか」

今度は主語を省いて訊いた。

「潰れちゃいない」

「ならば歓楽街を捜索しているんですね」

「誘拐中だ。大っぴらにはやれん」

松岡の言にしては歯切れが悪かった。刑事も公安もなく、密かに、それでいて大々的に展開するのが現代警察の人海戦術のはず。

「彼女たちの溜まり場はどこなんですか」

「知らん」

「電話は二度とも遊べる地域、たむろできる地域からです。本件が彼女の狂言だとするなら、今も玄武市内にいる可能性が高いんじゃありませんか」

「三上さん」

緒方が声を上げた。もうよせ、の顔だ。峰岸も不満そうに腕組みをして見せた。

頷いて、だが三上は訊かずにおれなかった。

「なぜD市内に向かうんですか」

「自分の仕事をしろ」

煩そうに言って、松岡は壁時計に顎をしゃくった。秒針が「12」を通過するところだった。十時五十八分——。

三上は度肝を抜かれた。偶然か。それとも松岡も「二十分」を計っていたのか。

「失礼します」

車の揺れに足を取られながら最後尾に退いた。ずんぐりの背中がひどく邪魔だった。

急いで携帯を開き、諏訪の番号を押し、体を丸めて音除けの格好をとった。

なかなか出なかった。が、繋がった瞬間、撥（ばち）で叩かれたかのように鼓膜が激しく振動した。心は瞬時に会見場に引きずり戻された。その馬鹿げた怒号の音量は、思わず耳から携帯を離してしまうほどだった。諏訪の声は途切れ途切れで聞き取れなかった。記者を掻き分けながら廊下を目指している。そんな姿を想像するうち電話が切れた。すぐにリダイヤルしたが繋がらなかった。向こうが話せる場所を確保し、掛け直してくるのを待つしかなかった。

握り締めていた携帯が振動したのは五分もしてからだった。

〈すみませんでした。ちょっと動きが取れなくて〉

掛ける言葉が浮かばなかった。場所を変えたのだろうが、背後の騒がしさは、さっきの電話がなければ最悪レベルと感じたろう。

「大変か?」

口にしてみて、それが美那子の口癖だと気づいた。長いこと美那子もそうだったのかもしれない。代わってやりたくとも代わってやれないもどかしさ。他に言い換えが利かないから口癖になったのだ。

落合はなんとか持ち堪えているという。あのあと医務室で少し寝たのがよかった、あの人は案外タフだと諏訪は感心の口ぶりで言った。だが、聞けば状況はさらに悪化していた。八時の会見に一課長が現れなかったことで報道陣は完全にキレた。本庁に対して本当に刑事局幹部の派遣を要請した。本庁はあっさり蹴ったという。視察と同じだ。ダラスに敢えて幹部を行かせることはしない。そもそも乗り込む大義名分がない。報道対応はともかく、依然、事件捜査に関してD県警刑事部に一切落ち度はないのだ。

〈本庁に袖にされたのがよほど頭にきたみたいで、記者たちは荒れ狂ってます。二課長の往復は五十回を超えましたが、それでも特捜本部は満足な情報を出してくれません〉

そこまで聞いて三上は手帳を開いた。

「今、捜査指揮車に乗っている。情報が入り次第、どんどん送る。まずは手始めだ。メモを取れるか」

松岡から聞いた情報を伝えた。携帯の発信エリア。身代金。捜査員の配置状況。相槌ですら次第に明るくなっていくのがわかった。一晩中ずっと、ぐうの音も出ない状態が続いていたわけだから、潰れかけた諏訪の声は少しはマシになっていた。蔵前と美雲の声も聞きたかった。どうしているかと訊くと、大丈夫です、あの二人は私よりも強いです、と。こっちは任せて下さい、もう慣れました、と。その声が裏返った。絶句の間が広がった。慣れるもんか、どんな人間だって。三上は手帳の走り書きを睨んだ。これっぽっちでは半時と保つまい。たらふく食わさねば、もう食えないと言うまで情報を供給し続けなければあの部屋の飢餓地獄は終わらない。

「諏訪――おい、諏訪」

十五分でも三十分でも交代で仮眠を取れ。そう言おうとした時だった。

「自宅に入電！」

車内の声だった。一瞬、何が起こったのかわからなかった。

「モニターします！」

ずんぐりが、毛むくじゃらの手をスイッチに伸ばした。

三上は棒立ちになった。ホシから連絡？　時間が早過ぎないか。まだ十一時十三分だ。身代金を用意する期限まで五十分近くある。緒方と峰岸はずんぐりの背後に立っていた。その陰になって松岡の姿は見えない。

壁のスピーカーがくぐもった音を発した。電話の呼び出し音だ。一回……二回……。

小顔がヘッドホンを半分外して振り向いた。

「着信番号、目崎歌澄の携帯です！」

ホシだ。全員が静止して息を詰めた。

……三回……四回……。カチャ。受話器が上がった。

〈もしもし……もしもし、目崎です、もしもし……〉

目崎正人だろう。怯えきっている。

〈もしもし、聞こえますか。もしもし……〉

〈金は用意できたか〉

全身が粟立った。人とも思えぬヘリウム声が車内を制圧した。

〈で、できました。はい、もう用意してあります。歌澄の声を聞かせて下さい。あの、お願いします。どうか声を――〉

〈今すぐ金と携帯を持って家を出ろ。十一時五十分までにD市葵町の喫茶あおいに持って来い〉

やはり来た。『喫茶あおい』だ。ホシはロクヨンをなぞる気だ。

〈はい、十一時五十分ですね、喫茶あおいですね。喫茶店ですよね。あ！　知ってます、その店なら知ってます。看板を見たことがあります。通り沿いの、本屋さんの隣の、すぐ行きます。お金を持っていきます。ですから歌澄の声を――〉

ツー、ツー、ツー、ツー。

通話が切れた。誰も動き出さなかった。

松岡が目を閉じていたからだ。瞑想している。そんな姿だった。

〈広報官？　どうしました？〉

下ろした手の先から声が漏れていた。三上は我に返って携帯を耳に戻した。

〈今のは何です？　何があったんです〉

始まったんだ。危うく言いそうになった。言ってもいいと思った。諏訪が二十分、自分の胸に留め置けば済むことだ。だが――。

降りろ。松岡にそう言われたら終わりなのだ。

三上は時計を見た。十一時十六分。

「きっかり二十分後に掛け直す。それまで仮眠してろ」

74

「全速前進だ」

緒方が小窓をスライドさせて運転席に吹き込んだ。

エンジンが唸りを上げた。ぐんと車速が増した。指揮車は間もなくD市内に入る。車内は情報の嵐が吹き荒れていた。緒方は無線、峰岸は主に携帯を使って特捜本部や移動中の捜査車両と交信していた。

「電話の背景音を科捜研に分析させろ。早急にだ」

「浮き足立つな！　発信場所がわかるまで邀撃は待機だ。一切動くな」

「マル父の声の様子は相当にヤバイぞ。事故らせないよう、ホシから携帯に掛かってきた時は必ず停車して出るように言え」

次代のホープと言われるだけのことはある。以心伝心、松岡の意を汲み取りつつ的確な指示を出し、次々と飛び込んでくる情報の捌きには無駄も隙もなかった。何より二人の息が合っていた。互いの手持ち情報を常に確認し合い、仕事は被らずぶつからず、その姿は狭い車内に双頭の竜を見る思いだった。だが「車外」は違った。特捜本部やG署や捜査車両同士の無線交信は混乱し、慌てふためいていた。意表を衝かれたからだ。それこそが犯人が時間を前倒しにした理由か。あるいは何か計画に狂いが生じたのか。

「全アオで通せ」

全部、青信号にして車を突っ走らせる。松岡が最初に出した具体的な指示だった。目崎正人の車を急がせる必要があった。犯人からの電話が切れた直後、十一時十五分に自宅を飛び出した。その時点で指定された時間まで三十五分しかなかった。D市葵町までの道程はすいていて四十分、混んでいれば一時間以上掛かることもある。交通管制センターの道路情報がパソコン画面に呼び出されていた。渋滞箇所こそないものの、県道は全線「やや交通量多し」。松岡が「全アオ」を命じたのは、目崎の到着予定時刻を計算していた小顔が「十二分から十三分の遅れ」と弾き出した直後だった。信号機の操作は前もって準備されていた。ルート上の各交差点には、東電の作業服を着込んだ交通課員がいた。無線で目崎の車の接近を確認し、目立たぬように制御ボックスを開いて手動で「青」に、通過後にすぐ自動に戻す。そうして一般の交通状況を大幅に乱すことなく伝言ゲームのように「青」を繋いでいく。

〈追1から指揮車!〉

「指揮車です、どうぞ」

〈桑原交差点、青!　マル父、通過!〉

「指揮車、了解」

桑原交差点はここから三つ手前、二分ほど前に指揮車が通過した信号だった。差が詰まっている。この辺りは片側二車線だ。目崎は飛ばせる。すぐに追いついてくる。

三上の手帳は開きっぱなしだった。情報が入るたび内容と時間をメモする。二十分を足した解禁時間も書き込む。「桑原交差点通過」の記者供給は十一時五十一分。おそらく目崎が『喫茶あおい』に到着した後になる。それどころか「向こう」ではまだ目崎が自宅を出ていないのだ。「脅迫電話入電」の解禁まであと五分。焦れったい。二十分がこんなにも長いとは思ってもみなかった。

D市内に入った。建物の高さが次第に迫り上がってくる。

「携帯の発信場所、判明しました！」

ドコモに電話を入れていたずんぐりが声を上げた。

「湯浅アンテナ基地局――エリアは玄武市湯浅町及び旭町周辺！」

またしても玄武市内だった。

三上はメモを取りつつ唸った。犯人はまだ市内に留まっていた。目崎正人をD市に向かわせ、自分はこの後どうする気なのか。オール青で突っ走る目崎の車に先んじて葵町に到着することは不可能だ。それにまともに県道を走ればNシステムに二度も引っ掛かる。D市に向かう気などなく、あらかじめ決めておいた最終受け渡し地点に直接向かうつもりか。あるいは共犯者がいて『喫茶あおい』周辺に目配りしているのか。

しっくりこない。杜撰な気がする。単独犯であろうが、複数犯の片割れであろうが同じだ。玄武市内から二度脅迫電話を掛け、どこからでも掛けられる携帯を持っていながら一夜明けてまた市内から掛けてきた。なぜだ。発信エリアを特定される。捜査の輪が狭まる。身の危険は感じないのか。ホシが目崎歌澄ならば感じまい。不仲の父親をあたふたとさせて笑っている。金など取る気もない、狂言未満の悪ふざけ。

いや……。

女ではない。さっきヘリウム声を耳にした時、直感的にそう思った。声で男女の判別がついたわけではなかったが、少なくとも、あの投げつけるようで投げつけない、脅しと抑制を同居させた語り口は、とても十七歳の少女に真似のできるものではない。それでも本件が歌澄の狂言、自盗だと言うなら、それなりの場数を踏んだ男の共犯者が必要になる。

「見せて下さい」

三上は松岡の肩越しにパソコン画面を覗き込んだ。発信エリアの湯浅町、旭町周辺の地図が表示されたからだった。松岡に言われて小顔が拡大する。湯浅町は主に住宅地だ。驚いたのは旭町のほうだった。昨日二回目の発信エリアだった南木町に隣接している。歓楽街は含んでいないがかなり賑やかな地域だ。町を貫く街道沿いに大型のスーパーマーケットや家電量販店、ボウリング場、ディスカウントショップ、全国チェーンの紳士服や靴の量販店などが立ち並んでいる。

遊び歩いている。三つの発信エリアを頭に浮かべると、どうしても狂言系のほうに思考が引っ張られる。だが別の見方も当然できる。犯人は身を隠すために人混みにいる。いつでも高飛びできるように駅周辺にいる。わからない。狂言なのか、本物の誘拐事件なのか、現段階ではどちらとも推断できない。

「参事官――抜かれます」

緒方が言った。指は後方を映すモニター画面を差していた。中央線寄りを走る白いクーペ。五十メートルほど後方だ。運転手の顔は小さくて判別できない。

「右車線に寄れ」

峰岸がマイクで運転席に命じた。一テンポ遅れて車体がゆらりと中央線寄りに移動した。そうさせた理由はすぐにわかった。進路を塞がれた目崎は左車線に移動して「トラック」を追い越しに掛かった。これなら運転席側が指揮車に面して目崎の様子をチェックできる。全員の目が左側方のモニター画面に向いた。白いクーペが真横に並んだ、そう思った時には追い抜かれていた。だが――。

はっきりと見えた。目崎正人の横顔が。

体は前のめりになってハンドルに覆い被さっていた。顔がフロントガラスにくっつきそうだった。前に、もっと前に。遠くの何かを睨みつけていた。噛み締めた歯と赤い歯茎が横からでも見えた。あの日の、血が凍ってしまったかのような雨宮芳男の相貌とは真逆の、燃え盛る炎のような恐ろしい形相だった。

三上は身震いした。事件そのものを目撃した気がした。火焰玉となってまっしぐらに向かっているのだ、『喫茶あおい』に――。

「参事官」

松岡はまだモニター画面を見ていた。「追1」「追2」が指揮車を追い越していく。するかしないかの目礼をカメラが捉えた。

「女房は喫茶あおいですか」

「違う」

「ではどこです」

「言えん」

〈追1から指揮車！〉

「なぜです」

「指揮車です、どうぞ」

「特命だからだ」

三上は小さく仰け反った。美那子が特命捜査？

〈片山町三丁目交差点、青！　マル父、通過！〉

「指揮車、了解」

「どんな特命です」

「特命だから言えん」

「夫にもですか」

「そうだ」

「危険ではないんですか」

「危険はない」

話し掛けたことを後悔していた。

三上が「歌澄」の名を口にした後、松岡の態度はどこかよそよそしかった。いや、三上に対してだけそうだというのではなく、他の者への受け答えも素っ気ない。「全アオ」

以降、指示らしい指示も出していない。沈思黙考、目を閉じている時間が多く、何やら物憂げでさえある。体調が悪いのか。三上は少し心配になってきた。

時計を見てハッとした。十一時三十五分だ。ずんぐりの背中を考えれば、もう最後尾に向かっていなければならなかった。三上は急いだ。通路を塞ぐ背中を乗り越えるようにして進み、携帯を開き、デジタル表示が「36」になった瞬間に諏訪の短縮ボタンを押した。待っていたのだろう、コール音なしに繋がった。

相変わらず騒々しいが普通に会話できるレベルだ。

「目崎の自宅に三度目の脅迫電話が入った」

一息に言った。

〈ほ、本当ですか！　いつです！〉

「入電は二十分前だ。ん？　いや待て。あ！　そうか！　十一時十三分だ！」

手帳の数字を見てカッと頭に血が上った。くそっ！　なんて馬鹿なんだ！　なぜ入電時間を起点にしなかった？

〈広報官？　広報官――〉

「すまん！　内容を言う。メモれ」

〈願います！〉

脅迫電話の内容を読み上げた。ヘリウム声。金と携帯を持って家を出ろ。十一時五十分までに『喫茶あおい』に持って来い――。

〈十一時五十分？　すぐじゃないですか！　今、三十七分ですよ！〉

「そうだ」

〈目崎正人は向かってるんですよね？〉

「向かった。十一時十五分に家を出た」

〈今、どの辺りなんです？　D市内にはもう入ったんですか〉

　うっ、と三上は詰まった。

「言えないんだ。二十分の縛りがある」

〈二十分の縛り？　どういうことです〉

「タイムラグだ。その約束で指揮車に乗った」

〈ああ、そういうことですか……。えっ、でもそれって私にも話しちゃいけないってことなんですか〉

「マル父の携帯に入電！」

　ずんぐりの声だった。

「相手番号、歌澄の携帯！　流します！」

〈広報官――〉

「切る。凌いでくれ」

　犯人からの四回目の電話。車内に呼び出し音が流れた。すぐに繋がった。

〈はい！　何でしょう！〉

目崎の声は絶叫に近かった。

〈片山町三丁目の交差点を右折して、環状線に入れ〉

仰天した。指揮車がたった今、通過したのがその三丁目交差点だったからだ。目崎の車はとっくに——。

〈三丁目！　ええっ！　もう、もう、もう、過ぎてしまった！〉

小さな間があった。

〈Uターンしろ。すぐにだ〉

〈Uターン？　はい！　します！〉

捜査攪乱を狙ったのか。

ロクヨンの模倣犯と信じ込ませておいて、ここで独創のシナリオに切り替えた。それとも犯人側に突発的なトラブルが生じ、急遽計画を変更せざるをえなくなったのか。いずれにせよ、「全アオ」は想定外だったのだ。交差点を過ぎてしまったと目崎に言われて一瞬沈黙したのは、そんなはずはないと犯人が驚いたからだ。

〈至急、至急！　追1から指揮車！　マル父、Uターンしました！　追います！〉

「追うな！　追1は次の交差点を右折、右折、左折で環状線に出ろ。追2は左折、左折、左折で同様に！」

言い終えた緒方が松岡を見た。

「参事官、こっちはどうしますか」

「追1と同じだ」

「わかりました」

運転手にマイクで告げる。その横で峰岸は「鬼頭」の携帯を耳に当てていた。ずんぐりが、体に似合わぬ機敏さでモニター用のコードを繋いだ。

「マル父を落ち着かせろ」

〈無理です〉

押し殺した声だった。後部座席の下の、被った布の中からだ。

〈携帯が繋がりっぱなしになっているので声が掛けられません〉

「車速は？」

〈待って下さい——えー、八十キロ。いや、八十五近く出ています〉

「警棒を伸ばしてつっけ。桃をつつくように優しくやれ」

〈Uターンしたか？〉

ヘリウム声が割り込んだ。

〈しました！　これで環状線に入ればいいんですね！〉

〈そうだ。さっきの三丁目交差点を左折だ〉

「マル父、来ます！」

小顔が叫んだ。前方のモニター画面だ。対向車線を白いクーペが猛然と迫ってくる。耳に携帯を押し当てている。あっと言う間に擦れ違った。上半身を激しく前後に揺すっていた。足こぎペダルの車がうまいこと前に進まず、かんしゃくを起こした幼子の姿を思わせた。

「指揮車からD市内で展開中の邀撃班！　邀1を残して、2、3、4、5はバックラインを押し上げろ！　――おい、緒方。このままだと目崎は事故るぞ」

「県道の全アオは解除！　繰り返す。県道の全アオは解除！　――運転はうまいはずだ。元は外車のセールスマンだからな」

「そうじゃない！　環状線まで押し上げてどうする。南三キロ地点だ。そこでラインを引け！　――けど、片手ハンドルで八十五キロだぞ」

「指揮車、了解！　――ん。七十以下がいいな。二台使ってしばらく前を塞がせるか」

三上は尻がもぞもぞした。座っていては仕事にならないとばかり、緒方と峰岸は背中を密着させて立っていた。体のバランスを取るのに、それは有効な方法だった。車線変更、右折で車内は大きく左右に振られた。路面が荒れているのか突き上げも激しい。

「ドコモと連絡つきました！　現在通話中の発信場所、さっきと同じです！　湯浅アンテナ基地局！　エリアは玄武市湯浅町及び旭町周辺！」

犯人は移動していない。いや、移動はしているがエリアを出ていないだけなのかもしれない。

「もっとホシの位置を絞り込めないのか」

思わず小顔に訊いた。

「あ、無理です。基地局がもっと増えるか、GPS携帯でないと」

「GPS携帯?」

「ああ、GPSモジュールを搭載した機種ですよ。去年、KDDIが発売したスグレ物ですが、あまり普及してなくて」

ほんの一瞬、仕事を忘れた顔だった。睫(まつげ)の長い、可愛い目をしていた。

ふう、と三上は息を吐いた。客人扱いされた気分だった。実際のところ三上は客人に違いなかった。招じてくれた松岡は接客までするつもりはなさそうだ。座布団の代わりにキノコのような固い椅子をあてがわれ、これでもかとばかり緒方と峰岸の見事な包丁捌きを見せつけられて、肩身が狭いとは言わないまでも、すこぶる居心地が悪いことは確かだった。いや、それでもこうして指揮車に同乗できた幸運を思わずにはいられない。

それでもこうして指揮車に——。

ガタン。指揮車が跳ねた。三上はハッとした。一瞬ここがどこだかわからなかった。落ちかけた。落ちたが道路の段差に救われた。恐ろしい。誘拐捜査の最前線だ。「陰の刑事部長」が鎮座する、ここが指揮命令系統の頂なのだ。そんな場所にも睡魔は忍び入り、一瞬の隙を見逃さない。負け惜しみで口にした「幸運」を幸福感にすり替え、恍惚にまで高めて浚っていこうとする。

三上は太腿の裏をつねった。ぎゅううと痛みに口が開いてしまうまで皮膚を捻った。

「科捜研より入電！　目崎宅への脅迫電話の簡易分析——若干の反響音が認められる、とのことです。事例として、バスルーム、家具のないワンルームマンション、鉄筋コンクリート製の公共施設や商業施設のトイレ内を挙げています！」

トイレ……。耳にゆうべの靴音が蘇った。目に旭町の地図が浮かんだ。大型店舗が建ち並ぶ街道沿い——。

とにかくメモだ。手帳を開いた三上は、あ、と声を上げた。ない。書いてない。犯人が環状線を指示した時間をメモし損ねた。諏訪との電話の最中だった。そうだ、諏訪が言った。〈今、三十七分ですよ〉と。その直後だった。「37」。時間を書き込む。内容もだ。犯人の台詞を正確に——。

力んだペン先が紙をこじった。くそっ！　まどろっこしい。こんな時に、こんなところで、俺は何をしているのか。

〈追1から指揮車！　前方にマル父、発見！　環状線を西進中！〉

「指揮車、了解！　速度、計れるか」

〈えー、八十三、もしくは八十四キロです〉

「速すぎるんだ。追2といったん前に出て七十以下のペースを作ってくれ」

〈追1、了解！〉

〈追2、傍受了解！〉

「願います、以上、指揮車！」

〈ああ——ああ——ああ！〉

目崎が奇声を発した。通話は繋がったままだ。犯人は沈黙している。

〈助けて下さい！　お願いします、歌澄を返して下さい！〉

哀れと言うしかなかった。ずんぐりがほんの少しボリュームを絞った。伏し目がちにそうした。

〈どこへ行けばいいんですか。早くそこに行かせて下さい。歌澄に会わせて下さい！　お願いしますから〉

そうとも、目崎はどこへ連れて行かれるのか。

小顔がパソコンの地図を動かしている。『喫茶あおい』がまだ完全に消えたわけではない。環状線は弓なりに北へ向かい、約四キロ先で国道と交差する。その磯貝交差点を左折し、D市の中心部を目指してどんどん南下すれば葵町だ。そこだけロクヨンの逆ルートだと考えればいい。南下中に『雀荘アタリ』、『フルーツパーラー四季』の順で通過し、ロクヨンでは起点だった『喫茶あおい』に辿り着く。だが、あのまま県道直進で葵町を目指すのと比べるとかなりの遠回りだ。幹線道路から幹線道路への転進だから尾行の車を撒けるわけでもない。わざわざUターンをさせてまで環状線に行かせたことを考え合わせれば、目的地は県西部の工業地帯。あるいは磯貝交差点を右折してからまた国道を右折し、さらに市道を左折して県道を北上するロクヨンの本ルート。根雪山に向かう、十四年前のあの道だ。曲がりくねった細い山道……琴平橋……水銀灯……。

三上は頭を振った。やはり限界なのか。睡魔だけではない。急にのめり込み、急に激し、急に気が抜ける。なんでも急にくる。思ったそばから声が出た。十一時五十一分だ！「桑原交差点通過」の解禁時間だ！

慌てて携帯を開いた。その手が止まった。ちょっと待て。桑原交差点だと？　馬鹿げている。目崎の車はそのあとＵターンし、今は環状線を走っているのだ。なのに真っ直ぐ葵町に向かって県道を走行中？　ミスリードだ。タチの悪い冗談だ。やめよう。桑原交差点はパスだ。次の「環状線を指示」と「Ｕターン」の解禁を待って諏訪に電話すればいい。そもそも、ただ交差点を通過しただけの情報に何の価値があるというのだ。

いや……。いや待て……。

違う。そうではないのだ。勝手に価値を決めてはならない。価値は「外」が決める。そう学んだではないか。ここだけが世界ではない。ここが宇宙の中心ではないのだ。「向こう」では時間が止まっている。目崎が家を出たきり、車は一メートルも進んでいないのだ。動かさねばならない。動かせるのは自分だけなのだ。

三上は諏訪に連絡を入れた。

桑原交差点通過の情報を伝え、すぐにまた続きを送ると言って切った。だいぶ会見らしくなってきました。切り際に諏訪が言った。胸に残った幾ばくかの達成感が三上を勇気づけた。そうとも、ただの客ではない。この「家」で起こる出来事のすべてを見、聞き、外の世界で再現してやる――。

75

〈追1から指揮車！　マル父、速度七十二キロ。五百メートルで国道とクロスします！〉

速度制御に成功した追尾班は後方に下がっていた。

「指揮車、了解。右左折、どちらにも即応できるポジションを取れ」

〈国道はまだか〉

耳に障る。ヘリウム声だけは何をしていても脳を直撃してくる。

〈もうすぐです！　真っ直ぐですか？　曲がるんですか？〉

車内に緊張が走った。どっちだ？

〈右折だ〉

北上だ。西部の工業地帯は消えた。やはり犯人はロクヨンルートをなぞる気か。

「ドコモと連絡つきました！　依然、発信場所は湯浅基地局エリア！」

――複数犯ってことか。

ロクヨンと同様に根雪山周辺で金の受け渡しを考えているのならそうなる。玄武市から根雪山方面に直接通じるまともな道路はないのだ。村道や林道を継ぎ足して行けば辿り着くが、これから玄武市を出発するのでは間に合わない。まもなく国道に入り、ハイスピードで北上する目崎の車よりも先に根雪山周辺に到着するのは不可能だ。

「湯浅基地局エリアにヘリの発着場はあるか」

小顔に訊いた。ありません。今度は仕事の顔と声が返ってきた。

ならば共犯者が最終受け渡し地点で待っている。どこで？　その推測は難しかった。『喫茶あおい』の店名は口にしたものの、起点からの三店舗を飛ばし、もはや犯人がロクヨンをなぞろうとしているかどうかすらわからなかった。琴平橋からスーツケースを川に投げ込ませる。「龍の穴」で引き揚げる。それとは別の、ロクヨンに輪を掛けた奇抜なアイディアが待ち受けている。現実味がない。何やら作り物めいた感じがする。その感覚こそがつまり、狂言誘拐だということか。

〈追1から指揮車！　マル父、国道交差点を右折、北進！〉

〈曲がりました！　どうすればいいんです？　このまま走ればいいんですか？〉

〈この辺りには詳しいか〉

〈い、いえ、この辺りは全然……〉

〈直進しろ。追って指示する〉

〈行き先を教えて下さい！〉

〈飛ばせ。あまり時間はないぞ〉

〈は、はい！〉

〈追1から指揮車！　マル父、また速度を上げました！　八十……八十五……九十！〉

〈歌澄を返して下さい！　何でもしますから返して下さい！〉

〈返してほしいなら、指示に――〉

耳を澄ましていた全員が固まった。「ほしいなら」で声がぐにゃりと捩じれるように変化し、「指示に」は地に近い声になった。男の声だった。やはり男だった。

通話が切れた。ヘリウムが切れたのだ。

「鬼頭！　今だ。目崎を宥めろ。スピードを落とさせろ。ただし頭は上げるな！」

〈了解！〉

「科捜研に声を分析させろ！」

「はい！」

三上は両足を踏ん張って車の揺れに堪えていた。車の揺れなどなくとも、体の芯を貫いた戦慄をねじ伏せるためにそうする必要があった。

素の声とまでは言えなかった。からくもヘリウムの薄膜に守られていた。だが――。

聞こえてきた気がしたのだ。ロクヨンのホシの声が。当時、刑事の誰もが聞くことのできなかった、訛りのない、やや掠れた三十代から四十代の男の声が。

ロクヨンの犯人がロクヨンを再現しているとは思っていない。耳が「ホシの声」を聞いた今も、二つの事件は重なり合わない。だが何かがシンクロしている。単なる模倣ではなく、二つの声、二つの事件の間には切っても切れない因縁がある。そんな気がしたのだ。

「声の分析、依頼しました！　丁度、長電話中の分析が出ました。反響音はなし。背景音は目崎の車の走行音が大きいため不明——とのことです！」

〈目崎さん！　落ち着いて！　車の速度を落として！〉

モニターされた鬼頭の声が響いた。目崎の叫び声も拾う。どうすりゃいいんだ！　どこに行けばいいんだ！

〈目崎さん！　目崎さん！　いったん停めましょう！　そこで電話を待ちましょう！〉

「マル父の携帯に入電！」

来た。全員がスピーカーを凝視した。

「番号、目崎歌澄の携帯！」

五回目の脅迫電話。十一時五十六分——。

〈その…まま…直…進だ〉

驚愕した。それは苦しげな声だった。気道を絞りに絞った男の声だった。ヘリウムガスの替えはなかった。自分の手で強く喉を締め付けている。そんな姿がまざまざと浮かんだ。

が、驚くのは早かった。

〈石田…町の交…差点から一キ…ロ先の左手…にある、純喫茶チェ…リーに行け〉

ショートカットしてルートに乗せた。ロクヨンでは四店目だった『純喫茶チェリー』をいきなり指定してきた。

〈信号を過ぎて一キロ先ですね！　喫茶店、チェリーですね、見つけます！〉

このままロクヨンルートをなぞるのか。『純喫茶チェリー』でD市から八杉市に入る。その先は約一キロ先の交差点を右折し、少し走った市道沿いに『カットサロン・愛々』。次の信号を左折して県道に入り、再び北上。『ふるさと野菜直売所』『大里焼の店』『民芸品の宮坂』。そして最後が『釣り宿・一休』――。

〈飛…ばせ。生きた娘…に会いたいなら…飛ばせ〉

〈あああああ！〉

悲痛な叫びを聞きつつ、三上は携帯を開いた。十一時五十七分になったのを見逃さなかった。早口で諏訪に伝えた。犯人が環状線に入るよう指示。次いでUターンを指示。目崎正人は県道をUターンして環状線に向かった――そこまでだ。

視線を感じた。

松岡がこっちを見ていた。いまだに「事件着手の目」をしていた。感情は読み取れない。約束が守られていることを確認したのか。それとも三上を憐れんでいるのか。

本当に具合が悪いのかもしれない。目を瞑った松岡を見てそう思った。緒方と峰岸に任せきりにしている。確かに二人は有能だ。嫉妬を覚えるほどに仕事ができる。だが車内に「狩り」の臭いがしない。精緻に事件をトレースしてはいるが、松岡が黙しているために、何がなんでもホシを射るのだという空気にならない。

やはり狂言の可能性が色濃いと睨んでいるのか。もしも今、「被害者死亡」の報が飛び込んできたとしたら、松岡はどんな反応をするのか――。

誰かの腕時計がピピッと鳴った。正午。その共通認識が車内に広がった時だった。ずんぐりが「あ」の口で振り向いた。目を白黒させている。縁起でもないことを考えた直後だったから三上は青ざめた。だが——。

「G署より入電！　目崎歌澄を保護！　目崎歌澄を玄武市内で保護！」

76

車体が大きく傾いた。指揮車も国道に入ったのだ。

まさかの展開に驚くべきか、やはりと頷くべきか、車内の空気はどちらともつかないものだった。詳細を待て。松岡が釘を刺すように言ったからだった。しばらくは無線対応も疎かになった。緒方と峰岸は、さっきまでの働きぶりが嘘のように鈍麻した。

「詳細入りました！」

小顔がヘッドホンを外して叫んだ。

「保護ではなく補導です！　目崎歌澄は玄武市旭町のディスカウントストア『ストライク』にて化粧品三点を万引き！　同店より通報を受けた旭町西交番の巡査長が補導！　事情聴取の結果、目崎歌澄と判明した！　携帯電話は昨日未明になくした、おそらく盗まれた、ライブハウスのシャッターの前で眠り込み、目が覚めたらなくなっていた、そう供述しています！」

万引き。補導。携帯電話の紛失……。

三上は腹の底から息を吐き出した。

ぱっくり割れたスイカのように全貌が見えた。狂言誘拐とも本物の誘拐事件とも異なる。それは「不在」を「人質」に取った身代金奪取計画だった。

犯人は滅多に家に帰らない歌澄の行状を利用したのだ。携帯を盗み、脅迫電話を入れ、両親に娘が誘拐されたと思い込ませた。その一方で犯人は歌澄を尾行していた。彼女が交番に遺失物届を出す。あるいは家に帰る。そうなれば犯行を中止せざるをえない。遊び歩く歌澄を尾行していたから、犯人もまた駅周辺の賑やかなエリアを離れられなかったのだ。

犯人の危惧は形を変えて今朝起こった。歌澄が旭町のディスカウントストアで万引きをした。犯人はそれを目撃したのだ。店の人間も彼女の万引きに気づくかもしれない。だから時間を前倒しにした。店内のトイレに駆け込み、客の出入りがないことを確認し、バッグに忍ばせておいたヘリウム缶のガスを吸い、目崎の自宅に電話を入れた。ともかく一か八か、奪取計画をスタートさせたのだ。

果たして歌澄は店員に万引きを見咎められた。店舗内の事務所に連れて行かれた。それを見た犯人は目崎にショートカットを指示した。『喫茶あおい』を起点にロクヨンをなぞる計画を断念し、環状線から国道に誘導した。計画変更後の電話指示は、ディスカウントストアの駐車場に停めた車の中から出した。反響音が消えたのはそのためだ。ヘリウム声を人に聞かれないためにも車しかない。何より駐車場にいなければならない理由が犯人にはあった。

車内から店の入口を監視していた。店が通報すれば警察官が来る。気を揉みつつ、犯人は歌澄の粘りに期待した。家にも寄りつかない不良少女だ。はい、やりましたと簡単には認めまい。惚ける、誤魔化す、泣く。万引きした商品を目の前に突きつけられても、買うつもりだった、レジを忘れたと言い張る。本人がだんまりを決め込めば身元もわからない。彼女に関するすべての情報が詰まった携帯が手元にないからだ。学生証を持ち歩くタマでもないだろう。犯人は目崎に携帯で指示を出しつつ、祈る思いで店の入口を見つめていた。実際、歌澄は頑張った。目崎が車で十数キロの距離を走る時間を稼いだ。やがて交番の制服警官が店に到着した。それでも犯人は望みを捨てなかった。歌澄がどうしても名前を言わないので、ならば仕方ないと店が通報した可能性があった。たかが万引きだから警察官の取り調べもぬるい。目崎歌澄だとわかるのは時間の問題とはいえ、しかし、この指揮車のルールではないが、情報が然るべき場所に届くまでには、事務処理に要する時間が必ず生じる。犯人はそこに賭けた。タイムラグの間に決着をつけるべく犯行を継続している。だから目崎を急がせているのだ。おそらく最終受け渡し地点は遠くない。だが——。

終わりだ。誰も攫わず、誰も殺さなかったのは褒めてやるが、引き起こした騒ぎはあまりに大きかった。

〈追1から指揮車！　マル父、石田町交差点を通過！　あと五百メートルでチェリーに

到着します！〉

三上は携帯を開いた。諏訪の短縮を押そうとした時、待ったの声が掛かった。松岡だった。真っ直ぐ三上を見据えていた。

「どこに掛けるんだ」

「報道協定を解除します」

「ルールを守れ」

「もはや適用外かと」

「それはお前が決めることなのか」

「事件は終わりました」

「終わっていない」

捜査のことか。確かにそうだが、乗車する時、自分の仕事に専念しろと言ったのは松岡だった。

三上は立ち上がった。

「マスコミとの信義の問題です。人命保護を理由に結んだ協定を、捜査の都合で引き延ばすわけにはいきません」

「目崎歌澄が死体で発見されたのならそうだ。だが、無事の報が二十分遅れたところで無事は無事だ。死体に変わるわけじゃない」

馬鹿な。信じがたい。本当に松岡が言ったのか。

急ブレーキの音が車内に響いた。それは壁のスピーカーが発した。

〈着きました！　純喫茶チェリー、ここでいいんですよね？　どうすれば？　中に？〉

〈発…進しろ〉

〈えっ？〉

〈すぐ…発進しろ。娘…が死ぬぞ〉

〈あ、ああああ！〉

「親は？」

三上はスピーカーを指差した。

「親にも二十分待てと言うんですか！」

「糠喜びさせるな」

「えっ？」

「その万引き娘が目崎歌澄と名乗っただけだ。まだ本人と確認されたわけじゃない」

「詭弁だ！」

〈追1から指揮車！　マル父、飛ばしてます！　速すぎます！〉

三上は緒方を見た。峰岸を見た。

「おい、いいのか？　事故ったらどうする？　お前ら心配してたろうが」

二人は三上と目を合わさない。負い目を感じている顔ではない。

「そうか。生き餌の話をしてたってわけか。ホシを釣る餌を死なすな。そういうことか！」

〈ど、どこへ行けばいいんです！〉

〈いいから…飛…ばせ〉

「このボンクラども！　がっつり食いつくまで待つ気か？　捜査はな、浮子がぴくりと動いたところで挙げるんだ！　もう娘が殺られる心配はないんだ、ヘリウム野郎を先にパクれ！　教習所で分かれた邀撃の連中はどうした？　奴らをディスカウントストアの近くに送り込め！　車の中で！　喉に手を当てて！　携帯を掛けている男だ！　そいつをしょっ引いて叩いて、共犯の居場所を吐かせろ！」

〈教えて下さい！　どこへ向かえばいいんです？〉

〈真っ…直ぐ…三キロ走…れ〉

〈真っ直ぐ？〉

〈道沿いに…カットサロ…ン愛々という美容院…がある。十分…以内に来ないと娘が…死ぬぞ〉

〈そ、そんな！〉

「鬼頭に電話しろ！　娘は無事だと伝えさせろ！　一秒でも早くこの生き地獄から出してやれ！」

「マル父の携帯に入電！　キャッチホンです！　相手番号――」

ずんぐりが声を張り上げた。

「マル母です！　目崎睦子の携帯！　モニター流します！」

よし！　三上は胸の前で拳を握った。そうとも、そうだとも。目崎睦子が知らせてきた。歌澄は無事だと電話してきたのだ。

ルルル……ルルル……ルルル……。

出ない。なぜ出ない？　呼び出し音は聞こえているはず。

あっ、と三上は発した。出られるはずがない。電話は犯人と繋がっているのだ、目崎は一瞬たりとも通話を中断できない。

だからか。先を読んでいたのか。妻からのこの電話を封じるために、犯人はずっと携帯を繋ぎっぱなしにしているのか。

三上は奥歯を嚙み締めた。腕が伸びた。小机の携帯を摑んだ。「鬼頭」。履歴を呼び出し、通話ボタンを押し、そして耳に――。

手首を摑まれた。松岡の顔が視界を塞いだ。カッと目を見開いていた。眉毛が畝のように盛り上がり、驚くべき角度で吊り上がっていた。

射竦められた。だが言わねばならない。言え！

「これは外道捜査だ！」

「口出し無用だ」

〈追1から指揮車！　マル父、宇佐見十字路を右折！〉

ぐぐっと凄まじい力で手を押し下げられた。抗したが駄目だった。もしもし、もしもし鬼頭です！　その声は遠のき、太腿の横に押しつけられた。緒方に指を開かれ、峰岸に携帯を取り返された。あまりに屈辱的だった。あまりに無力だった。膝頭がストンと床に落ちた。

「わからないのか！」

心が叫んだ。

「娘のいない時間がどれだけ長いか。一分一秒がどれだけ長いか。帰ってきてほしいんだ。顔を見たいんだ。一分でも一秒でも早く、この手に！　この手に……抱き締めたいんだ。そんなこともわからないのか。そんなこともわからずに刑事をやっているのか！」

車の走行音だけがした。四つのモニター画面が、青い屋根の目立つ住宅地と、赤茶けた真冬の田園風景を映し出していた。

松岡は天を仰いでいた。

しばらくして顔を戻した。三上を短く見つめ、そしてくるりと背中を向けた。スラックスのポケットに両手を突っ込んだ。よもやの光景だった。

「これは目崎歌澄の捜査じゃない」

えっ……？

松岡はポケットから手を抜きかけ、また差し入れた。さっきよりも深く。

「お前がもたらした情報が端緒になった。この車は今、ロクヨンの捜査指揮を執っている」

刹那、頭の上から、大きくて柔らかい布をふわりと掛けられた気がした。

三上は狼狽した。驚かねばならないのに、何に驚いてよいのかわからなかった。

――ロクヨンの捜査？　俺が端緒？

靴に振動を感じた。開いたままの携帯がジジジッと鈍い音を立てて靴の縁を移動していた。そうか。諏訪に掛けようとして、そのあと……。

立ち上がりながら拾い、耳に当てた途端に声がした。

〈悪かったな、何度も掛けさせちまって〉

望月だった。

〈なあ、何かあったのか〉

「何がだ」

〈ゆうべ遅く、松岡参事官から電話があったんだ。でな、最近、家に無言電話がなかったかって訊かれたんだ。こっちは面食らって、ありませんって言って切ったんだけど、気になるだろ？　参事官直々の電話だぜ。お前、何か知らないか〉

知らない。

わからない、何も。

三上は携帯を切って椅子に腰を落とした。その拍子に消えた。大きくて柔らかい布がするりと体を滑り落ち、足元に折り重なり、消えた。

目が覚めた。

もう何かが見えていた。

松岡が、望月に、電話をした。最近、無言電話がなかったか──。

三上が情報をもたらしたから……。そうだった。松岡の官舎を訪ねた時、夫人に無言電話の話をした。あとで知った。松岡の実家にも無言電話があったのだ。村串みずきの自宅マンションにもあった。夫人とみずきが美那子を心配してくれて、電話でやりとりするうち、美雲の実家に無言電話があったことまで話題に上った。どれも「最近」だ。美那子が拘ったから、電話が掛かってきたそれぞれの時期もわかっている。松岡の実家。三上の家。美雲の実家。村串みずきの自宅マンション。その順番で掛かってきた。もっと知っている。この事件の前に目崎の家にも数回あった。銘川亮次の留守電だって無言電話だったかもしれない。

もうわかっていた。口ずさんでみてわかった。それは一直線上に並ぶのだ。惑星直列でも見るかのように。

ま、み、み、む、め、め。

「マ行」だ。「も」のない「マ行」──。

三上は顔を上げた。峰岸を見た。

「最近、実家か親戚に無言電話はあったか」

峰岸は目で答えた。ありました、と。

ずんぐりを見た。

「お前、名前は？」

「し、白鳥（しらとり）です」

思わず噴き出した。顔の皮だけが笑っていた。それを剝ぎ取り、小顔を見た。

「お前は？」

「森田（もりた）です」

「無言電話はあったか」

「ありません」

「参事官にあったか訊かれたか」

「それは……」

「訊いた」

松岡が答えた。とどめを刺すように。苦痛を長引かせまいとするかのように。

黒ずんだ指先が見えた。

おおっ。

あゆみからの電話ではなかった——。

一つの真実を受け入れた瞬間、すべての真実が見えた。ずっとずっと拒み続けていた真実を認めた瞬間、大きな悲しみと引き替えに、揺るぎのない真実をこの手に握った。

三上は顔の前で両拳を握り締めた。額に強く押し当てた。

そうか。

そういうことだったのか。

あいうえおかきくけこさしすせそたちつてとなにぬねのはひふへほまみむめ……。

なんてことだ。

まったく、なんてことだ。

五十八万世帯、百八十二万人――。

一人でやっていたのだ。たった一人で無言電話を掛けていたのだ。「ア行」から始め、ひたすら掛け続け、そして最近になってようやく「マ行」に辿り着いたのだ。

一体いつから？　三年前か、五年前か、もっとずっと以前からか。来る日も来る日も、朝も昼も晩も、あの指が分厚い電話帳を捲り、プッシュボタンを叩いていたのだ。爪も皮膚もひび割れ、血豆のように黒ずんだあの人差し指が、それでもなおプッシュボタンを叩き続けていた。「電話の声」を聞くために。十四年前、電話の回線を通して耳にした「犯人の声」を聞くために――。

同じ声を聞けばわかる。事件当時、雨宮芳男はそう断言していた。警察の捜査に期待したが裏切られた。醜悪な隠蔽の事実も知った。そして事件から八年、妻敏子が脳梗塞で倒れた。きっとそれからだ。雨宮は看病の傍ら、無言電話を掛け始めた。自分の耳で犯人を捜し出そうとした。敏子が生きているうちに。そう思っていたのかもしれない。

声は経年変化する。しかし聞けばわかる自信が雨宮にはあった。訛りのない、やや掠れた三十代から四十代の声。違う。自宅と九つの店舗で、耳に、心に、一生分の苦しみを吹き込んだ脅迫者の声だ。

気の遠くなる話だ。昭和六十三年当時の電話帳。地方でもあり、名前を掲載することで大きなリスクが生じる時代ではまだなかった。D市のほか三市の個人電話番号を一冊にまとめた「D県中部・東部版」は呆れるほど厚かった。相川に始まり、相沢、青木、青田、青柳、青山……。途中には、佐藤や鈴木や高橋や田中の広大なフィールドが待ち受けている。しかも一軒一度の電話で済むとは限らない。いや、済むことのほうが少なかったのではないか。女の声が出たなら男が出るまで掛け直す。男であっても若すぎる声や年寄りの声なら、中間の世代の同居を疑ってまた掛けねばならない。掛けても掛けても誰も出ない番号もあったろう。それでも雨宮は続けた。敏子が逝ってもやめなかった。復讐心。父親としての責務。妻子の供養。さまざまな思いを胸に電話を掛け続けたのだと思う。そしてそう、遂に聞いたのだ、行き当たったのだ、十四年前のあの日の声に。

〈あ、看板が見えました!〉

目崎の声がスピーカーを震わせた。

〈カットサロン愛々ですよね？　そこでいいんですよね？〉

四十九歳。年相応の声だ。訛りはない。今朝から叫びっぱなしで、地声が掠れた声なのかどうかなど知る由もない。そうでなくとも刑事にはわからない。誰一人、十四年前の犯人の声を耳にしていないのだから。

人数を割いて裏取りをしている。昨夜、松岡はそう言った。「マ行」を徹底的に潰していたのだ。該当する苗字の刑事には実家や親戚を当たらせた。それ以外の刑事には「マ行」の知り合いに片っ端から電話を入れさせた。皆、番号が電話帳に載らない官舎暮らしだ。周囲で無言電話の噂が立ったこともなく、だから驚愕したに違いない。朝には「無言電話あり」の書類が山積みになった。一方で「無言電話なし」の書類もそれなりに溜まった。茂木、望月、森、森川、森下、森田……。それは「も」に集中していた。

〈追1から指揮車！　マル父、まもなく到着します！〉

「指揮車、了解！　駐車場の空きはあるか」

〈一、二台分、あるように見えます！〉

松岡はスピーカーに聞き入っている。険しい顔だ。これがロクヨンの捜査だと言い切るからには、おそらくは「マ行」以外も潰してこの指揮車に乗り込んだ。

「マ行」はすべて最近掛かってきた電話だったからこそ、記憶に新しく、人の口に上りやすく、今回のような「噂」になり得た。だが松岡のことだ、「マ行」だけに捕らわれるのは危険だと考えたに違いない。もしも「マ行」に異常な関心を示す無言電話魔が存在し、その仕業だったとするなら、目崎はロクヨンの犯人たり得ない。だから「ハ行」のケツや「ヤ行」のアタマも潰しに掛かった。堀田や堀や本田を相当数集めて「マ行」との連続性を確認し、「ヤ行」にはそれがないと見極めたのだ。そして結論づけたのだ。この一連の無言電話の最後尾は「め」である、と。

長く捜査をしていたから知っている。D県内に「れ」で始まる苗字はない。「へ」と「め」も極めて少ない。「銘川」のような余所から移り住んできた者を除けば、「め」の項目には「目崎」しか並んでいないのだ。

〈着きました！　今、着きました！　指示して下さい！　どうすればいいんです？　中に入るんですか？〉

〈追1、店舗前を通過！〉

〈教えて下さい！　どうすればいいんですか！〉

〈スーツケース…を降ろせ〉

三上は目を閉じてその声を聞いた。

幸田一樹だ。

声でわかったわけではない。だがもう確信していた。携帯を盗んだり歓楽街で尾行したりは雨宮にできる芸当ではない。雨宮宅の居間の状差しには幸田からの封書があった。翔子の月命日には墓参りを欠かさなかったと柿沼が言っていた。おそらく幸田は懺悔した。「幸田メモ」の中身を雨宮に明かして組織の不実を詫び、辞職した後も音信を絶やさなかった。何かあれば言ってほしい。力になりたい。潔癖すぎるあの正義漢は、何年経とうが雨宮にそう言い続けていたに違いないのだ。

〈追2、店舗前通過！　マル父、スーツケースを降ろしています！〉

良心の呵責だけではないだろう。雨宮夫妻を除けば、犯人を最も憎んでいるのは、ロクヨンに翻弄され、人生を狂わされた幸田ではなかったか。雨宮は知っていた。だから胸の内を明かした。幸田は柿沼の監視を振り切って行方を晦ました。土下座までして得た職を捨て、やっと手に入れた妻子との普通の生活を置き去りにし、いざ鎌倉とばかりに馳せ参じてロクヨンに「殉じた」。雨宮とともに外道に堕ちた。本物の外道に正道を説くために、雨宮が味わった地獄を追体験させている。娘の生死をベールに包み、目崎正人の魂を切り刻んでいる。

だが――。

最後はどうする気だ？

雨宮は何を望んでいる？　雨宮に何を託された？

おそらくは教習所で分かれた「邀6」「邀7」「邀8」が周囲を固めている。幸田は百も承知で携帯を切らずにいる。

〈どこに持っていけばいいんですか？〉

〈店の…裏に空き地…がある〉

〈空き地？　ああ、見えます！　そこに持っていけばいいんですね？〉

〈急げ〉

車が右に回頭した。指揮車も『カットサロン・愛々』に向かっている。緒方が「店舗」の携帯を摑んだ。ずんぐりがコードを繋ぐ。

「吉川、状況を知らせよ」

〈――はい。マル父はスーツケースを引っ張るようにして、大慌てで店の横の小道に向かっています〉

ひそひそ声だ。

「その先、見えるか」

〈――空き地ですが、古タイヤとか冷蔵庫とか洗濯機とかの廃品が雑然と並んでいます。業者がここに仮置きしているのかもしれません。マル父、着きました。携帯を耳に当てたまま辺りを見回しています〉

〈来ました！　空き地に来ました。どうすればいいんです？〉

〈ドラム…缶がある…だろう〉

〈えっ？　あ、あります、あります！〉

〈スーツ…ケースから金…を取り出し、中に…入れろ〉

〈こ、ここにですか？　ドラム缶の中に？〉

〈質問…している時間が…あるのか？〉

〈わかりました！　入れたら歌澄を返してくれるんですね？　助けてくれるんですね？〉

〈早くや…れ〉

〈――場所を移動しました。見えます。マル父はスーツケースを開いて、金の束をドラ

ム缶に移しています〉

　腰を屈めた峰岸が、パソコンに呼び出した周辺地図を見ていた。手前から回り込めます、と松岡に言い、小窓をスライドさせて運転席に声を掛けた。

「ローソンの角を左折しろ。その次の十字路を右折だ」

「通れますか？」

「幅員は問題ない」

〈金を入れました！　全部、ドラム缶に入れました！〉

〈足元…を見ろ〉

〈えっ？〉

〈一斗缶があ…るだろう〉

〈あ、はい、ありますが〉

〈油とマッチ…が入っ…ている。それで火…を点けろ〉

　三上は息を呑んだ。おい、本気か！　緒方と峰岸が同時に叫んだ。

〈火を？　金を燃やすんですか？〉

〈やれ〉

〈そ、そんな……そんなことをして、金を燃やしてしまって、歌澄はどうなるんです？　本当に返してくれるんですか？〉

〈死なせ…たいのか？〉

〈や、やります！　待って下さい、今すぐにやりますから！〉

〈――マル父、あれは……何か、ペットボトルの容器の液体をかけています。あ！　あっ！　火を点けました！　炎が上がりました！〉

狼煙のように見えた。立ち上った黒い煙が指揮車のモニター画面にも映し出されていた。

〈ちゃんとやりました。金を燃やしました。今、燃えています。もういいでしょ？　言われたことは全部やりました！　歌澄を返して下さい！　歌澄はどこにいるんです？　教えて下さい！　どこにいるんです！〉

〈缶…の下だ〉

〈か、缶の……〉

ツー、ツー、ツー、ツー。

「犯人からの電話、切れました！」

〈――マル父、一斗缶を持ち上げました。下を見てい……あ、紙を手にしています。小さな紙です。一筆箋のような紙です。ジッと見ています。あ！　沈みました！　うずくまりました。額を地面につけ、両手で紙を前に突き出しています。握り潰しました。慟哭しています。叫んでいます。娘の名です。歌澄、歌澄と――〉

歌澄の死を「宣告」した。それが雨宮のメッセージか。我が子の死を知れ。この一瞬に永遠を感じろ――。

「マル父の携帯に入電！　相手番号、マル母の携帯――モニター、切り替えます」

〈やっと繋がった！　あなた、今どこ？　ミーちゃん、無事だった！　無事だったのよ！〉

〈ホ……ホントか？〉

〈本当よ！　誘拐なんかじゃなかったの。ミーちゃん、誘拐なんてされなかった。何も知らないし、何もされてない。よかった！　本当によかった！〉

〈誘拐されてない……？〉

〈そうなのよ！　元気よ！　今ちょっと……話したくないみたいだけど……。でも心配しないで。元気だから。ああ、本当によかった！　ねえ、あなた、早く帰ってきて〉

〈……………〉

〈あなた？　どうしたの？　あなた……〉

「モニター2に吉川刑事、ダブらせます！」

〈マル父、紙を開いて見ています。さっきの紙です。食い入るように見ています。動きません。まったく動きません〉

指揮車からも空き地が見えていた。前方のモニター画面が周辺を捉えている。『カットサロン・愛々』の裏口に美容師の姿があった。驚いて店を飛び出してきたらしく、裏窓には頭にカーラーを巻いた客の怪訝そうな顔も覗く。皆、目崎の慟哭を耳にしたのだろう、近くの店舗や民家からも人が出てきていた。すべての視線と足が向かう先に、もうもうと黒い煙を上げるドラム缶があり、その横で目崎は地べたに胡座を掻いていた。

「ズームしろ」

「了解！」

右側方のカメラが目崎に寄った。モニター画面の像がみるみる大きくなり、画面の縦幅一杯になった。真正面から目崎の顔を捉えていた。俯き加減だ。目は地面の一点を見つめている。天国と地獄を行き来した割には落ち着いて見える。こめかみが動いている。引き攣っている。違う。左右同時に動いている。顎も微かに上下に——。

「食いやがった！」

峰岸が叫んだ。

「紙を食ったんだ、あの野郎！」

「待て！　見ろ！」

緒方がモニター画面を指差した。手元に紙がある。ちゃんとある。いや待て。吉川は一筆箋のような紙と言った。もっと細い。短冊のように細長い。やはり食ったのだ。縦に千切った半分を食った。もう手遅れだ。顎の動きが上下から左右に変わった。奥歯でパルプに戻されている。

「吉川、見てたか！」

〈か、紙を千切ったのはわかりませんでした。顔に手をやったのは見ましたが、顎をさすっているのかと……〉

そういうことだ。周りに気づかれないように注意して食ったのだ。警察を引き連れてここまでやってきた。どこかで刑事が見ていることはわかっている。あとで紙の提出を求められる。だから半分残した。警察に見られたくない半分だけを食った。おそらく雨宮のメッセージが書かれてあった部分を——。

目崎の表情が静止した。こめかみも顎の動きも止まった。と、次の瞬間、喉仏が上下した。ごくり。音が聞こえた気がした。

「くそっ！」

緒方が画面の外枠を叩いた。峰岸も拳で壁を叩いた。画面の右半分が薄茶色にぼやけた。野次馬がカメラの前に立ったのだ。左側からも、隙間を埋めるように青くぼやけた像が入ってきた。目崎の姿が細くなり、やがて完全に見えなくなった。

「これで終わりか？」

峰岸が両手を開いて言った。

「なぜもっとやらなかったんだ？　もっとできたはずだろう。ロクヨンを自白しなければ歌澄を殺す。そう迫れたはずだ」

「確かに手ぬるかった」

緒方が荒い息を吐いた。

「脅して、走らせて、札を焼かせて二千万の仇を討っただけだ。一発、道で引っ掛けたが、あれじゃ弱い。紙も食われちまった。電話で直接言えばよかったんだ。そうすりゃ、確かな反応を拾えた」

三上は口を開きかけた。何か大切なものを穢された気がして怒気が込み上げた。

「これ以上、何を望む」

松岡が横から言った。緒方と峰岸を等分に見ていた。

「雨宮芳男が容疑者を提示した。あとは俺たちの仕事だ。雨宮のアプローチは電話の声のみ。彼が書いたメッセージが何であれ、それが目崎を縛れるブツとは考えられん。むしろ、物証ではない何かを目崎に食わせ、呑み込ませたことを雨宮の殊勲と思え。覚えておけ。あれは自白だ。目崎はブツがなくとも自白する種類の男だということだ」

緒方も峰岸も、お茶くみ三年の新米刑事のように直立不動で聞いていた。

白鳥は壁に向かって頷いていた。森田が気を入れ直してカメラのズームを引く。驚くほど多くの野次馬が空き地を取り囲んでいた。

目崎の姿は見えない。白く、細くなった煙だけが見える。いつ風が止んだのだろう、煙は見事なまでに真っ直ぐ上昇していく。なぜ金を燃やさせたのか。二千万円の仇討ちとは思えずにいたが、雨宮が発した、もう一つのメッセージに思えてきた。天にいる翔子と敏子に見せたかった。煙に託して声を届けたかった。やるだけのことはやった、と。

「撤収！」

松岡が無線のマイクを握った。

「目崎正人を確保しろ。名目はマスコミからの保護。D中央署に護送のこと！」

三上は一つ頷いた。そうとも、あとは彼らの仕事だ。道を分かつ思いで携帯を開き、短縮ボタンを押した。

〈はい、諏訪です！〉

「目崎歌澄を無事保護――直ちに報道協定を解除しろ！」

77

ぽつんと一つ、電話ボックスの灯が見える。

三上は上の道にタクシーを待たせて親水公園に足を向けた。緩やかな下り坂だ。川の音が微かに耳に届く。まだ六時前だというのに、歩を進める自分の足すら闇に紛れる。公園内の水銀灯は消えていて、だからここら一帯の光源は電話ボックスの青白い灯だけだ。

捜査指揮車を降りて本部に戻ったのが午後三時だった。県庁の西庁舎六階に、異空間はもうなかった。会見場は蛻の殻で、どうしたらこんなに散らかせるのか、人の消えたフロアは大恐慌時代のウォール街だか宇宙飛行士の凱旋パレードの後だかを彷彿させた。報道協定が解除されるや、鳥が立つように全員が飛び出して行ったのだという。目崎歌澄が無事だと知って半数が東京に帰り、残りは玄武市の目崎宅や『カットサロン・愛々』裏手の空き地を目指した。

会見は「三時間ごと」に緩和された。四時の会見に駆けつけた記者は五十人足らずで、落合の顔にも人並みの赤みが戻っていた。報道協定は解除されたわけだから、捜査状況をリアルタイムに提供する義務はなくなった。出せる情報は極力出したが、無論、D中央署に目崎正人を「保護」した事実は秘した。睦子と歌澄の居場所もだ。松岡自ら二人と会い、こちらは本当の意味で保護し、次女も含めて隣県の共済会保養施設に匿う措置を取った。人間、言えることと言えないことがある。その意味がようやくわかった。目崎正人が逮捕されれば、睦子は誘拐殺人犯の妻、歌澄はその娘になる。今後の人生のためにせめて名前は伏せてやりたい。松岡はそう考えていたのだ。

寝て下さい。とにかく一旦家に帰って寝て下さい。私たちは交代でたっぷり寝たんですから。諏訪と美雲はそれしか言わなかった。やいのやいのと言ってる間に蔵前がタクシーまで呼んでいた。家に向かう車中、ふと思い立ち、運転手に行き先変更を告げてここに来た。雨宮芳男の自宅は真っ暗だった。車もなかった。今、どこにいるのか。あの時は……目崎正人が金を燃やした時はどこにいたのか。

三上は電話ボックスの扉を押した。見てくれはこんなにも古いのに、軋み音もなく、すんなりと開いた。若草色の電話機はくすんでいて見窄らしかった。数字のボタンはどれも手垢で黒ずんでいるが、指先が一番当たる真ん中辺りは銀色の地が覗き、鈍く光っていたりもする。本当に使い込むとこうなるのだろう。

深い溜め息が出た。

雨宮はここで無言電話を掛けていた。三上の家にもここから掛けた。十一月四日午後八時過ぎだった。出たのは「女」だった。次いで九時半丁度。また「女」が出た。午前零時近く、三度目にやっと「男」が出た。その声にジッと耳を澄まし、やがて電話を切り、そして「三上守之（もりゆき）」を横線で消した。当時はまだ父の名前が電話帳に載っていた。もう一年あとか、三上が官舎暮らしをしていたなら掛かることのない電話だった。

自宅の電話で掛けていた時期もあったのではないか。たぶん独り暮らしの人間にありがちな「半聞き」で、ナンバーディスプレイのサービスが開始されるという話は耳にしたが、非通知にして電話を掛ける方法は知らず、だからこの公衆電話を使い始めた。他の理由もあったかもしれない。自宅から一番近い公園だ。遊具も多い。翔子が幼い時分は敏子と三人でちょくちょく来ていたのではなかったか。ロクヨン以降は、翔子が連れ去られた場所が特定されなかったこともあり、この公園は子を持つ親に忌み嫌われた。しかし皮肉にもそのことが、昼夜を問わず、人目を気にすることなく、電話ボックスを長時間占有できる環境を雨宮にもたらした。

そう、ここなのだ。

三上は目を閉じて耳を澄ませた。静かだ。ボックスの中には何の音も入ってこない。きっとあの日は違った。夕方、県北部が時ならぬ豪雨に見舞われ、各地で土砂崩れの被害が出た。河川はどこも増水し、濁流が音を立てて下流に押し寄せていた。都会の雑音ではなかった。車の走る音でもなかった。河川敷にある親水公園前の電話ボックスから掛けた。「強弱のある連続的な音」の、それが正体だった。

〈あゆみか？　あゆみなんだろ？〉

無言の相手に向かって語りかけた。叫びもした。

〈あゆみ！　どこにいる？　帰って来い！　何も心配するな、今すぐ帰って来い！　帰ってきてくれ！〉

雨宮は理解できたのだ、三上が仏壇の前で流した涙の訳を。

〈あなたは大丈夫ですか〉

ゆうべの電話でそう言った。優しい声でこうも言った。

〈悪いことばかりじゃありませんよ。きっといいことだってあります〉

雨宮は本当にどこに行ってしまったのだろう。

こうなるきっかけを与えたのは自分だったかもしれない。三上はそう思い始めていた。雨宮宅を訪ねたのは一週間前だった。目崎の自宅に無言電話があったのは十日ほど前だから、あの時もう雨宮は「犯人の声」に辿り着いていたことになる。警察に知らせるかどうか迷っていたに違いない。いや、たった三日といえども、知らせなかった事実が雨宮の警察不信の深さを物語る。来る刑事来る刑事に必ず捕まえるという話を聞かされながら十四年、警察はとうとう犯人を突き止められなかった。自分がたった一人で成しえたことを、延べで言うなら数万数十万の警察官が成し遂げられずに事件を風化させた。所詮は他人事だからだ。そう思ったろう。テープレコーダーの録音ミスを隠蔽した。七歳の少女が攫われ、無惨に殺されたというのに、保身に走り、組織ぐるみで「三回目の電話」を闇に葬った。そんな警察に今さら何を託せるだろう。目崎正人を名指ししたところで、十四年前の犯人の声を聞き分けたこの耳をまともに信じてくれるか。取り合ってくれたとしても、遺族が犯人を突き止めたとなったら警察の面子が潰れる。余計なことをしてくれたといった空気が捜査の矛先を鈍らせはしまいか。大した捜査もせずに「違いました」と言ってくるのではないか。しかし、だからといって自分一人ではどうにもできない。押し掛けて追及しようにも、声が似ているというだけでは目崎を白状させられまい。三上が呼び鈴を鳴らしたのは、きっとそんな頃だった。

おそらくすぐに声に気づいた。雨宮が電話で耳にしたあまたの言葉の中でも、三上が発したそれは特別印象に残ったろう。しかも差し出された名刺の頭は「み」。記憶に新しかったから雨宮は確信した。目の前にいる男は、娘を亡くした親の思いをわかってくれるであろう、数少ない警察官の一人に違いなかった。あの時、三上が別の話を切り出していたなら、雨宮は「犯人の声」を突き止めたことを打ち明けたのではなかったか。

だが……。

三上は何と言ったか。思い返すと胸が痛む。長官の慰問を受けてくれと頼んだ。見え透いた警察PRを押しつけようとした。お為ごかしに、ニュースになれば新たな情報が掘り起こされるかもしれないと畳み掛けた。雨宮は思ったろう。警察は何も変わっていない。十四年経って尚、事件の被害者そっちのけで、いや、遺族の悲しみを利用してまで自分たちの組織を生かそうとしている。

〈ありがたいお話ですが、その件はご遠慮します。わざわざ偉い方にいらしていただく必要はありません〉

あれが発火点だった。雨宮の気持ちが激変した。そう思えてならない。

警察に頼らず自分で目崎を追い詰めたい。雨宮は幸田に相談を持ち掛けた。ともに警察に蔑ろにされた二人が額を寄せ合って計画を練った。目崎に対する復讐のみならず、警察に対する報復もまた深く練り込まれた。長官視察の当日に「事を起こす」ことに拘った。警察が最も打撃を受けるであろう日を狙ったのだ。歌澄の「不在」を利用するという、不確定要素を孕(はら)んだ犯行計画だったために「誘拐」が前日決行になっただけのことだ。偶然ではなかった。起こるべくして、ロクヨン視察の前日にロクヨンを模倣した事件が発生した。視察を中止に追い込んだのは、刑事部の憤怒でも不可抗力でもなく、雨宮と幸田の峻烈なる意趣返しだった。

迷っていた雨宮の背中を三上が押したのだ。長官の視察日を知らせたことが、「犯行にふさわしい日」の情報を与える結果となった。散髪は決意の表れだった。ゆうべのあの言葉も三上にだけ言ったとは思えない。おそらく自分にも言い聞かせていた。悪いことばかりじゃない。きっといいことだってある。だが――。

してはならないことをした。

雨宮と幸田は責めを負わねばならない。とりわけ雨宮の罪は大きい。外道に善い外道も悪い外道もないのだ。理由はどうあれ人様の娘を「誘拐」し、殺すと脅して金を要求した。母親に――目崎睦子に計り知れない苦しみを与えた。翔子が誘拐されたと知った時、敏子はどんなだったか。それをつぶさに見ていたのに。敏子の祈りを自分の祈りとして感じていたはずなのに。雨宮は外道に堕ちた。己の復讐心を満たすために罪もない母親の心を踏み殺した。

雨宮自身が一番わかっている。だから帰ってこない。ことによるともう――。

クラクションの音が耳に届いた。

上の道だった。

しょっちゅう本部ビルに呼ばれている個人タクシーだから、こっちの身元や乗り逃げは疑っていまいが、何しろ三十六時間寝てないこの面相だ。ひどく深刻そうに見えて、川に身投げでもしたかと心配になったのかもしれない。運転手が車を降りたのが遠目にわかったので、三上は電話ボックスから半身を出して手を上げた。すまん、もう少し待っててくれ――。

扉を閉め、携帯を開いた。松岡の番号を呼び出し、と、なぜかそうしたくなって目の前の受話器を取り上げた。ピッ、ポッ、ポッ、パッ。懐かしい音に聞こえた。松岡の携帯は留守電になっていた。公衆電話から無言電話では洒落にならないと思い、三上です、後刻掛け直します、とだけ吹き込んで切った。

折り返し電話をもらえる気がした。伝えたいことと訊きたいことが両方あった。

幸田はどうしたか。

松岡が見逃すはずがない。窃盗、脅迫、恐喝。罪状なら幾らも並べられる。しかし三上が指揮車を降りるまでの間、幸田に関する無線情報や松岡の指示は一切耳にしなかった。邀撃班は幸田を身柄にできなかったのか。あるいは敢えてしなかったのか。

松岡と幸田が通じていた。最低でも、事前に松岡宛てに匿名のタレコミがあった。そうでなければ説明のつかないことがある。松岡は雨宮の黒ずんだ人差し指を見ていないのだ。連結部品なしに、なぜ「マ行」の無言電話と今回の「誘拐」とが頭の中で結びついたのか。

三上は小さく首を振った。

もはや端緒の詮索をしている段階ではないのだ。目崎正人はロクヨンの本ボシか否か。それが問題だった。松岡は確信しているふうだ。だが雨宮の「耳」だけでは立件も公判維持もできない。自白を取り、証拠を固めない限り、目崎はいつまでも「警察保護下にある父親」のままだ。

本ボシだと仮定するなら、目崎は白いクーペで自宅を出てからずっとボロを出さなかった。娘の身を案じていたのは疑う余地がないから、極めてボロが出にくい状況だったと言えた。だが終盤に崩れた。幸田の電話指示に慌てて答えて馬脚を現した。国道を北上中、『純喫茶チェリー』を急発進で後にした際の電話のやりとり。緒方が「一発、道で引っ掛けた」と称した、あの場面だ。

〈教えて下さい！　どこへ向かえばいいんです？〉

〈真っ…直ぐ…三キロ走…れ〉

〈真っ直ぐ？〉

〈道沿いに…カットサロ…ン愛々という美容院…がある。十分…以内に来ないと娘が…死ぬ〉

三上は後で録音を聴き直して得心した。確かに幸田は引っ掛けていた。いや、既に国道に入った時には〈この辺りには詳しいか〉と訊き、〈い、いえ、この辺りは全然……〉と答えさせている。ロクヨンの本ボシである目崎にしてみれば、ロクヨンルートを「詳しい」とは言いづらかった。その言質（げんち）を取ったうえで、真っ直ぐ三キロ走れと命じた。目崎は思わず、本当に思わず〈真っ直ぐ？〉と聞き返してしまった。『カットサロン・愛々』に行くには、一キロ先の交差点を右折せねばならないと知っていた。しかもまだ幸田は『愛々』を口にしていなかった。店の名を聞く前に、次は『愛々』を指定してくると予想していたことまで露呈した。

目崎にとって交差点までの一キロは、これまでの半生よりも長かったに違いない。『直進』と『愛々』の両方を指示されている。曲がるか、曲がるまいか。どちらを選択するのも恐ろしかった。後部座席の床には刑事が潜んでいる。通話内容も聞かれている。まさか自分のことを「翔子ちゃん事件」の犯人と疑ってはいまいが、しかし曲がれば『愛々』の場所を知っていたと勘づかれる危険がある。ならば直進するのか。そんなことはできない。指定された『愛々』に行かなかったとしたらどうなるか。犯人は〈十分以内に来ないと娘が死ぬ〉と言っているのだ。「本当に直進でいいんですか」。喉元まで出たろうが、しかしそれは自白に等しい。脳細胞をすべて使い果たした末に目崎は右折した。歌澄を選択したのだ。

だが、最大の試練は最後に待ち受けていた。言わずもがな、あの「一筆箋」だ。予想に反して、目崎が刑事に提出した紙片にはボールペンで書かれた文字が残されていた。横書きで一行。三上は震撼した。

『娘は小さな棺(ひつぎ)に入っている』

一斗缶の下にそれを見つけて読んだ時、目崎はその場に泣き崩れた。慟哭した。歌澄を殺した。犯人がそう宣告したのだと思い込んだ。が、すぐに睦子から電話が入った。歌澄の無事を知らされた。もう一度、メッセージを読み直した。まず気づいた。「棺」ではなく「小さな棺」であることに。そして理解した。ここに書かれた「娘」とは、「歌澄」ではなく「雨宮翔子」であることに。

自宅に脅迫電話が入り、それが自分のやった事件を模倣しているとわかった時から、目崎の頭の中では「雨宮翔子の関係者」が跋扈(ばっこ)していたろう。だが警察のプロ集団が十四年捜査してわからなかったものを、たとえ被害者の身内であっても、素人に突き止められるはずがないとも思ったはずだ。ただの偶然ということもありうる。畏れをねじ伏せるために、自分にそう言い聞かせ続けていたのではなかったか。

だが、「小さな棺」でわかった。はっきりと知った。これは雨宮翔子の肉親からのメッセージだと。

そうだと知った上で警察に紙片を提出した。ならば目崎は「何」を食ったのか。それはわからなかった。紙の裂け目はメッセージの上側を走っていた。横書き遣いを前提にして言うなら、食ったのは紙の上半分だった。正確には五本の罫線の二本分が食われていた。残されたメッセージは下半分、罫線三本分のスペースに書かれていたということだ。

普通に考えるならば、上には「宛名」が書かれていたのではないか。三上はそう思った。『目崎正人へ』。いや、紙は必ず警察が回収する。雨宮はこの男が翔子を殺した犯人なのだと知らせたかったはずだ。十四年前の犯人の声と目崎の声は酷似している。雨宮が言えるのはその一点だ。だから、それをそのまま書いた可能性はある。『訛りのない、やや掠れた声の目崎正人へ』――。

何の証拠にもならない。だが目崎は食った。本ボシだからだ。

警察に紙の提出を求められた時、どうするのが自分にとって有利か。脳をフル稼働させた。紙を渡さなければ腹を探られる。誰かに深い恨みを持たれていながら、その事実を隠していると疑われる。さりとて、紙を渡すことは決してできない。宛名一つで「翔子ちゃん事件」と自分を結びつけられてしまう。時効まではまだ一年あるのだ。見られないように上半分を食い、下を残す。それが目崎の出した結論だった。自分に「加害から。

者」の嫌疑が掛かる部分を食い、犯人に娘を殺したと宣告された「被害者」の部分を残した。「小さい棺」は問題にならないと思った。親にとって娘は常に小さいものなのだから。

こっそり紙を裂き、こっそり口に入れ、こっそり食った。

もうその時には、娘の身を案ずる父親はそこにいなかった。いたのは、自分にも当時三歳の娘がいながら、七歳の娘を誘拐し、殺し、金を奪った一匹の鬼畜だ。

なぜ紙を食べた？　何が書いてあった？　最初刑事に訊かれた時、目崎は何も食べていませんと答えたという。ビデオに映っている、歯科衛生士を呼ぶと言われてあっさり撤回した。ああ、無意識に食べてしまったかもしれません。昨日から何も食べていなかったものですから。でも、書いてあったのはあれだけです。それははっきり覚えています――。

松岡への報告を傍耳（かたみみ）した三上は怒りに震えた。緒方と峰岸が悔しがったのも当然だと思い直した。なぜ雨宮はもっと幸田にやらせなかったのか。時間はたっぷりあった。ロクヨンのネタを小出しにしながら、じわりじわりと目崎を追い詰めればよかった。白状しなければ歌澄を殺すと脅すことだってできた。幸田は元刑事なのだ。完全な自白までは得られずとも、それに近い反応を引き出すことは十分に可能だった。

なのにしなかった。させなかった。

結果は松岡が口にした通りだ。〈雨宮芳男が容疑者を提示した〉。それ以上でもそれ以下でもなかった。『愛々』の件にしたって幾らでも惚けられる。ふと思い出して曲がったんです。昔、看板を見たような気がして。動転していたので曲がった時のことはよく覚えていませんが。目崎にそう言われてしまったら取調官は臍を噛むしかないのだ。

なぜあんなまどろっこしい計画になったのか。考えるほどにもどかしい。そして考えれば考えるほど、雨宮がわざとそうしたとしか思えなくなってくる。敢えて「容疑者の提示」に留めた。「挙げる」のはそっちの仕事だとばかり警察にボールを投げた——。

それが報復と言えるのか。

またクラクションが聞こえた。さっきより音が大きかった。すぐ行く。今度はそんな手を上げ、と、その時だった。

赤色棒が目に浮かんだ。

警備員の制服を着込み、『スーパー・トクマツ』の駐車場で車を誘導する幸田の姿が浮かんだ。

傍に幸田がいたからか。

幸田だけは雨宮を裏切らなかった。「自宅班」の一員として寝ずに働いた。組織の不正を許さず、立ち向かい、ために刑事の職を失った。それでも雨宮の気持ちに寄り添い続けた。言葉に嘘のないことを今回の一件で証明してみせた。犯罪者になるのだ。ただでさえ、世間の片隅に追いやられていた男だった。服役し、妻子とともに再出発する道の険しさは想像するに余りある。だが幸田は断らなかった。実行犯を買って出た。雨宮は知っていたのだ、警察にもこんな男がいることを。

その幸田が犯行計画を練りながら苦しんだ。そうとも、苦しんだに違いないのだ。警察をとことん貶める計画だ。D県警が十四年掛かって挙げられなかったロクヨンの真犯人を、天の高みから暴露しようという計画だ。実際に幸田が目崎を自白させていたとしたらどうだったか。緒方と峰岸は快哉を叫んだか。昔の仲間の顔が次から次へと浮かんで幸田は苦しんだ。D県警に痛みを与えることはできても、恥辱を与えるのは身を切られる思いがした。自分を辞職に追い込み、一顧だにしなかった組織を、それでも最後まで憎みきれない自分を見つけてしまった。古巣は、どれほど腐りきっていようとも古巣なのだ。刑事は、辞めても心のどこかが刑事なのだ。辞めた後もずっと刑事だったからこそ、ロクヨンと雨宮を片時も忘れることがなかった。おそらくそれが幸田の胸に残された、たった一つの矜持だった。

だから寸止めにした。苦しむ幸田を見かねて雨宮がそうした。

三上は電話ボックスを出た。

刑事は世の中で一番楽な仕事だ。そう言ったら幸田は何と答えるか。

事件は何度でも人を試す。暗がりを、三上は一歩一歩踏み締めて歩いた。

78

タクシーの料金メーターは跳ね上がっていた。スタッドレスタイヤが嫌な走行音を立てるが、それでも指揮車と比べれば夢の乗り物に思える。

「寒くなかったですか」

運転手がおざなりに言った時、懐の携帯が震えた。松岡からだった。ラジオを点けてくれと言ってから出た。

〈無言電話でも掛けてたか〉

「すみません。ちょうど公衆があったものですから」

〈ん？　落語か？〉

「タクシーです」

〈用件を言え〉

三上はラジオのボリュームを上げさせ、口元を手で覆った。

「目崎はどうです」

〈保護中だ。明日には放す〉

三上は頷いた。目崎がそうしたいと言えばそうせざるをえない。

「何か喋りましたか」

〈早く犯人を捕まえてほしいと言ってる〉

手強い――。

「そうする手もあるんじゃないですか。雨宮の供述から攻め上る手も」

〈考えてない。まずは目崎の十四年間を素っ裸にする。それから千の状況証拠で奴を生

き埋めにする〉

三上は深く頷いた。

「外車セールスの関係で、犯行動機に繋がりそうなケースが一点、ご参考までに」

〈聞かせろ〉

「十一、二年前の話ですが――」

昨日、講堂の前で芦田のギョロ目を見た時、詐欺で挙げる切り口はないかと相談されたことをふと思い出したのだった。高級外車のセールスマンが首を吊った。その女房から聞かされた話だと言っていた。千六百万からするドイツ車を暴力団事務所に納車に行った。既に代金は全額、会社の口座に振り込まれていたので指定された午後一時に車を届けた。事務所ビルの前で坊主頭の若い組員が待っていた。若頭が不在で印鑑を預かっていると言うので、納車確認の判を貰って社に戻った。夕方六時に若頭から電話があった。車が届いてない、と。セールスマンは青くなった。そちらの若い人に渡しました。人相風体を説明したところ、そんな者はウチにはいない、と。嘘を言っているのはわかったが相手は暴力団だ、それ以上は突っ込めない。若頭の名は「萩原」といったが書類の押印は「荻原」だった。その瞬間、セールスマンは千六百万円の負債を抱え込んだ。午後六時の電話というのがミソだった。五時間あれば日本海にも太平洋にも出られる。解体されたか、車体番号を削られたかしてコンテナ船に積み込まれている。その坊主頭を見つけて叩くしかないだろうと言うと、ギョロ目は肩を竦めて、連中は車の受領役を関西と融通し合ってるから難しいんだというようなことを言っていた。

〈いい話だ。ロクヨン以前にもあったかどうか調べさせる〉

「それともう一点、電話に関することですが――」

ロクヨン当時はまだ携帯が市場に出回っていなかったが、それ以前から「カー電話」は普及していた。高級外車のディーラーなら取り付け前の在庫があったかもしれない。

「私は詳しくありませんが、電話本体とバッテリー、アンテナを持ち歩けるのだとしたら、ホシはあらかじめ『龍の穴』の付近にいて、そこから『釣り宿・一休』に電話を入れることもできたかと」

〈単ボシでも犯行が可能ってことだな〉

「そうです」

〈カー電話はやらせている。あとは？〉

「目崎のスポーツ用品店と川遊び系の関係はどうです？」

〈ゴムボートやカヌーは扱ってない。バーベキューセットの品揃えが豊富らしい――あとは？〉

三上は大きく息を吸った。

「一つ質問してもよろしいでしょうか」

〈本当に一つか〉

「はい？」

〈俺は忙しい。幾つかあるなら最初にそう言え〉

「では……二つ」

〈訊け〉

「雨宮と幸田は生きていますか」

身柄を押さえているか。そうでないなら所在を摑んでいるか。

〈生きてる〉

即答だった。だが――。

〈命懸けで事を起こした人間は結果を見るまで死んだりせん〉

三上は少なからず驚いた。

「放っておくということですか」

〈心配するな。目崎を縛れば出頭してくる〉

「しかし……」

〈二人はこっちの喉元に刀の切っ先を突きつけたんだ。ロクヨンを先に挙げるのが筋だ。あべこべにしたら二人は生き恥を晒す〉

武士の情けか。だが本当にそれだけか。

二つめの質問は決まった。

「今回の仕組み、参事官はなぜわかったんですか」

やはり訊かねばならなかった。「マ行」の無言電話を起点に、雨宮を経由することなく、どうやってロクヨンに辿り着いたのか。松岡は起こる事態を予測して指揮車を走らせていた。だがもし、事前に幸田から情報提供があったとするなら、予測ではなく、起こる事態を知っていて「観察」していたことになる。いや、ロクヨンのホシを挙げるために雨宮、幸田と共謀して事件を「運営」した疑いすら浮かぶのだ。

〈昨日、自宅でツラを見たからだ〉

意外な答えが返ってきた。

「目崎の、ですか」

松岡は小さく笑ったようだった。

〈俺はな、初めて会う人間すべてに目で問い掛けることにしている――お前はロクヨンのホシか？〉

「あ……」

〈そうだと言う奴はおらん。ただな――目崎は娘を誘拐したホシよりもデカを恐れていた〉

三上は止めていた息を吐き出した。

会う人間すべてがロクヨンのホシ。そうやって松岡はこの十四年間を過ごしてきたのか。まさしく常在戦場。娘を誘拐された被害者の父親ですら容赦なく眼力を働かせた。年齢。やや掠れた声。事件被害家族の狼狽を丸ごと差し引いてもなお余す不審な挙動。刑事の視線に怯える瞳。ロクヨンの本ボシだからロクヨンの模倣犯に報復を受けている。

そう仮定し、その「ゴール地点」から遡って「スタート地点」を見つめた時、頭の隅にあった「マ行」の連続無言電話が引っ掛かった——。

そうか。そうだったのか。

「最初の脅迫電話から一一〇番通報までに時間がありましたね」

〈二十五分だ〉

しかも「警察に言うな」の決まり文句はなかった。通報を逡巡させる材料を幸田が与えなかったのだ。なのに二十五分間の空白が生じた。睦子から脅迫電話があったと知らされた時、目崎は何と言ったのか。いずれにせよ、父親の血と同時に鬼畜の血も凍りついたことは間違いない。もし犯人が警察に言うなと脅してきたとしたら、それでも目崎は一一〇番通報しただろうか。

「目崎は生きた心地がしなかったでしょうね。最も恐れていた警察がぞろぞろ家に上がり込んできて」

そして眼前には松岡がいた。お前はロクヨンの犯人か？　おそらく口ではないどこかが言ったのだ。イエス、と。

〈美那子さんに礼を言っておいてくれ〉

「あ、はい。役に立ったんでしょうか」

〈もちろんだ〉

「いったい何を？」

〈特命だ〉

「そうでした」

松岡はまた笑ったようだった。

〈いや、いい。話してやる。美那子さんはお前のすぐ近くにいたんだ〉

「えっ……？」

〈ロクヨンで『喫茶あおい』にいたアベック班の連中には、途中から『愛々』に行ってもらった。雨宮芳男の顔を知ってるからな〉

「そ、それじゃあ」

〈いた。大勢の野次馬に混じって、目崎のことを見ていた〉

そうか。雨宮は来ていたのか。

〈美那子さんが最初に見つけたんだ。お前が追2で本部に向かってすぐ電話をくれた〉

「そうでしたか……。それで雨宮は今？」

〈来たことだけ確認できればいい。こっちとしては当面、用がない〉

忙しいと言った割に松岡は雄弁だった。やはりロクヨンを射程に収めた興奮があるのか。それとも恐れの裏返しか。三上は訊いてみたくなった。覚悟のほどを。それは広報の職務にも大いに関係があることなのだ。

「参事官――たとえロクヨンを挙げても捜査一課は祝福されません」

通じたようだった。

〈知ってるのか〉

「幸田メモの中身は知りました」

〈そうか。知ってるのか〉

ロクヨンの解決は諸刃の剣だ。目崎が逮捕され、全面自供となれば、雨宮の自宅への脅迫電話が三回あった事実が露呈する。晴れがましい逮捕の記者会見は、同時にD県警が十四年間隠蔽し続けてきた爆弾が破裂する場でもあるのだ。

思案の間の後、静かな声が耳に戻った。

〈以前、ある人がこう言った〉

松岡の言う「ある人」が、元刑事部長の尾坂部道夫であることは刑事なら誰でも知っている。

〈気に病むな。秘密の暴露に使えばいい〉

三上は深く頷いた。

松岡も苦悩した時期があったのだ。刑事部の秘密を知り、憤り、幻滅し、そして退官した尾坂部に会いに行ったのだろう。その松岡に尾坂部は言った。録音ミスを隠蔽した事実は犯人逮捕の切り札でもある、と。

雨宮翔子の死体発見直後に報道協定は解除された。今回とは違う。十四年前は協定のルールがきちんと守られ、会見場では事件経過が詳細に発表されていた。そのすべての情報がマスコミを通じて世間に晒された。だが隠蔽された「三回目の脅迫電話」だけはどの新聞にも出ていない。取り調べ中の容疑者がそれを喋れば「秘密の暴露」であり、即ち本ボシだ。そのことだけを考えて捜査しろ。刑事部をぶっ壊す爆弾であろうが何であろうが、利用できるものはすべて利用してロクヨンのホシを挙げろ。尾坂部はそう諭したのだ。

おそらく松岡は頷いた。刑事部の爆弾を、自らの爆弾として懐に納めた。その瞬間、松岡は「陰の刑事部長」になったのだ。

荒木田にはできなかった。昨日から姿や声はおろか気配すら伝わってこない。息を殺しているのだ。松岡に、これはロクヨンの捜査だと告げられたからだ。八代隠し続けた爆弾が、自分の在任中に破裂する危険が出てきた。年が明ければ退官だ。再就職先も決まっている。だから敵前逃亡した。捜査指揮の全権を松岡に丸投げし、会見責任を落合に押しつけた。ノータッチを決め込むことで爆風の圏外へ逃れようとしている。そもそも、自分一人で抱え込むことに堪えられず、部長限定のトップシークレットを松岡に漏らした。刑事部長をやってはいけない男だったのだ。

〈そういや、緒方と峰岸がショックを受けてたぞ〉

「なぜです」

〈お前にボンクラ呼ばわりされたからだ。あの啖呵（たんか）は迫力があった〉

「謝っておいて下さい。あの二人は掛け値なしに優秀だ」

〈まあな〉

「しかし区別がつかないのが難点ですね」

〈ん?〉

「目を瞑ってやりとりを聞いてたら、どっちが緒方でどっちが峰岸だかわからない」

松岡は大きく笑い、それを閉じて言った。

「三上——また一緒にやらんか」

胸が熱くなった。

三上は膝頭を合わせ、一つの決意を胸に言った。

「その時が来たら、お供させていただきます」

79

家の灯は点いていた。

習慣で出前の丼を探した目が、ふと止まった。前庭とも呼べない塀沿いの一角に白い花が咲いていた。植物にはてんで疎いが、十二月なのにと驚きはした。地べたスレスレのところで、首を垂れるように下向きに咲いている。まだ満開ではないのか、幼子の「ぐー」の手に似ていた。

美那子は普通の顔で出迎えた。あれはあゆみからの電話ではなかった。すぐには切り出せそうになかった。

ラーメンを作ってくれと頼んで、三上はキッチンの椅子に腰を下ろした。七時二十分だ。記者会見が始まっている。体は鉛のように重かった。眠くはないが、前頭葉がぱんぱんに張っている感じがする。

「あれ、何ていうんだ、外の花」

「あ、そうそう、咲いたのよ」

美那子がキッチンで返事をした。

「だから何て花だ」

「クリスマスローズよ。お義父さんが亡くなる少し前に植えたの。ここ何年か咲かなかったんだけど、本当に長生きよね」

心持ち美那子は元気そうに見えた。やはり外の空気を吸い、光を浴び、そして誰かの役に立ったからか。

「雨宮さんを見つけたんだって？」

「あ、でも……」

三上は苦笑した。

「いいんだ、特命は家で靴を脱いだら終わるんだ」

「そうなの？」

「そうさ。どんなだった、雨宮さん」

美那子が丼を運んできた。そのまま三上の前の椅子に腰掛けた。

「老けてはいたけど、でも、老け込んでるって感じじゃなかった」

　三上はラーメンに箸をつけた。

「ずっと動かずに、恐い顔をして、あの男の人を見てた」

「睨みつけていた」

「そうね。そう見えた。でも……」

　美那子は遠い目をした。

「しばらくして、もう睨むのをやめて、空を見上げてた」

「空を？」

「ドラム缶から煙が上がってたの。それを見上げてたの」

　そうか。天に昇る煙を……。

「私ね、目が合ったのよ、雨宮さんと」

　箸が止まった。

「本当か」

「ええ。なんだか私もしばらく煙を見つめてしまって、それで目を下ろしたら、雨宮さんがこっちを見てたの。目が合って、そしたら雨宮さんが私に小さく会釈したの」

「会釈した？」

「そう見えたの。覚えているはずないのにね。十四年前は店に駆け込んできて、もう、あっという間に飛び出して行って、私のことなんか目に入ってなかったはずなのに」

「それで？」

「思わず私も会釈した。参事官に話したの。すみませんでしたって謝ったの。そしたら、全然構わない、って。そういう話が聞きたかったんだ、って」

三上は息を吐いた。野次馬はみんな目崎を見ていた。雨宮と、そして美那子だけが立ちのぼる煙を見上げていたのだ。

「あの男が金を燃やすところは見なかったのか」

「えっ？　お金を燃やしたの？　その煙だったの？」

「身代金を燃やしたんだ」

「わからない。どういうこと？」

「あの男がロクヨンの本ボシなんだ」

美那子はヒッと息を呑んだ。

「あの人が？　そうなの？　だって泣いてたのよ」

「笑ってたんだ」

三上は再びラーメンに箸をつけた。麺を啜り、呑み込むたびに美那子に質問をされた。要領を得ない会話になった。雨宮はなぜ目崎が犯人だとわかったのか。それを話さなければ、何も話したことにはならない。一度眠ってしまったら伝える勇気が湧くか自信がなかった。今、話すしかなかった。

「聞いてくれ」

少し麺を残した。丼を横にずらした。手を伸ばせば美那子の手にも頬にも届く。そんな距離を確認した。

「雨宮さんは声で犯人を突き止めたんだ」

三上はそう切り出した。ゆっくりと、順を追って、何事も隠さずに話した。十一月四日の無言電話のことはとりわけ詳しく話した。それが三回あった理由を納得できるように説明した。美那子は胸に手を当てて聞いていた。何も言わず、何も聞き返さず、終いまで取り乱すことも涙を見せることもなかった。

「わかりました」

美那子が言った。静かな声だった。表情は沈み、落胆は明らかだったが、それが体を崩してしまうことはなかった。きちんと座っていた。我慢しているとか、覚悟していたとか、認めるのを拒んでいるとか、そのどれとも違った。あれほどあゆみの電話に拘泥していたのに、それに見合う反応を見せなかった。目線は三上の胸元にあった。荒涼を見ているようには思えなかった。静謐(せいひつ)を見つめている。雑念の存在しない世界を見つめている。美那子はそんな達観した目をしていた。

支えがあるからだ、と三上は思った。電話の線が消えたぐらいでは揺らがない、心の構えがあってこそだと思った。

「美那子」

「………」

「なあ、美那子」

「大丈夫。あゆみはきっと守られてる」

守られている……。

そうか。

〈あゆみにとって本当に必要なのは、私たちじゃない誰かかもしれないって思うの〉

真っ暗な寝室で、美那子はそう言った。

〈きっとどこかにいるんだと思う。ああなってほしいとかこうなってもらいたいとか望まずに、ありのままのあゆみを受け入れてくれる人が。そのままでいいよ、って黙って見守ってくれる人が。そこがあゆみの居場所なの。そこならあゆみはのびのび生きていける〉

諦めてしまったのかと思った。待つことに、考えることに疲れ果ててしまったのかと思った。だが今にして思う。美那子はあの時、あゆみの「生存の条件」を語ったのではなかったか。

金はほとんど持っていない。人と話すこともできない。顔を見られることを、笑われることを何よりも恐れている。「誰か」が救いの手を差し伸べてくれなければ、あゆみは生きていけない。「誰か」に出会っていないのだとしたら、あゆみはもう生きていない。あゆみが今、たった今、息をし、鼓動を感じ、その目で何かを見つめているためには、住まわせ、食べさせ、名前も訊かず、親も調べず、警察にも市役所にも届けず、あゆみが心を開くまでジッと待ってくれる「誰か」が存在しなければならない――美那子はそう考えたのだ。そこに行き着いたのだ。

だからあゆみを手放した。ただ生きていてくれればそれでいい。自分の娘でなくなったっていい。そう自らに言い聞かせていたのだ、あの暗闇の中で。

〈ここじゃなかったの。私たちじゃなかった。だからあゆみは出て行ったの〉

瞼が自然に下りた。

そうとも、美那子は諦めてなどいなかった。現実から目を逸らしてもいなかった。生と死を直視し、あゆみが生存できる条件を探し、その条件を満たすために絶対的な「誰か」を創出した。決してあゆみが死ぬことのない世界を心の中に作り上げた。母親である自分を、あゆみが生きる世界から抹消してまで。

三上は逃げていた。突きつけられた現実を、ただずるずると後ずさりしながら受け入れてきただけだった。世間の常識と刑事の経験に縛られ、髪を振り乱して娘を捜す狂信的な父親になることもなかった。

あゆみからの電話ではなかった。半ばそう思っていながら認めないふりをしていた。美那子は信じるための努力をしていた。他の無言電話とは違うことを証明して見せようと懸命だった。三上は目を背けていた。逆の結果が出るのが恐ろしくて棚上げしていた。そして今日、恐れていた通りの現実を諦め顔で受け入れた。やっぱりあゆみじゃなかった、と。外堀を埋められた気がした。「死の条件」を数えていたのだ。

美那子のように「生存の条件」を考えたことがあった。「誰か」の存在も思い浮かべた。だが、そんなお人好しが世の中にいるものか、いるとするなら犯罪者だと決めつけて頭から締め出した。考えるのが辛いから消したのだ。あゆみの生きていける世界を、三上の心の都合で消し去ってしまったのだ。そういうことか。我が子が生きていることを信じられなくなった。そういうことなのか。

左耳に手が行った。

目眩は？　あれほど頻繁に起きた目眩はどこに消えたのか。諦めてしまったから。逃避する必要がなくなったから。唯々諾々、現実を受け入れ、心や脳のバランスを崩すこともなくなったから。

顔もだ。あゆみと切っても切れないこの顔のことまで忘れていた。口髭やオールバックに鬼瓦と揶揄されても何も感じなかった。あんなにも大勢の記者がせせら笑っていたではないか。なのに心は反応しなかった。あゆみを思い出さなかった。気持ちは空を翔ばなかった。

切れたのか。本当に切ってしまったのか、俺は。

パパ！　ねえ、こんどはパパがかくれて！　あゆみがさがすね！　じゃあ、はい！　もういーかい！

そんなわけない。諦めてなんかいない。諦められるはずないじゃないか。

会いたい。あゆみに会いたい。生きていてほしい。きっと生きている。生きているに決まっている。もうじき帰ってくる。もうそこまで来ている。そうとも、「誰か」に付き添われて――。

「あなた……」

両手で顔を覆っていた。歯を食いしばっていた。死んでも涙は溢すまいと痛いほど両眼を押さえつけていた。

頬に手が触れた。

三上が伸ばすはずだった。美那子の頬に手を当て、親指で涙の線を消し、いつかの言葉をもう一度言うはずだった。

大丈夫か?

「大丈夫よ、あなた。あゆみはきっと元気にしてるから」

手首をさすられた。

この人なのだ。三上の「誰か」は美那子に違いないのだ。知っていた。もうずっと前からわかっていた。気づかないふりをしていた。ふりをしているうちに本当に何も気づかなくなっていた。本当に馬鹿だった。仕事は裏の裏まで知り尽くし、なのに妻のことは何一つ気づかないなんて、そんなものが人生と呼べるか。

美那子が作った世界を信じてみよう。「誰か」のいる世界を、あゆみが生きていける世界を、心から信じてみよう。

「疲れてるのよ。少し横になったら」

熱を計るように額に手を当てられた。母にそうされたような気がした。猛烈に照れ臭くなった。目ん玉を指で抉るようにして涙を切り、三上は立ち上がった。

「水をやらないとだろ」

「えっ？」

「ローズマリーだ」

「クリスマスローズ？」

「それだ」

「今？」

「あ、いや、明日とか明後日とかだ。毎日、水をやったほうがいいな」

「どうかしら。冬だから」

「やったほうがいいだろう。生きてるんだから」

「そうね」

「もっと買ってきたらどうだ。赤とか青とか、賑やかになるだろう」

「急にどうしたの？」

美那子が笑ったので三上は勢いづいた。

「これが終わったら、望月のところに買いに行こう。知ってるだろ、望月」

「辞めて、お花を作ってるのよね」

「凄いんだ、でっかいハウスで、あれは何ていうんだったか——」

花の名前は出てこなかった。

「とにかく買いに行こう。お前が好きなのを買えばいい」

話が続かなくなって時計を見た。八時半を回っていた。もう会見は終わったろう。

「ちょっと電話をする」

「まだ大変？」

美那子の顔を見た。心配そうに眉を寄せていた。

今ここからだ、と三上は思った。美那子の目をしっかりと見て言った。

「いいや、大変じゃない。俺が大変だったことなんて一度もないんだ」

茶の間で受話器を上げた。広報室に掛けた。気持ちが澄んでいた。どこか浮き立っていた。

〈はい、広報室です〉

諏訪が出た。

「広報官はいるか」

〈よ、よして下さいよ、広報官！　まだ寝てないんですか〉

「七時の会見、どうだった」

〈参りました。とにかく目崎一家の所在を教えろの一点張りで〉

「それはこっちの仕事じゃない——二課長はどうだ」

〈すこぶる元気です。頑張る理由がわかりました。美雲ですよ、美雲〉

そういうこと言うのやめて下さい！　後ろで美雲が本気で怒っている。

三上は笑った。幾つか指示を出して電話を切り、そしてまた番号を押した。日吉浩一郎の自宅――。

電話に出た母親に頼んだ。前のように子機を二階に運んでもらう。その時間が長く感じられた。睡魔を警戒した。戦友の号泣を聞いた気がしたからだ。

いいことをすりゃあ、返ってくるさ。

そうじゃない。そうじゃないんだ、父さん。

それより咲いたよ。あれは何ていう花だっけ？

美那子がじょうろで水をやっている。「ぐー」が「ぱー」になっている。赤も青も黄色もある。日陰なのに、そこだけ眩い光が降り注いでいる。電話が鳴っている。いいんだ、俺が出る。いいから、いいから……。

三上はハッとした。ごそごそと音がしている。子機が部屋に持ち込まれた。

「三上だ――君付けはやめる。まどろっこしいからな」

〈………〉

「日吉、よく聞けよ。翔子ちゃん事件の犯人が捕まったぞ」

〈………〉

「どうだ、驚いたろう。新聞もテレビも当分やらない。だけど捕まったんだ。俺は犯人の顔を見た。お前によく似た森田って奴もだ。白鳥っていう、会ったら絶対笑っちまう奴もだ。みんなで犯人の顔をしっかり拝んだ」

〈………〉

「雨宮さんも見た。十四年経ってやっと犯人の顔を見られたんだ。気持ちに区切りがついたと思う。きっと当時のスタッフにも感謝したと思う」

〈………〉

「聞いてるか？　眠いのか？　俺もだ。あと十分だけ付き合え。そうすりゃ新記録なんだ。三十九時間連続起きっぱなしだぞ。二十五歳の時の記録を破ろうってんだ」

〈………〉

「これからもちょくちょく掛けるからな。どうせ暇だろ？　俺もな、刑事をクビになって夜は暇なんだ」

80

瞬く間に一週間が過ぎた。

記者会見は一日二回にまで減った。偽装誘拐、「身代金」焼却、犯行動機不明。極めて特異な事件には違いないが、肝である誘拐行為が存在しないのだから先細りは必然だった。会見に集まる記者の顔ぶれも「ウチの記者たち」が中心になった。いや、もう「ウチの――」などとは言ってられなかった。秋川はすっかり息を吹き返した。他の皆も持ち前の攻撃性やら粘着質やらを取り戻し、会見が終わる都度、広報室に押し掛けてくる。

「やっぱり匿ってるんじゃないの？　おかしいよ、これだけ捜して見つからないなんて」

「腕が悪いんだろう。こっちのせいにするな」

「だったら被害者の情報をもっと出して下さいよ。これは協定事案なんですから、警察が事件の全貌を明らかにする義務があるんじゃないですか」

「協定は解除されたんだ。捜査上の秘密は出せん」

目崎正人は家族を伴い、県北の町に一軒家を借りた。スポーツ用品店の経営は人に任せ、持ち家は売りに出している。もう警察の保護下にはなく、監視下の扱いになっている。連日、被害者として参考人聴取をしているが、これまでのところめぼしい収穫はなく、目崎に「正しい人」という渾名がついただけだという。名前をもじったというより、いかにもの正論をぺらぺら喋ることから悔し紛れに刑事が名付けたらしい。

録音した目崎の声は「喉実検」に使われた。ロクヨン当時、犯人からの電話を雨宮に取り次いだ九つの店舗の店主や従業員、そして雨宮漬物の事務員、吉田素子に招集を掛けた。彼女は来られなかった。今は精神科を主体とする総合病院の閉鎖病棟にいて、院長の許可が下りなかった。他に二人の行方がわからず、実際に目崎の声を聴いたのは七人だった。「似ている」と答えたのは五人で、うち三人は「間違いないと思う」と答えた。残る二人は「覚えていない」「似ているとは思えない」だった。上々の結果と言えたが、松岡の言葉を借りるなら「千の状況証拠」の一つに過ぎない。犯人を特定しうる十四年前の物証はない。「正しい人」を裁きの場に送るには相当の時間を要する。ということだ。

「じゃあ、週刊誌とフリーの連中も会見に入れたほうがいいって言うわけ？」

今度は諏訪が捕まっている。

「あんまりクラブがクラブがって既得権を振り回すからさ。同じ情報を会見で聞いて、よーい、ドンで取材してみたらどうか、って話だよ。それで週刊誌が先に一家を突き止めたら、自分たちの取材力とか取材方法とか見直すきっかけになるだろ」

「冗談！　こっちが連中にネタを流したりもしてるんだ。だいたい記者クラブが悪いみたいなこと言うけどさ、元を正せばお上が下々をコケにしてたからだろ。長いことマスコミを瓦版屋扱いして、まともな情報を何一つ出さないんで、それで先人が死に物狂いで戦って役所の中に前線基地を勝ち取ったんだ。そんじょそこらの既得権と一緒にしてもらっちゃ困る」

「そんなところで胸張るなよ。先人はそうでも、今はどうか、ってことだろ。記者室を足湯代わりにして、情報出せ、情報出せ、って、そんなのカラスの子にだってできるじゃないか」

諏訪は一皮剝けた。不調和を恐れなくなった。うまく波に乗りたがる癖や器用さは影を潜め、なにやら無骨な感じすらする。

記者たちのほうにも微妙な変化があった。「大きなヤマ」を踏んだ興奮冷めやらずということなのか、いっときはより過激さを増し、東京かぶれで大言も吐き、しかしそうした中にもどこか「寸止め」の気配を感じさせる。容赦なく攻めるが決裂を望まない。殴り合ったその手で握手もする。そんな懐の深さを覗かせるようになった。

だが――。

真に双方の関係が試されるのはこれからだ。

一昨日、三上は部下三人を地下の小会議室に集めて話をした。他言無用。そう前置きして、今回の事件の全容を説明した。ロクヨンとの関係も、刑事部が抱える隠蔽事案についても洗いざらい話した。目崎逮捕の日にマスコミとの関係は死ぬ。そう表現した。いったん死んだ関係をどう再構築していくか、各々考えてほしいと告げた。

諏訪は霹靂（へきれき）に打たれた顔だった。匿名問題をからくも乗り切り、今回の報道協定事案は自らが矢面に立って奮闘した。大いに自信もつけ、さあこれからという時だっただけにショックを隠せなかった。だが心配あるまい。昨日今日の記者対応を見ていれば腹を括ったことはわかる。いずれ広報官になる。一広報マンだった諏訪は己の意志で覚醒したのだ。

蔵前は沈痛な面持ちで聞いていたが、雨宮の無言電話に話が及んだ時、本当に肩を落とした。話し終えた後、その肩を叩いて言った。銘川亮次の留守電は未確認だ、と。三上だってそう願っている。あの電話は故郷からのものであったと思いたい。

美雲は一人、顔を真っ赤にして意見を述べた。

〈今回のことでわかりました。警察とマスコミはどこまで行っても水と油の関係です。しかし両方を混ぜて勢いよく攪拌すれば、その間だけは真っ二つには分かれません。その分かれていない瞬間瞬間を積み上げていくことが大切だと思います〉

〈攪拌とは何だ〉

〈マスコミとの関係が死んで、たとえ背中を向けられてしまっても、諦めずにこちらから働き掛けることです。背中でもいいからノックし続けることです。たゆまず、です〉

その直後、美雲は喉が痛いと言い出して病院に行った。が、貰ってきた薬を諏訪に覗かれて膀胱炎だとバレた。切れ目のない会見続きでトイレに行けず、それはそれで大いに同情し、心配もしたのだが、しかし蔵前の漏らした一言には思わず笑った。美雲と高倉健だけは嘘をつかないと思ってた——。

その蔵前と美雲は並んでパソコンを叩いている。この事件が起きて一台増えた。赤間の言ったように一人一台が当たり前の時代が来るのかもしれない。

「ちょっと上に行ってくる」

そう言って三上は腰を上げた。記者と論戦中の諏訪がちらりとこちらを見た。二階ですか？　五階ですか？

いや、もっと上だ——。

81

屋上は一陣の風だった。

三上は腕時計を見た。約束の二時を数分過ぎていたが、二渡はまだ来ていなかった。

来ないつもりか。ならばそれがまた傍証になる。

二渡が「騒動師」だった——。

考える時間ができて、幾度も反芻して、もはやそうとしか思えなくなっていた。

本庁が目論んだ刑事部長ポストの「召し上げ」。その情報を最初に荒木田にもたらしたのは、唯一、本庁情報を知り得る立場にあった出向中の前島だったに違いない。一方この件で、辻内本部長と赤間警務部長が二渡に特命を与えた形跡はなかった。なのに二渡は突如として動き出した。同期で昵懇の前島が、荒木田にだけでなく、二渡にも情報を流したと考えるのが最も自然なのだ。

では、生粋の刑事である前島は二渡に何を期待したか。言うまでもない。「召し上げ」の阻止だ。「天の声」を引っ提げて乗り込んでくる小塚長官の視察を潰すことだ。そこが解ければ、二渡の不可解な一連の行動が「騒動師」のそれだったとわかる。密行を常とする警務課調査官が、しかも「陰の人事権者」と呼ばれる警務部きってのエースが、派手に刑事の家を訪ね歩いて恐怖を撒き散らした。あたかも連続放火犯のように警務部憎しの火を点けて回った。煽動だった。蜂起を促すためだった。事実、刑事部は二渡に煽られて反撃をエスカレートさせていった。鉄のカーテンを引き、新聞を使って警務部の不祥事を暴き、果ては本庁で紙爆弾を破裂させるという常軌を逸した示威行為に出た。もし仮に「誘拐事件」が起きていなかったとしたら、長官視察のあの日、刑事部はいったい何をしでかしていたか。

二渡が仕掛けた「騒動」は、しかしそれだけではなかった。広報フィールドに目をつけた。D県をダラスにするためには、刑事部の叛乱だけでは不足とみて両面作戦を取った。既にフィールドは荒れていた。匿名問題が拗れて、記者たちは長官の会見ボイコットを叫んでいた。だから二渡がすべきは、ボイコット回避のために火消しに走る勢力を無力化することだった。広報室だ。その長である三上を標的にした。いくら同じゲームの盤上にいたとはいえ、半年に一度顔を合わすか合わさないかの二渡が続けざまに三上の視界を横切ったのは、おそらく偶然ではない。意図的にニアミスして神経を逆なでし、そして三上が「召し上げ」の事実を知り、本庁一派への怒りが最高潮に達したその時、刑事心のど真ん中に手を突っ込んだ。

こう言った。

〈お前がいい例じゃないか〉〈誰が見ても立派な秘書課員だったよ〉

二渡が本庁一派の一員であることを誰一人疑わない、その錯誤を利用した。もとより、二渡は三上のことを「警務の皮を被った刑事」と見ていたはずだ。その身は秘書課広報官の職にあろうとも、最後は刑事部を利する行為に走る、会見ボイコットを許してダラスを完成させる、そう予測していたに違いない。にもかかわらず三上に対する追い込みは執拗だった。それが二渡の仕事のやり方なのだろう。だが、あの真っ赤な火箸のような言葉のすべてが仕事に必要だったのか。負けも認めなかった。三上がボイコットを阻止したことへの驚きは、たった一言で片付けられた。

〈確かに誤算はあった〉

二渡は刑事部を、いや、D県警そのものを守ろうとした。なのに賞賛する気にも礼を言う気にもなれない。それが二渡の、警務課調査官の仕事だった。ただそう思うのみだ。

〈結果オーライだ〉

二渡は最後にそう言った。知略と詐略に満ちた組織劇の終幕は「誘拐」に持って行かれた。それでもゴール地点である「結果オーライ」から遡れば、スタート地点にいる、そこで笑顔で手を振る前島の姿が見える。

もはや怒りはない。すべては相殺されて感情の針はゼロから動かない。だが――。

謎は残されている。一つだけわからないことがある。二渡が握っていた「武器」だ。幸田メモの情報はいったいどこから入手したのか。前島からではない。歴代の八人の部長と松岡しか知らない、刑事部のトップシークレットなのだ。漆原、幸田、柿沼、日吉。当事者である「自宅班」の四人からは何も聞き出せなかったはずだ。ならば誰からか。

もし名前を挙げるとするなら――。

三上は目を上げた。まず時計を見た。二十三分遅れ。そして再び目線を上げた。細い体が向かい風を切り裂くように歩いてくる。

「部室の掃除は終わったか」

用意していた台詞を風下に飛ばした。

二渡は三メートルほど手前で足を止め、「故郷台」を撫でるように手をついた。誰も眺めには来ないが、コンクリート製の円柱の上方に県内の市町村の方角が刻まれている。

「まだだ。汚す奴が多いんでな」

既に次の問題を抱えた顔だった。

「用件は何だ」

「遅れた言い訳はなしか」

「いずれわかる」

「なるほどな」

三上のほうから近づいた。「故郷台」に片手を置いた。二渡は風に顔を背けている。もし誰か名前を挙げろと言うなら尾坂部道夫だ。その自宅に入り、出て行くのをこの目で見た。地球の表と裏に住んでいるような関係に見えるが、一つだけ共通点がある。近い将来、二渡は刑事部長の椅子に座る。時を超えて二人の部長が出会い、そこで――。訊いたところで答えまい。それを聞き出すために呼び出したのでもなかった。

「来春の人事はもう動き出しているのか」

二渡は反応しなかった。それは完璧なまでの無視だった。癖がついているのだろう、

「人事」の一言で瞬時に心を遮断する。

「随分とコケにしてくれたな、今回は」

「何がだ」

二渡が目を上げた。その目をまじまじと見た。白と黒が普通の配分であった。

「散々踊らせたろうが」

「そうなのか」

「借りを返せ」

「誰にも借りはない。貸しもだ」

「昔、電車賃を貸した」

「返した」

「みんなでイースタンの巨人戦を観に行った時のだぞ」

「次の日返した」

「来春のはもう動き出しているのか」

省略がわかったのだろう、二渡の口の端が微かに持ち上がった。

「来年、松井が何本打つかのほうが大事だろう」

ハッ！　三上は一声笑った。

「お前はてっきりイチロー派だと思ったがな」

ハッ。今度は二渡が一声笑った。続けて何か言い掛け、だが何も言わずに口を噤んだ。

「ニューヨークは寒いんだってな」

返事はなかった。

それきり会話は途絶えた。二人でいるのに一人でいる。二渡は心持ち顎を上げて目を細めている。風を楽しんでいるように見える。新たに持ち上がった問題の解決策を考えているようにも。

組織の中ではそんな人間が勝っていく。秘密を余さず抱え込んだ者が生き残る。自分の秘密を、他人の秘密を、一つ口にするたびに人は負けていく。二渡といると、そんな思いに捕らわれる。だが――。

立ち去ろうとはしない。二渡は「故郷台」に手を置いたまま思案顔を続けている。ふと、足元に目が行った。綺麗な靴を履いていた。新しくはないが、よく磨かれた黒革が、曇天の鈍い光を反射していた。

「二渡――借りがないなら貸していい」

鋭角の顔がこっちに向いた。呼ばれるのを待っていた顔だった。

「俺の異動はなしだ。赤間がどう言おうと広報室から動かすな」

ロクヨンの捜査は長引く。人事異動の策定時期を越える。だが必ず「その時」は来る。D県警が十四年前に遡って全マスコミを敵に回す、その瞬間に立ち会う。松岡参事官が臨む業火の記者会見に広報官としてお供する――。

二渡はもう歩き出していた。背広の襟が風にまくれただけで、言葉はおろか表情一つ残していかなかった。

細い背中が昇降口に消えた。それを見届けて三上も歩き出した。靴は互角だった。おそらく、譲れないものの数と重さも。

額に手が行った。それから空を見上げた。

風花が舞ってきた。

その白さに、ふと、覚えたてのクリスマスローズを思った。

（終）

単行本　二〇一二年一〇月　文藝春秋刊

文春文庫

ロクヨン
64 下

定価はカバーに
表示してあります

2015年2月10日　第1刷
2016年5月25日　第9刷

著　者　横山秀夫（よこやまひでお）
発行者　飯窪成幸
発行所　株式会社　文藝春秋

東京都千代田区紀尾井町3-23　〒102-8008
TEL 03・3265・1211
文藝春秋ホームページ　http://www.bunshun.co.jp

落丁、乱丁本は、お手数ですが小社製作部宛お送り下さい。送料小社負担でお取替致します。

印刷・凸版印刷　製本・加藤製本

Printed in Japan
ISBN978-4-16-790293-3